曹禺全集

·10·

北京出版集团
北京十月文艺出版社

主编：王风

本卷责任编委：李斌

约20世纪80年代后期

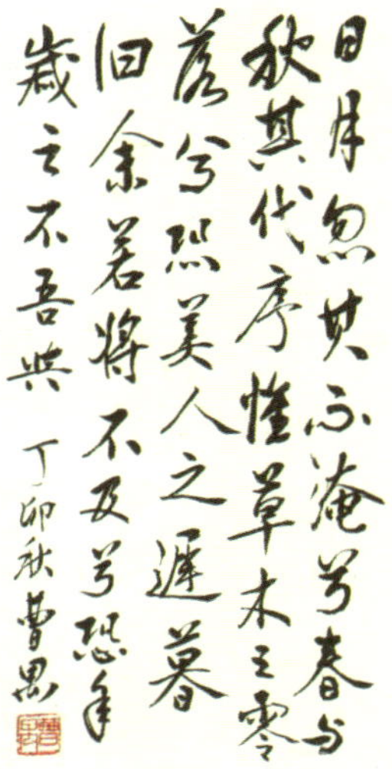

1987年曹禺自书《离骚》句言志

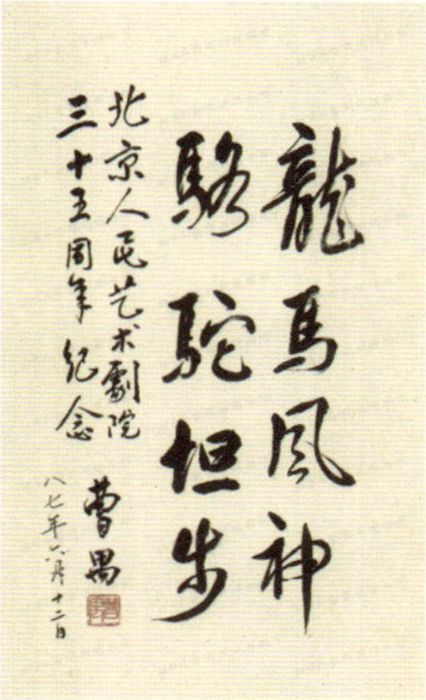

1987年曹禺为北京人民艺术剧院
建院35周年题词。
人艺戏剧博物馆藏

1987年曹禺与夫人李玉茹

1988年曹禺与巴金在上海

1956年访日期间与《雷雨》日译本译者影山三郎合影

1980年3月曹禺应邀赴美讲学，与英若诚在阿瑟·米勒家做客

20世纪80年代后期，在上海瑞金剧场休息室与黄佐临交谈

1991年国立剧专老学生到北京医院探视

1994年9月23日中央戏剧学院师生到北京医院为曹禺暖寿

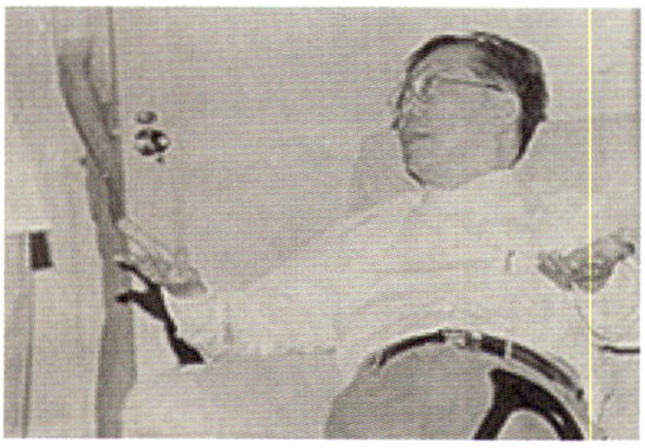

晚年曹禺

曹禺墓，位于北京香山脚下万安公墓

曹禺铜像，位于湖北潜江曹禺著作陈列馆前

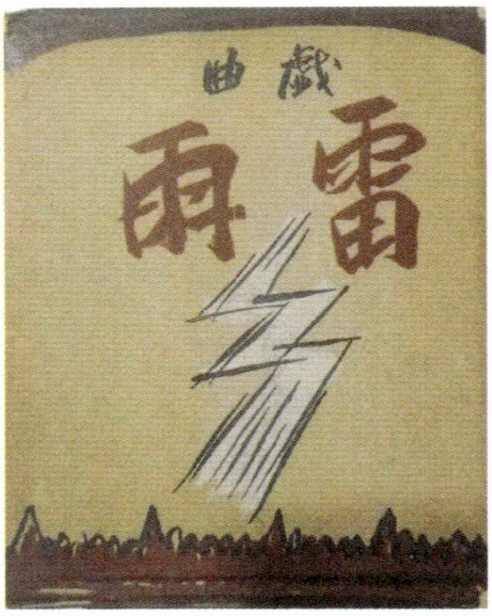

日本汽笛出版社1936年版《雷雨》
日译本书影

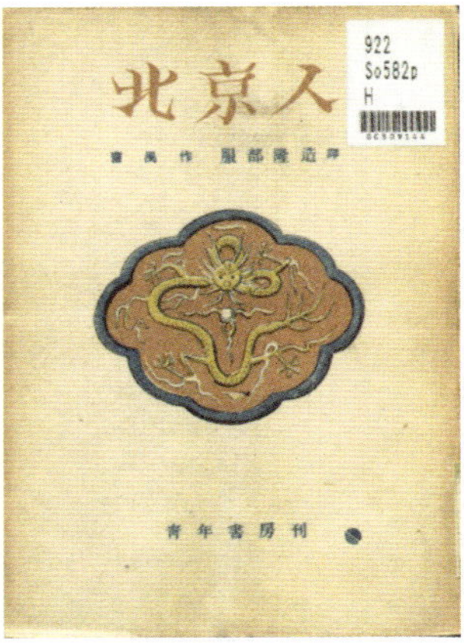

日本青年书房1943年版《北京人》
日译本书影

外文出版社1958年版《雷雨》
英译本书影

外文出版社1978年版《日出》
英译本书影

目　录

索　引

为评弹说几句话

杨振雄、杨振言拼“兄弟档”说长篇弹词《武松》，我是仰望已久了。这次来沪从电视屏幕上连续收看了他们的几回关子书，真是“极视听之娱”。

刘勰的《知音》篇说：“凡操千曲而后晓声，观千剑而后识器。”我从年轻听评弹，听了数十年，爱之深、恨之切。“爱”，不必说了；“恨”，便是“恨不生为苏州人”，至今还不能百分之百地听懂。可是，由于我听得久，听得多，权且充当一个门外“知音”吧。谢谢上海电视台，他们在播放《武松》时，打了字幕，使得我这个北方人听吴歌，由“音实难知”转化为音渐“易”知，对于杨氏兄弟的格调高、神韵足的书艺留下了深刻的印象。

前些日子，杨振雄同志到我家里“谈道”（评弹界的行话，意即同行间相互探讨艺术），兴致勃勃地介绍评弹传统艺术的五项手法：说、噱、弹、唱、演。我听了他的书，感到评弹还有一个“评”字。

【题注】载1982年1月15日《新民晚报》。

比方说，他们兄弟俩一忽儿演起书中的角色武大郎、西门庆，一忽儿“跳”出来以说书人杨某的见解来“评”。身材矮小、容貌丑陋的武大在“说”“唱”中，“演”出他“心地善良，憨厚可爱”；俊俏风流的西门大官人，在“说”“唱”中，“演”出他“心地险恶、残暴卑鄙”。这里就有“评”。这种“评”，评出了真善美与假恶丑，点破了说书者（也包括编书者）的道德观、是非观、审美观。这种“评”，不是唠唠叨叨，而是画龙点睛；不是枯燥讲道，而是情理融合；不是浮光掠影，而是思致婉转。更精彩的是，在有无之间，他们“跳出来”，自然而然；“跳进去”，天衣无缝。“评”这“评”那，不悖“书情”，更契合“书理”。还有，在“评”的当口，台上说书先生与台下听书客人，是直接交流的，相互间像交融谈心，有一种难以形容的亲切感。我以为，评弹有“评”，是有别于其他艺术的。从一定意义上来说，没有区别，就没有艺术。评弹有“说、噱、弹、唱、演”以及我所姑妄言之的“评”，与其他艺术有着明显的区别，数百年，“评弹”昂然独立于艺术之林。“十年内乱”把评弹独特之“法”都“乱”掉了，以“样板戏”为样板，变成不伦不类的“评戏”，真叫人啼笑皆非。

听了评弹《武松》，最近又听了上海评弹团建团卅年的纪念演出（姚荫梅、张鉴庭、张鸿声、朱雪琴等老艺人演出的专场），深感陈云同志说的要“保存评弹艺术”，至关重要。

“知音其难哉！音实难知，知实难逢，逢其知音，千载其一乎！”陈云同志，是欣赏评弹的行家，他的“保存”说，应该引起我们足够的重视。我建议上海电视台把杨双档的《武松》录像带妥善保存起来，更希望有关部门把今朝健在的评弹老艺人的书艺尽量录下像来，让优秀的经典的评弹艺术发扬，永存。传统的评弹艺术，是祖国的灿烂文化的一部分，确实应该重视。

当然，反映时代风貌，鼓舞人心的“新书”，更应提倡。我体会，“保存评弹艺术”不是把一切“旧书”，不分优劣，不讲意义，都演唱起来。二者不可混为一谈。要下大力写“新书”。能否改编今天群众热爱的优秀小说、戏剧、电影等？工作艰难，但这是评弹艺术家们义不容辞的责任。

评弹现在听众较少，在青年中更少“知音”。我赞成“不要青年来就（作“迁就”讲）评弹，而是要评弹去就青年”的说法。但我们应该向青年同志多宣传评弹艺术，让他们逐渐懂得如何欣赏，评弹听众会不乏后继，知音的后一代会世世相传的。

要生活，也要胆识

古人说，艺术家应该有胆识。这是有道理的。所谓“识”，就是要有丰富的生活，丰富的知识，见多识广，才能对生活有独到的见解。所谓“胆”，就是要有勇气，有勇气写，有勇气坚持自己的真知灼见。

勇气来自对生活的真知，来自对祖国、对人民执着的爱，来自对人民命运的关切。心中有数，下笔时才有底气。遇到什么干扰和不公正的批评时，才有勇气坚持，敢于去写自己感受到的东西，为人民代言，为人民抒情。不然的话，一遇风吹草动，自己往往摇摆不定。作品受到批评时，就心虚。但是，如果真认识到自己是写错了，就应该诚诚恳恳地做自我批评，不要顾面子。要善于听取批评，勇于听取批评。

古往今来，真正成熟的大作家，都是真诚的人，他们总是正视人生。对人，对社会，对人类，对世界，都有诚挚的责任感。在错综复

【题注】载《剧本》1982年第1期。

杂的生活中，永远追求光明和真理，从未失去希望。对他的时代所面临的大问题，从不躲避，总是和人民在一起，努力探索。这样写出来的作品，才有可能深刻。否则，就浅，就没有生命力。

当前，要深入到“四化”建设的洪流中去，与人民群众同呼吸，共命运。满腔热情，歌颂生活中美好的、新生的事物，鞭笞落后、丑恶、阻碍生活前进的事物。这样的作品，是能够引起观众和读者的强烈共鸣的。

愿在新的一年里，有更多更好的作品问世！

(《舞台美术选集》)序

三十年来，北京人民艺术剧院演出了不少的剧本，形式多样，风格不同。其中有许多中外古今经典著作，也有目前国内外的著名剧本。

这样众多的著作，形成一片广阔的天地，供给舞台美术家来驰骋，表现他们的生活、才能和想象。

我们的舞台美术家，付出了辛勤的劳动，画出了一幅一幅才情洋溢的作品。这个集子里收入的，有写实的《龙须沟》《茶馆》《雷雨》；有风格化的、写意的《伊索》《为了幸福，干杯》《公正舆论》；还有吸收民族传统手法的《蔡文姬》《武则天》《悭吝人》等。这些舞美作品，有的真切含蓄，有的雄奇壮丽，有的点染出情趣神韵，有的承袭了民族风格的特色。

北京人艺的艺术风格是以现实主义创作方法为基础的，它的舞台美术也是从社会现实生活出发，努力达到生活真实与艺术完美的

【题注】据《舞台美术选集》所载排印，中国戏剧出版社1983年第1版，原题《序》。

统一。

在话剧民族化的探索方面，他们热爱并且努力熟悉、表现我国古代和现代的民族生活。他们努力塑造形形色色的富有民族性格的典型人物。在典型环境的表现技法上，也努力向中国传统戏曲学习，向民族绘画学习，向民族建筑和园林布局学习，尽量使话剧的舞台美术体现出民族气派和风格。

我们的舞台美术家们总是尽力和导演、表演艺术家的构思密切配合，追求演出形象的统一性和整体性。他们的设计，服从剧本的主题思想，渲染时代背景。这些设计，突出人物，安排典型环境，创造气氛，烘托表演。他们的舞台设计和灯光、服装设计，以及化妆、道具、效果的艺术，形成一个有机的整体。三十年来，北京人艺的舞台美术工作各部门，已经形成了自己的工作习惯与传统，在演出中决不允许舞台美术游离于剧情、人物、演出气氛之外。整个演出的统一、谐调，将是我们永远追求的目标。

北京人艺的舞台美术家，是在丰沃的生活土壤里培植、成长起来的。他们为形成北京人艺特有的艺术风格贡献了他们的青春和精力。他们将继续创造，继续发挥舞美艺术的力量，把有限的舞台空间，推到无限广阔的天地中去。

一九八二年二月十日

回忆在天津开始的戏剧生活

二十年代初，我进入天津南开中学读书。那时张彭春先生负责校务，喻传鉴先生是教务主任。张彭春曾先后在美国哥伦比亚和耶鲁大学研究教育和戏剧，对戏剧很有兴趣。南开中学每到校庆和欢送毕业同学时，都要演戏庆祝，成为一种传统。演“新剧”起源于张伯苓先生。他早在一九〇九年（宣统元年）时就提倡新剧，目的在于练习演讲，改良社会。南开新剧第一次公演的剧目是张伯苓先生自编、自导、自演的《用非所学》。

我大约在十五岁时就加入了南开新剧团，演过很多戏，几乎都是张彭春导演。师生合作，参加者有伉乃如、吕仰平、陆善忱等。我也演过陈大悲的戏，如《爱国贼》。

当时的风气，男女不能同台。我在中学时多半扮演女角色。我演的头一个女主角戏是易卜生写的《国民公敌》。我们排演认真，费时

【题注】收录于《天津文史资料选辑》第19辑，天津人民出版社1982年版。文末附注：“访问记录，业经本人审阅。”另，删节版以同题载1982年3月14日《天津日报》。

两三个月之久。这个戏写的是正直的医生斯多克芒发现疗养区矿泉中含有传染病菌，他不顾浴场主的威迫利诱，坚持要改建泉水浴场，因而触犯了浴场主和政府官吏的利益。他们便和舆论界勾结起来，宣布斯多克芒为“国民公敌”。那时正是褚玉璞当直隶督办，正当我们准备上演时，一天晚上张伯苓得到通知说：“此戏禁演。”原来这位直隶督办自认是“国民公敌”，认为我们在攻击他，下令禁演。等他倒台后，此戏才得以演出，很受欢迎。

一九二八年十月公演了易卜生的名剧《娜拉》，由我扮演娜拉，张平群演娜拉的丈夫海尔茂律师。我们一面上学，一面排演，每次演出都很用心，很努力。当时《娜拉》的演出在天津是件很大的事，尤其在教育界引起很大的注意。演出后报纸上纷纷刊载评论，受到观众的热烈欢迎。后来我演《新村正》，这是南开新剧团自己写的剧本，故事情节我忘了，记得我还改写过一遍，那时我已上高中，不是男扮女角，而是男女合演了，同台演戏的有伉乃如。华午晴先生搞的舞台布景。

南开新剧团经常介绍外国戏，有的加以改编，成为中国可能发生的故事，人物也都中国化了，但主题思想不加更改。这样做，是为了适合我们的舞台条件和观众的接受能力。如我改编过十七世纪法国伟大喜剧家莫里哀的《吝啬鬼》(即《悭吝人》)。戏名改为《财狂》，由我扮演主角，并请曾在外国学过建筑学、“新月派”文艺团体的林徽因[1]先生负责舞台设计，那是很讲究的，布景是写实主义的，在业余

1 “林徽因”底本作“林徽音”，当作“林徽因”。

剧团中算是很好的了。

改编本把原来五幕缩为三幕，把原剧的主人阿尔巴贡改为韩伯康，艾利丝改为韩绮丽。《财狂》在南开瑞庭礼堂公演，轰动了华北文艺界，天津《大公报》还出了纪念特刊。我们演《财狂》时，郑振铎、巴金、靳以都由北平来看戏。此外我还导演过英国作家王尔德的《少奶奶的扇子》(原名《温德米尔夫人的扇子》)。

英国人高尔斯华绥的戏《斗争》，是写工人罢工的戏，改编后改名《争强》。这出戏写劳资斗争，最后双方都妥协了。我演资方的董事长，张平群演工人代表。那时我思想落后，高尔斯华绥这个戏是宣扬劳资合作，号召妥协的。

南开新剧团对我的影响很大。我原想学医，两次投考协和医学院，都没考上；后来考入南开大学学政治，但是学不进去。在南大和以后在清华大学时，我得到图书馆的许可，可以进入书库，在那里浏览较广，从有关先秦哲学的简单著述，到浅近的有关马克思学说的书，更多的是读中外文学和戏剧书籍。由于南开和清华大学的环境，我得到一些知识。南开新剧团的活动，启发了我对戏剧的兴趣，慢慢离开学科学的打算，终于走上从事戏剧的道路。

我很留恋青年时代在天津的这段生活。我从十五岁至今天(七十二岁)，一直从事戏剧工作。南开新剧团是我的启蒙老师：不是为着玩，而是借戏讲道理，它告诉我，戏是很严肃的，是为教育人民、教育群众，同时自己也受教育。它使我熟悉舞台，熟悉观众，熟悉应如何写戏才能抓住观众。戏剧有它自身的内在规律，不同于小说或电影。掌握这套规律的重要途径，就是舞台实践。因此，如何写戏，光看剧本不行，要自己演；光靠写不成，主要在写作时知道在舞台上应如何举手投足。当时剧作家不都是走我这样的道路。张彭春去美国时，给我留下一套英文的易卜生全集，对我影响很大，大部分我都读了，有的太深，不大懂，没读。那时我太年轻，还在中学，英文也不好。易卜生是“近代戏剧之父”，近代戏（也许除去现代各种流派的外国戏）无不受易卜生的影响。他不仅是写实主义的，同时也是象征主义的。他的哲学思想和写戏方法，影响极远。他是一位戏剧大师。

体验生活是近来才有的词，我写《日出》《雷雨》当然也得体验生活。这两个戏的故事情节都是我天天听得见、看得到的亲戚、朋友、社会上的事。有人说《雷雨》的故事是影射周学熙家，那是无稽之谈。周家是个大家庭，和我家有来往，但事件毫无关系，只不过是借用了一下他们住在英租界一幢很大的、古老的房子的形象。写鲁贵的家，取材于老龙头车站（东车站），一道铁道栅栏门以外的地方，过去那个地方很脏。《雷雨》的剧本最后是在清华写完的。

《日出》一剧，事情完全在天津，当然和上海也有关系，如写交际花一类的事。地点也可以说基本是在天津惠中饭店，另外是南市三不管一带的地方，那里有很多妓院。翠喜、小东西是确有其人的。妓女们的心肠都很好，都有一肚子苦水。我不敢独自到那些地方去。当时的天津是暗无天日的地方，动刀杀人，无奇不有，我是由朋友带去的，读书人跑到那里去，很不容易。我接触了许多黑暗社会的人物，慢慢搞熟了，才摸清里边的事。不过很难。《日出》中砸夯，是天津地道的东西，工人是很苦的，那时盖房子、打地基，没有机器，一块大铁饼，分四个方向系绳，由四个人用力举起，然后砸下，一面劳动，一面唱。节奏感很强，唱起来也蛮有劲。他们唱的都是一段段故事，也有即兴打趣的内容，有领唱。我一看就是两三个小时，写在《日出》里的夯歌，是我自己编的词。

天津的话剧活动并不只是南开中学一家活跃，很多中学都在演戏，汇文中学，新学书院，还有一个外国的女子学校都在演。黄佐临是新学书院院长，他是很有名的戏剧导演，他的女友丹尼用英文演莎士比亚的《如愿》，由他亲自导演，还请我去看过。

天津的话剧运动在“五四”以前就开始了，周恩来同志就是当年南开编演新剧的积极分子。一九一五年南开学校十一周年时，他参加演出新剧《一元钱》，获得很大成功。我比周恩来小十二岁，在学校时没有见过他的面。后来我听说邓颖超同志也演过戏，我看见过她扮演男角色的照片。那时南开中学男生扮演女角，女中部是女生演男角，男女不能同台。再早的时候，革命党人王钟声，一九〇七年在上海组织新剧剧团春阳社，上演《黑奴吁天录》，一九〇九年带领剧团北上，曾在日租界下天仙戏院演出《爱国血》《秋瑾》《徐锡麟》等爱国的、反帝反封建的、反袁世凯的戏。这些戏都是刘木铎编写，由王钟声演出，极受观众欢迎。这是天津最早的话剧运动。后来王钟声被袁世凯的亲信张怀芝杀害。

新剧原是宣扬“文明”的戏，不唱。他们认为京剧内容封建，“不文明”。“文明戏”的内容是革命的，反封建的，“文明戏”是中国的早期话剧，这个名词原无贬义。

天津是革命话剧发祥的地方，对戏剧发展很有贡献。当初搞话剧运动资料的同志们不知道北方也贡献不小的力量。周总理曾经一再对我谈，要把天津和北方其他各地的早期戏剧运动写上去。都怪我太忙了，没有做。现在天津市政协文史资料研究委员会注意到这个问题，是很好的。周总理也和戏剧家凤子谈过:“为什么北方这么重要的戏剧活动一点都不谈呢?”

张伯苓主张搞新剧很不容易。那时有人认为搞新剧是下流的，可张伯苓却认为新剧和教育有关。天津造就了很多人才，天津话剧运动的贡献是值得一提的。

评论需要学识与胆识

夏衍同志在《人民戏剧》一月号发表的题为《在批评与自我批评中前进》的文章非常好。其中他提出了要实事求是地开展批评与自我批评，思想要交锋，又要讲道理，不打棍子。就是要开展同志式的批评，这很重要。最近几年，我们的戏剧评论工作是有成绩的，是在不断提高的。这一点不容抹煞。但是，我也有另一种感觉：许多评论不能讲真话。空话多，套话多。甚至形成了一种公式，开头先说主题如何有教育意义，然后再说人物、语言，大抵是些一般化的不大中肯的话，最后总要说到“瑕不掩瑜”之类。这种评论，千篇一律，没有味道，使人厌烦，对作者和读者、观众都没有什么帮助。

还有些评论，不是从艺术的美学观点去批评一个作品，往往提出一些原则问题，不加分析，似是而非，使人很难办。比如我前不久到外地看戏，听到有人批评一个话剧说：这个戏不错，就是看不见党的领导形象。我以为这种要求，不太符合艺术规律，什么是党的领导，

【题注】载《人民戏剧》1982年第4期。文末附注：“根据一次谈话整理。”

艺术作品中的党的领导，是不是非要出现一位党的书记才能体现呢？作为戏，写得很真实，很鼓舞人心，尽管台上没有出现一位党的书记，难道不能说明在我们的社会生活中是党在起作用吗？

现在有些人很不怕批评。我想，怕批评是不正常的，根本不怕批评恐怕也不很正常。我所谓“怕”，不是那种担惊受怕的“怕”，而是要引起作者对错误的警觉，引起作者的思考、反省，“闻者足戒”。不怕批评，除了夏衍同志所说的那些“骄兵悍将”外，多数则是因为批评的不中肯，没有深刻的分析，或者说没有打到点子上。不值一哂，何“怕”之有！

要想提高评论的权威，关键在于提高评论本身。这要靠评论家的本领。评论家应该比作家和艺术家有更多的学识，有更高的马克思主义和毛泽东思想的修养。还要有胆识，敢于讲真话，不做“迎风派”。他要站得更高，看得更远。就像鲁迅先生那样，他对《八月的乡村》《二月》的评论多么了不起！观点鲜明，褒贬得当。几十年过去了，鲁迅先生的评论仍然站得住脚。我认为，只有这样有真知灼见的评论才真正有权威。

一个评论家要评论得中肯，首先要懂得作家，能够充分理解他的甘苦，待作家以平等的态度，诚恳地称赞作品之所得，批评作品之所失。而不要总是以教训的口气，居高临下，指手画脚，更不要同作家站到对立的位置上。早年在我开始写作时，巴金同志曾给了我最热诚的鼓励和帮助；六十年代初，茅盾、叶圣陶同志对我的剧本《胆剑篇》提出了非常坦率的但很有见地的意见，这对我都是永远难忘的。

说到这里，我又想到另一个重要问题：评论也要有感情。现在有不少文艺和戏剧评论，常常是官样文章，不冷不热，没有独到的见解，没有激情，像一杯白开水。没有感情，不但搞不了文艺创作，也搞不了文艺批评。记得鲁迅先生曾说过这样的话：他得像热烈地主张着所是一样，热烈地攻击着所非。这“热烈”二字实在说得好。十九世纪俄国伟大的民主主义者别林斯基就是一个这样“热烈”的评论家。当果戈理发表《死魂灵》和《巡按》时，多少沙皇的御用文人对他进行攻击。这时，只有别林斯基坚决站出来，对果戈理所坚持的文学现实主义给以最热情的肯定和支持，称他为“现实生活的诗人”“文坛盟主”。但是，当果戈理晚年发表了他的《与友人书简选》，向沙皇忏悔，公开主张不要废除农奴制时，别林斯基则发表了《给果戈理的一封信》，严厉批评了果戈理的反动立场，说对一本有毒素的书，是“决不能宽容”的，旗帜非常鲜明。列宁曾指出，别林斯基的这封信是“优秀作品，直到今天它仍具有巨大的、生动的意义”。别林斯基的这种评论态度，是很值得我们学习的。

文艺评论对促进文艺的发展是非常重要的。许多优秀的评论家，往往对一代甚至几代文学艺术的发展都有影响。应当看到，现在我们的评论远远落后于创作。我们希望能出现一些真正深刻的评论家，写出有独到见地的文学和戏剧评论。要打倒那种平庸的公式化、概念化的评论。在我看来，出现一个有权威的文艺评论家，在一定意义上说，比出现一个作家更重要，但也更困难。这就更需要下大力气培养。我认为，我们搞评论的同志首先应该练好基本功，提高思想，加强修养。要扎扎实实地学习，不能满足于一知半解。最近我在一次会上有个口头发言，整理发表后，有位同志发现其中有好几处“引经据典”引错了。这给了我很大教育。我突然感到自己年轻时读书不够扎实，不如茅盾、巴金同志。我读书读到喜欢的地方就拼命读，不感兴趣的地方就跳过去。学习只凭兴趣是不行的。必要时要咬着牙反复读，直到读懂了，读透了。就像学医，必须从解剖、生理学起，可能很枯燥，但过后会知道这些基础知识是多么重要。无论搞创作还是搞评论都是艰苦的，不能走什么捷径。天才就是勤奋，这是天经地义的真理。最近我读到法国作家丁·列那尔的一段话觉得很好。他说：“……在文学上，只有当牛。所有天才都是最壮的牛，他们每天工作十八小时，孜孜不倦。荣誉，就是不懈的努力。”

最近，文艺界正在讨论提高创作质量问题，许多同志提出要深入生活，学习科学文化和历史知识，学习语言，我深有同感。搞评论的同志同样应当认真地向社会学习，向书本学习，并且要善于思索，勤于实践。我想，讲真话还要讲出道理来，讲出水平来，这并非是容易做到的事情。讲真话自己还必须具备讲真话的条件，既要有学识，又要有胆识。

（《莎士比亚研究》）发刊词

有史以来，屹立在高峰之上，多少文学巨人们教给人认识自己，开阔人的眼界，丰富人的贫乏生活，使人得到智慧、得到幸福、得到享受，引导人懂得“人”的价值、尊严和力量。

莎士比亚就是这样一位使人类永久又惊又喜的巨人。

我们从他的创作里获得灵感、启示和智慧。时代变化了，社会进展了，尽管民族有歧异，地域不相同，世界各地的学者们，都在莎翁身上发现巨大的欢喜、无限的生命，都禁不住赞叹：“人是一件多么了不得的杰作！……”这段话写的不就是莎士比亚自己么？他不就是“宇宙的精华、万物的长灵[1]”么？古往今来，代表“人”，又为“人”——

【题注】据中国莎士比亚研究会编《莎士比亚研究》(创刊号）所载排印，浙江人民出版社1983年第1版，原题《发刊词》。又载1983年4月5日《人民日报》，题名《向莎士比亚学习——〈莎士比亚研究〉发刊词》，兹以通校（校注称“人民日报本”）。人民日报本文末“编者附记:《莎士比亚研究》是正在筹备成立的中国莎士比亚研究会主编的学术性刊物，最近将由浙江人民出版社出版。本文原载《莎士比亚研究》创刊号，本报略有删节”。

1 “长灵”人民日报本作“灵长”。

尽管自己不一定理会——[1]创造奇迹的人，是屈指可数的。莎士比亚是我们当中的一个，是最贴近人心的一个。他为普通的人而写，又为天才的人而写；为智愚贤不肖的人而写，又为世界各个民族、各个有文化的角落而写。然而他又是多么深、多么难以讲得透的诗人啊！

“仰之弥高，钻之弥坚。”这句颂扬的话原是讲我们古代的圣贤的。我看，当然可以送给莎士比亚。各国有才能的学者和戏剧家们，都在研究他的戏，演他的戏，孜孜以求、倾一生精力为他写论文、做注释、做考证，这是学者们乐此不倦的境界。一辈子只想好好演几个莎士比亚剧中的深刻、精微的人物，把他们活生生地重现在观众面前，这是无数演员们一生在舞台上渴望的幸福天地，许多[2]导演和舞台艺术家们又何尝不如是向往呢。

历史上有这样的事，研究莎士比亚的学者们喜欢只把莎士比亚剧本作为诗、作为学问来钻研，有人甚至不大赞同演出莎士比亚。这大概是因为流动在幻想中的莎士比亚比呈现在眼前的舞台上的莎士比亚更丰富、更完美吧。致力于莎士比亚剧作[3]演出的艺术家们似乎又和那些以莎士比亚为文学研究对象的专家们不大说话，不能常常讲到一块儿去。——也许这已是过去的历史了，今天的情况有所改善了吧。

这个学术性刊物，选登了致力于[4]研究莎士比亚的学术论文，也

---

1 人民日报本无“代表‘人’，又为‘人’——尽管自己不一定理会——”。

2 “许多”人民日报本作“无数”。

3 “莎士比亚剧作”人民日报本作“莎剧”。

4 人民日报本无“致力于”。

选登了[1]关于莎士比亚剧作[2]在中国演出的文章。我们的想法，无非是指出莎士比亚是伊丽莎白时代为当时的观众写戏的剧作家，同时他又是最伟大的诗人。他的剧本需要许多学者在书斋里做专门的探讨，也需要艺术家在舞台上不断演出。

如果书斋里的学者与舞台上的演出者像合作演奏一部伟大的交响乐似地那样亲密、热烈地合奏起来，那么我相信，我们不论在莎士比亚的研究或是演出方面，都会取得新的成就，都会给人一种惊人的、丰富的感觉与享受。

我们是中国的学者。在中国研究莎士比亚，缺少一个资料丰富的条件。在资料上，国外的学者是得天独厚的。再说，莎士比亚毕竟没有生在中国。我们有关汉卿，有王实甫，有汤显祖等。关于他们，我们有不少的话可讲。汤显祖和莎士比亚是同时的，关汉卿、王实甫离现代有七百年了。[3]而莎翁的名字还是在二十世纪初，通过用文言翻译的莎士比亚戏剧故事集《吟边燕语》等，我们才开始知道。

然而我们研究莎士比亚有一个与西方不尽相同的条件，我们有一个比较悠久的文化传统。我们受不同于西方的文学、哲学、美学、历史、社会条件和民族风气的许多影响。特别值得一提的是，我们是以一个处于历史新时期的中国人的眼睛来看，来研究，来赞美这位世界的巨人。这个学刊上的文章，似乎是有这样的意图的。

1 人民日报本无“了”。

2 “莎士比亚剧作”人民日报本作“莎剧”。

3 “在资料上”以下人民日报本无。

因此，我们希望，这些学术论文中，有那么几篇具有独到的见解，言之成理，有说服人的内容。当然，这仅是我们的希望。

我们试图用马克思主义的观点来研究莎士比亚。莎士比亚想不到他死后出现了一位马克思，那样热爱他的戏剧，据说甚至于能成段、成场地背诵他的戏。我们几乎是以同样敬仰的心情来看这两位历史巨人。[1]我们希望探索在后来的这位巨人的眼里，莎士比亚为什么如此地伟大、如此地值得赞美。

马克思、恩格斯给予莎士比亚的艺术成就以高度评价，提出一个内容十分丰富而又十分准确的“莎士比亚化”创作原则。这个原则为后代的剧作家开辟了一条宽阔、豁亮的道路。歌德说：“莎士比亚的好处当然没有说尽。”用马克思主义的观点来看一看莎士比亚的好处，从而能说明它，这也是好事。用这种[2]科学的方法来研究他，我们不是最早的，也不会是最后的，因为日后还有来者。

我们这样说，不是要独树一帜、占尽风光。“一切道路通罗马。”[3]我们愿和走过不同道路的人们一块儿来更深入地理解这个伟大的心灵。事实上，多少年来，[4]莎士比亚的学者们辛勤研究的成绩，虽然有大有小，也是不能抹煞的。

我们还想，把一切用了心血写出来的研究莎士比亚的文章、一切

1　人民日报本无此句。

2　“这种”人民日报本作“这一”。

3　人民日报本无此句。

4　此处人民日报本有“研究”。

用了心血演出来的莎士比亚的戏，都拿来丰富祖国文化，作为我们的借鉴，作为我们的滋养。文艺之神将把这些当作种子，撒在这东方的文艺古国里，它会开出美丽的花朵，启发我们创作的灵感。这种想法和多年来我们的前辈向世界上各种进步的文化寻觅、探索，争取得到有益的收获的心情，是一致的。

学习莎士比亚可以开拓我们的视野，使我们更懂得珍惜生活中美好的东西，憎恨一切丑恶的东西。他真是个无所不包的伟大诗人。学习莎士比亚，才知道天上有多少星星在亮，地上便有多少莎士比亚的诗句和人物在闪光。

但是莎士比亚却也可以作为个人的装饰，这个念头存在于有些人的鄙俗的心里。那些无知的巨富们，以高昂票价，穿上礼服，坐在剧场正厅里，扬扬得意地参加《哈姆雷特》的首演，为了今后见着太太、小姐们，好提起这桩高雅的事情。这样的人不是和家中藏了许多装帧精美的《莎士比亚全集》，终生未曾开过一页的人，一样可笑么？

只有踏破铁鞋的人才能寻着莎士比亚的戏剧中的珍宝。

为以往的中国的舞台写戏的人，我们那时叫作“打本子”的。我就是这样一个“打本子”的。我不懂莎士比亚，正如我不通希腊文一样。仅是因为“中国莎士比亚研究会”经过一番努力，要在国内创办一份研究莎士比亚的定期刊物，取名《莎士比亚研究》。这是好事，大家要我写个序，我就写了这几句话。

一九八二年六月九日于上海[1]

---

1 “学习莎士比亚可以开拓我们的视野”以下人民日报本无。

曹禺同志的谈话

——一九八二年六月二十六日于上海

周总理在世时，曾对凤子和我一再提及，要编天津话剧史。

天津的剧运出在学校里。“五四”前后的学生革命运动对话剧起了极大的推动作用。关系非常密切。要到各校都去跑跑，不应局限于南开。比如，黄佐临当时在新学书院，给中西女校排莎士比亚的《如愿》，丹尼参加演出，完全是用英语演出的。莎士比亚戏剧在中国的介绍和演出，是一件大事，是话剧运动的一个组成部分，值得记载。

你们要把南开摸透，要多找在天津土生土长起来的人，把发展脉络搞清楚。南开最杰出的人才是总理，要专写一章。周恩来同志对话剧（当时叫“新剧”）的意见很重要，这可以当作你们编写话剧史的一个题目，请斟酌。

中国话剧运动究竟是从哪里开始的？上海的赵铭彝有篇文章，认

【题注】收录于曹禺研究会编著《曹禺研究》第三辑，中国文史出版社2006年版。文末附注“洪忠煌　吴立冈整理”。

为最早演话剧的是圣约翰中学，可以做些调查研究。话剧形式是从日本借来的。但是我不认为只有像现在这样的演出形式才叫话剧。最初的话剧演出形式和现在不一样，这可以上溯到“幕表制”。欧阳予倩和许多前辈们开始搞话剧运动。他是在日本看了弘一法师李叔同演的《茶花女》，才对新剧感兴趣的。李叔同是天津人，这位人物要提的。要把天津最早搞话剧的几个人搞清楚。你们可以找找北京的黄永玉，问问他的老师李叔同的情况。

你们写话剧史，要联系文明戏史，正如现在写文学史的开始注意鸳鸯蝴蝶派一样。不要把话剧抬得太高了。我小时候，母亲经常带我去看戏。我开始接受历史知识，就是十一二岁时从文明戏中得到的，如清史、洪承畴，就是看了连台本戏知道的。文明戏演《新茶花》《温少奶奶的扇子》，他们演出的有些东西很特别，如演金女士的，空中一按铃，铃声响了。编写一部话剧运动史也可以多搜集一些当时演出的资料。新剧的萌芽是怎么一回事？眼界要开阔，要搞清楚，说明白。

刘艺舟拿戏剧为当时的革命服务，是否当时所谓的言论老生，这应请教人。他们训练出一批观众，否则小市民对不唱不舞的话剧是不会感兴趣的。

中国话剧运动和业余话剧运动发展有极密切的关系，群众戏剧推动着戏剧史向前发展。话剧是广大群众的戏剧，专业反而是少数。爱美剧是陈大悲出的主意，比文明戏要高明，寓教育于娱乐之中。

南开学校培养出来的人才是讲实干的人才，有的经商，有的从事自然科学，文学人才不多。可是在当时看，南开的新剧是演得很好的。当时票价很贵，一元钱，相当于现在十元、二十元，也都满座，有时还有站着看戏的。郑振铎曾经特意从北京来天津看我们新剧团演出的《财狂》。

严范孙办学初期，已开始有话剧活动。张伯苓与张彭春在开展话剧活动辅助教学这一点上是始终坚持的。那时每班毕业搞纪念活动都要演戏，没有一个人不受话剧的洗礼的。我非常可惜南开演话剧这个传统断了。南开到重庆时改名“南渝中学”，还坚持演话剧，保持着南开的传统。你们可以问问现在图书馆当馆长的丁志刚（他是第三位演娜拉的），问问他是从什么时候中断的，是否重返天津后中断的？

张彭春是位极严格的导演，有自己的独特风格。他曾在耶鲁大学专学戏剧。这个人如果一直搞戏剧，成绩会了不起。这个人十分可惜！我们可以向大百科全书提议，为他立一个条目。

张先生不仅在国内搞戏剧活动，在国外也搞。他为梅兰芳出国赴美演出，曾经按话剧方式重新给剧团排戏，去掉冗长的过场戏，精练加工。梅兰芳在苏联会见斯坦尼，也是张先生从中翻译介绍的。这方面可以问问梅葆玖先生。梅葆玖太小可能说不清，可以问问梅先生的大儿子梅绍武。

张彭春先生对中国话剧运动是有贡献的，不限于天津剧运。要充分估计张彭春对整个中国话剧运动的贡献。他曾谈过要办一个大学，其中要有戏剧系，我还就此事与张骏祥商量过。张彭春是极有导演才能的，是一位出色的导演，当时他导演《娜拉》，排了二三个月之久，排得很细，有时一个角色上场都要排十几遍，态度严肃极了，他的导演方法是现实主义的，非常细心地向演员讲人物和主题。

我第一次见到张彭春先生才十几岁，是他一手引导我进入话剧艺术领域的。“师父领进门”，师父就是他，他是我的恩师。没有张彭春，我也许不搞戏剧活动。我写《雷雨》，扉页上就写上献给导师张彭春先生。

我在南开上学时，受的是美国式的资产阶级教育。张伯苓校长的教育方针是“德、才、公”三字，至今还有现实意义。南开新剧团介绍欧美剧作，搞中国新剧，在当时是最进步的思潮。过去五十年间，写话剧史的一点北方也不谈，是不全面的。南开话剧运动的好处，在于造就了好多人才，现在遍及全国各地，我是其中一个。如果不是南开的影响，那么按我父亲的意愿，我就去学医了。

我十五岁开始演戏，第一个戏可能是陈大悲教授写的《爱国贼》扮丫鬟。后来我也一直演女角。可是在《争强》中，我演男角，演董事长，张平群演职工代表。张伯苓校长看《争强》时说：“我见过伦敦罢工，工人多苦啊！”他只知道工人罢工苦，没想到工人受剥削更苦。他夸我演得好：“你这个董事长演得好，后脑勺挺着，很倔啊？”《少奶奶的扇子》是我在南大一年级时排演的，是男女合演。男中女中同学的演出，男女是分开的，但是到了大学就不怎么限制了。我演过《新村正》《财狂》，有人说我演的《财狂》演得最好。我还演过丁西林、陈大悲的戏，还演过日本狂言《骨皮》，讲一个老和尚和一个小和尚的故事。当时南开历史系学生马逢琛也参加演出，这个人是喜剧天才。

陆善忱是我的老师，专演旦角，等我演旦角时，他就不大演了。我的岁数小，演旦角不用假嗓子，而是尽量提高嗓音，软一点，提住气说，跟男的声音不大一样，有女声的幻觉，自己照镜子揣摩，讲究自然，不扭扭捏捏。

南开新剧团还演过田汉的《获虎之夜》，由孙某演女主角，他是南开中学的学生。

我看斯坦尼的《我的艺术生活》，是从南大图书馆借的英文版本。当时我读得很有兴趣。斯坦尼指导演员是严格的，也有方法。

有一位朱星樵老师，是我在南开时的训导员，人很严肃，看过我演的不少戏。可以找他问问。王辛笛也看过很多戏。你们可以找他。他是我同时代人，是位诗人。鲁韧是个诗人，72岁，可向他找南开剧照。

管亚强（张致祥）和我一块演《国民公敌》，演一个群众。他是地下党员，主要是搞群众运动的。他曾当面和张伯苓校长争论。那时是1927，他已经参加了共产党搞革命了。共产党对天津话剧运动有没有指导？你们如实了解一下。那时地下党对话剧运动顾得上、顾不上？这个问题要实事求是，起多少作用就是多少作用。

当时我们演戏，受到北洋军阀的摧残。上演《国民公敌》，他们就不打自招地禁演。我们只好把剧名改为《刚愎的医生》，才能公演。这戏由张彭春先生亲自排练，大家演得很好，尤其是张平群很会演戏。张平群的女儿张得万现在美国纽约当导演。她在外百老汇小剧场排演《日出》，导得很别致，我很满意。张平群是商学院的教授，是个很好的演员。我在重庆时请他来讲西洋戏剧史，教得好。那是在重庆上清寺国立戏剧学校，约在1938年或1939年。张平群是当时演正面人物演得最好的一位演员，演过斯多葛芒、海尔茂。另一位老师伉乃如演反面人物出色。吕仰平演滑稽人物。

南开的传统是，一进排演场，不分师生，一律平等，可以互相批评帮助。伉乃如当时说："万家宝，你是花儿，我们是叶儿！"师生间非常融洽，每逢排戏大家都当作是非常高兴的事，是精神享受。当时排演严格极了，没有一个迟到早退的。张彭春先生很讲究戏德、纪律性。

中国旅行剧团是有贡献的，是当时唯一的专业话剧团体。它能持比较严谨、真实、自然的演技，是很不容易的。可惜后来有些油。迎合观众，这大概与他们要靠卖座维持剧团开支有关。

"中旅"在商业上的成功有一部分得力于《雷雨》。我看的是赵慧深和陶金演的。他们这一台戏，在当时还是比较整齐、严肃的，非常受市民和学生的欢迎。唐槐秋曾对我说："他们在排演《雷雨》时，一边排，一边哭。"但大家哭成一团，以表示演得好，这我不大赞成，我最反对演《雷雨》总是哭,《雷雨》序，就是针对"中旅"的演法写的。那些想法是我看了"中旅"演出后想到的。我不太喜欢演到后来都不知所云的演法。演员要懂得节制，既要进入到角色中去，又要有理智，光靠感情冲动不行。演戏要是一个劲地激动，就不可能感染观众。

当然,"中旅"演员是有很高超的演技的，很能使当时的观众倾倒。当时观众很热爱话剧，剧场气氛热烈，观众拍案叫绝。票价不低，但有的观众一个戏看四五遍，看过戏还请演员吃饭。

陈绵教授是"中旅"的导演，是法国戏剧学博士。他的导演方法和张彭春先生不同。陈绵是"中旅"的一个健康因素。他和唐槐秋之间的情谊是很深的。

唐槐秋对中国话剧运动极有贡献。他原是在巴黎学航空的，决心下海搞话剧专业，是很不容易的。“中旅”是当时唯一的、也是空前的职业话剧团，他带着“中旅”从南到北周游全国，那真是艰苦卓绝。在当时环境中，专业剧团受尽黑暗势力的压迫欺凌。他率团在天津法租界演出，影响了一批职业剧团的诞生。你们不要忘记“中旅”在天津的影响，应该说“中旅”的基本路子是进步的、健康的，没有洒狗血的东西，也没有色情那一套。

唐槐秋既能演戏又能导演。唐槐秋的夫人吴静襄助“中旅”的经济工作，也是有贡献的。赵慧深是个才女，不仅演技好，文笔也漂亮潇洒，是个值得大书特写的人物。章曼萍是第一个演四凤的。

当时我在河北女子师范学院教书，每天晚上几乎都和他们生活在一起，看了他们好多戏，如《梅萝香》等。我当时正写《日出》，到南市三不管、鸡毛店深入下层生活，就是“中旅”有一些人介绍我去的。

《雷雨》最早演出：可能是在天津，我想既不是在日本，也不是“中旅”。（职业剧团首演《雷雨》的，是“中旅”。）我记得是市立师范的孤松剧团。我看过他们的排演，是吕仰平导演的，你们可问问石羽、杜宣、吴天也演过。究竟是哪个剧团首先演这个戏，可以调查一下。

天津出了不少人才。北京人艺的董行佶，就是天津剧运培养出来的，是个有才能有长期演出经验的好演员。他在天津参加过很多话剧团体，演过多种多样的角色，现在是个成熟的艺术家了。

这部书似乎要好好安排，是否可以一直写到现在，包括业余的。天津人艺是个出色的话剧剧院，要着重地单写一下。也要写“文革”的摧残，你们提到周总理的一章一定要写好，写得真实、恰当。

写这部书是个大工程，要尽可能广泛地搜集资料，包括过去发表的关于话剧运动的评论文章。只要有照片，宁可花点钱买下来，保存好。

最好，不要光搞资料汇编，资料堆砌，那就没意思了，看资料人们可以到文史馆去看嘛。一要有思想性，二要有艺术性，富有叙事文学味道。应该又是史实，又有文采；史料要翔实，文字上要讲究，让人读它就像读小说一样愉快。要生动地再现某一细节。比如张彭春先生排戏，凭灵感，诗人味十足，排不下去时就在排演场内来回踱步，边拍额头边问：“你们说这样好不好？”有了点子就一拍脑门：“好！”继续投入排练。

张庚、郭汉城合写的《中国戏曲通史》是一部空前的重要著作，材料翔实，有见地，文字有功力，这是中国少见的一部好戏曲史，是近年来戏曲学者们的大贡献。你们要好好研究这部书，学习前辈们严谨的治学态度。同时，你们还要注意文采。你们写天津话剧史，不要作为历史来写，更不要按资料搜集家的写法来写，而要作为文学作品来写。要写得生动活泼，把每个人物写得活灵活现。史实要准确，但不要拘束，要放开手写，在事实的基础上，加点有根据的想象。难道司马迁写汉高祖写得那么活，是他目睹的吗？你们要有较高的标尺，别出心裁，独树一帜。天津话剧史应成为全国话剧运动史的一个很好的组成部分，可以给各地写话剧史做个参考。

在天津这个不大不小的城市里，话剧运动如何介绍了欧美，如何发展的，如何影响到社会，可以作为编史的一条宗旨。

成书后，印刷要讲究，不要粗制滥造。这是个赔钱的买卖，但是可以为后代留下东西，是可以出国的。要告诉领导，这个东西将来要送到国外的。现在外国有很多大学在研究我们中国话剧运动。有关这方面的著述很需要。所以对印刷要重视，一定要出精装本。

这些意见可以酌情汇报你们天津文化部门的领导，仅作参考。不要搞成资料集，不要任务观点，急于求成，只求出书，搞它几年再出书，也不要紧。这是件重要的事情，领导机构要把它列入计划，列入议程，有延续性，不是某一位领导人在任时即可完工的事，而是要几任领导共同努力支持，才能搞好的。无论哪一位领导，凡是支持写作这本书的，功不可没，在书尾都要提一笔。写完以后，请市里领导给写个序言。

在全国中青年话剧作者读书会上的开幕词

中国戏剧家协会和剧协安徽分会联合举办的中青年话剧作者读书会今天开始。三十多位有成就的中青年话剧作家聚集在安庆读书，群贤毕至，真是一大盛事。我代表中国戏剧家协会热烈欢迎大家。

我们这次读书会正好是在党召开第十二次全国代表大会期间。十二大是具有伟大历史意义的一次大会，标志了我国历史发展的新的转折，是党和祖国的新的希望，我们热烈地祝贺十二大的召开。在这次代表大会上，胡耀邦同志要做重要的政治报告，这是一份党的重要文献。在这次读书会上，我们要认真学习这个重要的报告，领会报告的精神实质，并以它来指导我们的思想和行动。我们要反映伟大的时代，完成党交给我们剧作者的历史使命，让戏剧在促进“四化”建设和建设社会主义精神文明方面发挥更大的作用。

胡耀邦同志一九八一年在剧本创作座谈会上谈到要使我们戏剧创

【题注】载《戏剧界》1982年第6期。按，1982年9月1日，全国中青年话剧作者读书会于安徽安庆开幕。

作队伍很好地成长起来，有一个措施就是提倡把刻苦读书和深入生活密切地结合起来。我们要想在创作上有成就，不认真看书学习是不行的。大诗人杜甫曾经讲过：“读书破万卷，下笔如有神。”这是有道理的。我们前辈的大作者鲁迅、郭沫若、茅盾、田汉等一生不知读了多少书。周总理生前经常勉励文艺工作者，要活到老，学到老。在座诸位同志都是从事话剧创作的，有些同志是很有学问的，我们请大家来一起读一个月的书，时间虽然很短，但大家在一起互相帮助，取长补短，共同交流学习心得，交谈创作经验，我相信大家是会有收获的。

世上可读的书是很多的，要把好书都读完也是不可能的。对于我们搞创作的人来说，读书的目的，我认为一是提高我们认识生活的能力；二是提高我们表现生活的能力。要提高我们认识生活的能力，我们就应当学习马列主义、学习党的重要文件和领导同志的讲话；我们要提高表现生活的能力，就应当学习古今中外的优秀作品，吸取前人的创作经验。一些优秀作品所以能创作出来，往往是作者在这两方面都有较丰富的修养和较深的学问。因此我们读书，既要读马列主义经典著作，又要读戏剧大师的代表作品。

这次读书会时间只有一个月，因此我赞成以自学为主、少而精的原则。读书会虽然也请了一些专家来讲学，但这不是主要的，主要是靠我们自学，真正读通几本书（这不是说只限在读书会所提出的那几个书目，那只是作为一般的参考），读懂几部名著，领会戏剧创作的一些道理，探索一下所谓“个中三昧”，理解一下他为什么这样写，而不那样写，这就能多少帮助我们写作，写得更好一点。当然，艺术修养还要广博，这只有靠以后坚持不懈地努力，不是这一个月所能做到的。总之，我希望大家好好利用这一个月的时间，读几本书，交谈学习心得和创作体会。我们在读书会期间还要组织到工厂、农村参观，到黄山游览。读万卷书，行万里路。希望大家都有所得，都能满载而归。

这里还要特别感谢安徽省委、安庆地委、安庆市委、安庆石油化工总厂、安徽省文联的大力支持和剧协安徽分会、安庆地区文联、文化局给我们创造了这么好的学习条件。让我们刻苦学习，用优异的学习成绩来表示我们的感谢吧！谢谢他们！谢谢大家！

和剧作家们谈读书和写作

——在中青年话剧作者读书会上的讲话

一、关于读书

我今天首先和大家谈谈读书的问题。

有些青年剧作者曾问我，你是怎样读书的。我是一个写剧本的，不是教授，我只谈一点个人的体会。

我的前辈鲁迅、茅盾先生他们读书不但多，而且透。茅盾先生曾经谈到过他年轻时读过很多书,《昭明文选》就读过三遍，其他书也反复地读，如外国文学名著，北欧的文学作品。他还学过英文、法文、德文、日文，把外国文学的影响，创造性地吸收到自己的作品中来。鲁迅、茅盾先生读书很有计划，他们读书很广很深。我读书大都是从兴趣出发，喜欢的书就反复读，不喜欢的书就大致读一读。回想

【题注】载《剧本》1982年第10期。按，该文系1982年9月5日曹禺在全国中青年话剧作者读书会上的讲话。

起来，我年轻读书时最受影响的是曹雪芹的小说《红楼梦》。从红学家来说,《红楼梦》中有许多道理，但我当时是看书中的人物和故事。这本书我读过许多遍，第一次读这本书我先看到的是贾宝玉和林黛玉的爱情故事，他们怎样来往，又怎样分开，怎样生气。刘姥姥进大观园这些描写也很吸引我。林黛玉的葬花词我当时不大懂，可是我父母对它迷得不得了，经常朗读。我第二次读《红楼梦》就注意到王熙凤了。这个人物多么毒辣、阴险、可恨，但又有活泼、可爱、讨人喜欢的一面。她聪明伶俐，把贾母哄得没有她不行。她和贾琏吵架多么厉害、泼辣，她害死尤二姐非常阴狠，这些描写给我留下很深的印象，这个人物帮助我认识封建社会，和我后来写的剧本也有一些关系。我第三次读《红楼梦》时就注意到大观园中的一些丫头了，她们之中最可爱最了不起的是晴雯。我第四次读《红楼梦》，就注意到贾政和贾母，贾政是个伪君子，贾母最让人讨厌。随着我的年龄和知识的增长，我对这两个人物逐渐有了较深的认识。我再一次读《红楼梦》，就注意到袭人和薛宝钗。因此从我读书的经验来看，读一本好书，要一遍两遍地反复读，才能吸收成为自己的东西，才能感受到它的艺术魅力和懂得它的艺术生命力在什么地方。《红楼梦》中的人物个性都那么丰富、深刻、复杂，不是一眼就能看透，而我们写的人物常常是一看便知。这部小说真实地反映了生活，揭示了人生的复杂性。正如我们读托尔斯泰的小说《安娜·卡列尼娜》《复活》《战争与和平》一样，这些作品反映人生的丰富和复杂性，也不是读一遍就能领会其中的奥妙。

我年轻时最感兴趣的第二本书是《西游记》，我对它读得着了迷，也是反复读了好几遍。我仿佛和小说中的唐僧一起过了九九八十一难。《西游记》教给我会幻想。我喜欢孙悟空，他本领很大，既大闹天宫，又能战胜妖魔鬼怪，谁也不在他的眼下，我对这个人物最感兴趣。但大慈大悲的观音菩萨把紧箍咒戴到孙悟空的头上之后，把他降伏住了，叫他跟唐僧去西天取经，不听话就念紧箍咒，叫他头痛。这个有无限神通，了不起的孙悟空就显得非常可怜。我那时就想，为什么不把紧箍从孙悟空头上取下来，我真为他打抱不平。

我喜欢的另一本小说是《鲁滨逊漂流记》，这部小说写鲁滨逊乘坐的商船在海上触礁破碎后漂流到一个孤岛上，靠他自己一个人生活下去，而且活得很好，最后遇到一艘商船把他救回去了。这部小说读后，懂得人是有力量的，有创造性的，能战胜各种困难，能战胜自然。这本书我也读了好多遍。

司马迁的《史记》也是我喜欢读的书。从这本书中不仅知道历史，书中对各个历史人物做了生动的刻画，如项羽、刘邦写得栩栩如生，各有不同的性格，这是一部值得细读的书。

在中国的古典小说中，我还喜欢读《镜花缘》，写林之洋开一艘商船到各地做买卖，但他到的国家并不是真实的国家，而是作者想象的，有君子国、女儿国、两面国。当时读这本书不大懂，以后再读就懂了。作者通过虚构的故事阐述自己对待生活的哲理，寓意很深。如君子国，实际上是虚伪的国家。两面国的人这面很和善，那面非常狞恶。女儿国不是男人当政，而是女人当政；不是男人娶女人，而是女人娶男人做老婆。这个国家的女人都是大脚，女王要林之洋做她的老婆，还要他裹脚，他才开始知道缠足的痛苦。作者在当时能替女人说话是很不容易的，他实际上提出女子需要解放的道理。我当时读这本书还不大懂，是以后才了解小说中的道理的。

《三国演义》、《水浒传》以及一些史书如《资治通鉴》等，我们搞创作的人都是应当读的。一个中国的作家，应当熟悉中国的历史和古典文化。我国的文化遗产非常丰富。外国作家的作品可以借鉴。托尔斯泰的小说把人物写得活灵活现，细节描写多么细致生动，人性刻画得够深透的吧！但无论如何不如我们读《红楼梦》那么亲切。我们有的青年作者对中国的文化遗产知道得少，对外国现代的东西知道较多。当然我不是复古主义者，也不反对借鉴外国现代艺术流派的一些经验，但我希望我们的青年作家要了解我国的历史和优秀的文化遗产，多读一些我国古代优秀的作家艺术家的作品。

我自己在年轻时候就从我国的古诗古文中学习到不少东西。我主张大家读读屈原的作品。屈原的《离骚》虽然不大好懂，但借助于一些注释，就好懂多了。屈原的爱国主义思想对我们现在还是有教育意义的。我们学习古代优秀作家的作品，不能光学几句话。屈原的诗句“路漫漫其修远兮，吾将上下而求索”，我们经常引用，这当然可以，但我们更重要的是要学习屈原的精神。

陶渊明的作品是另外一种风格，他是最早的田园诗人。“采菊东篱下，悠然见南山”这类句子我们是很熟悉的。他的诗比陆游的篇数少多了，篇篇皆可读。他的文章也是可读的。我小的时候就背得较熟。但陶渊明也有剑拔弩张的诗句：“刑天舞干戚，猛志故常在。”可见陶渊明也有不“陶渊明”的时候。我想，《书经》《易经》之类可以少读（除非你喜欢），但孔子、庄子的作品还是可以选读的。我国古代的大诗人如李白、杜甫、白居易、苏东坡、陆游等都是经历过人生的忧患并克服各种艰难困苦才成长起来的，忧患既磨练了作家，也磨练了他们的艺术。杜甫越到老年，他的诗也越精练、成熟和沉郁。

我以上像开菜单似地开了一个书单，大家不妨读读看。

当然，作为写戏的人还应当学习中国戏剧的经典著作，如汤显祖的戏剧作品《玉茗堂四梦》就很值得学习,《牡丹亭》充满了积极的浪漫主义精神，让死人又复活了，作家的想象多么大胆，当时是很进步的。《南柯记》《邯郸梦》的艺术构思很奇特。《邯郸梦》写一个人做了一个梦，梦中荣华富贵，娶妻生子，当了大官，打了胜仗，八十多岁快死了，还怕失去皇帝的恩宠，病危中还颤颤悠悠地穿起朝服，在床上跪下来，求宦官告诉皇帝，如何写他的传记、墓志，还考虑如何照顾子孙后代。这个戏对当时做官的进行了讽刺，是有进步思想的。王实甫的《西厢记》写张生与莺莺的爱情，是反封建的，结构细密，丽句惊人，是必须细读的。当然，关汉卿的作品和元代杂剧更非读不可。

读书要持之以恒，不可能“一口吃成一个胖子”。人是一天天长大的。读书要天天读，正如吃饭一样，要吸收各方面的营养，才能强壮起来。千万不要偏食，专吃一种食物，是成长不好的。读书会使你聪明，使你开阔眼界，了解人生。我年轻时有过一段探索人生道路的过程，因为生长在旧社会，军阀混战，人民生活困苦，看不到中国的前途。所以小时候就有“人生如梦”的想法。读古诗十九首，读到“生年不满百，常怀千岁忧”，很有同感。后来又读到“问君都有几多愁？恰似一江春水向东流”，就很欣赏。辛弃疾的词“少年不知愁滋味，爱上层楼”，读起来也很有味道。

我小时候生活能得到温饱，但看到旧中国的黑暗，心里也有忧国忧民的思想，想探索一下人生的道路。最初我崇拜美国林肯总统，他解放黑奴；觉得有民主、自由、平等，世界就好了，实际上也解决不了问题。我也崇拜我国古代的民族英雄，如岳飞、文天祥等，觉得他们了不起。但一直到最后，我找到共产党，是她点燃了我的希望，指明了我的生活的道路。我对人生道路的探索过程，对我的写作是有影响的。

现在年轻人也在探索人生的道路。其实共产党已经指明了，共产主义是人类最美好的理想。但我们接受真理，不能仅仅从书本中来，不能仅仅从别人的口头中来，我们要经过自己痛苦的探索和实践，才能体会到活的真理，自己真认识透了的真理。真理不是一教就会的，有时真理已经摆在你的面前，别人已经认识清楚了，而你却没有认识它。

从来没有人能替代我们认识真理。经过十年动乱，一些天真的青年人，甚至于我们这些天真的老年人，都经历了一种幻灭。但是，我们却从幻灭中重新站立起来。经过这场惨痛的教训，我们离真理近多了，比原来还没经考验的认识，更深一点，扎实一点。

我想谈谈外国文学作品对我的影响。我最初接触外国文学是读林琴南翻译的小说，以后读鲁迅先生翻译的《域外小说集》，这使我大开眼界，耳目一新。我还读了莫泊桑、狄更斯、托尔斯泰、巴尔扎克、屠格涅夫、哈代的许多作品。我觉得我们每个人的阅历都是有限的，读小说能帮助我们扩大眼界，认识人生，了解世界上各种人物。

高尔基曾经谈到他读了巴尔扎克的小说《欧也妮·葛朗苔》，想起他的外祖父，并把他和小说中的葛朗苔做了比较，觉得外祖父和葛朗苔都很吝啬，但不如葛朗苔深刻。外祖父比葛朗苔幽默有趣，葛朗苔比外祖父愚蠢，经过比较之后，他改变了对外祖父的看法。高尔基这样的大作家把读到的作品中的人物和生活中见到的人物相比较，使他对生活中的人物认识得更深。

外国剧作家对我的创作影响较多的，头一个是易卜生。易卜生是西欧公认的近代戏剧之父。有人说现代许多戏剧流派都受易卜生的影响，甚至如荒诞派等。易卜生小的时候写过诗剧、史剧，后来写过现实主义的戏，也写过象征主义的戏剧。有一个时期人们把易卜生忘了，现在又重新发现他，还称他是现代戏剧之父。肖伯纳可以说是易卜生的学生，受他很大的影响。美国奥尼尔也受易卜生的影响[1]。易卜生读过许多书，他把莎士比亚的剧本都读透了。他有丰富的舞台经验，当过导演和剧场经理，小时候写过很多诗，后来写现实问题剧。我们中国读者接触易卜生大都是他现实主义的这一部分作品。

在我国影响最大的是《娜拉》和《国民公敌》。这两部作品的故事情节大家都比较熟悉，我就不详细介绍了。《国民公敌》中表现了作者的一个思想，城市医官斯多克芒不怕威胁利诱，始终坚持真理，他最后悟出一个道理是："世界上最有力量的人，是那最孤立的人。"联系当时挪威资产阶级的社会背景和那些腐败丑恶、贪污愚蠢的鄙俗群众来看，易卜生这句话是对的。在易卜生的眼里，"人民"是具有

1 论戏剧本有"（当然，更多的是受斯特林堡的影响）"。

高度修养的人们，他们脱离了平庸的境界，而一般群众是不能称为人民的。在易卜生的现实主义作品中，我认为《国民公敌》是写得最出色的，是值得我们好好学习的。

易卜生在晚年从国外回到挪威，又写了两个剧本，其中一个叫《巨匠》(又译为《建筑师》)，也值得一读。这个戏写一位著名的建筑师，有钱有势，大家也钦佩他，但他妒贤，深怕青年人会代替他。他下面就有个青年很有才能，完全有希望将来代替他，但他故意不让青年人走，让这个青年人在他的掌握中结婚。这个建筑师后来摔死了，可是这个青年也没能成长起来。

另一个剧本《当我们死人醒来的时候》，写一位雕塑家鲁贝克的创作事业和生活幸福的故事。鲁贝克年轻时要雕塑一个少女从长睡中醒来的艺术作品，少女艾吕尼做他的模特，他们在创作过程中相爱了，他们把这个塑像看作是他们相爱中生的孩子，取名为《复活日》。可是艾吕尼与鲁贝克共同生活后，艾吕尼发现鲁贝克整天就是艺术创作，她感到单调和失望，最后悄悄地走了，流落到杂耍班子当演员，还当过裸体女郎，嫁过两个丈夫，可以说没有灵魂了。她虽生犹死，像在坟墓中度过几年。而鲁贝克在艾吕尼出走之后，心中难过、惆怅，后来和一个漂亮的女孩子梅娥相爱结婚。他虽然很有钱，但阔佬们花钱订购他雕塑出来的作品都缺少灵魂，他痛苦极了。有一天他在海边与艾吕尼相遇，当艾吕尼见到鲁贝克就像从坟墓中复活了一样；鲁贝克见到艾吕尼，好像他被锁在盒子里的灵感重新放了出来。正好这时，他的妻子梅娥爱上了一位猎手，双方同意彼此分开。艾吕尼就回来与鲁贝克生活在一起。但当他们回忆年轻时曾上高山看美丽的日出，他们又向山上跑去，却被雪崩埋没了。

这是艺术家的悲剧，他把没有生命的雕像看得高于生气勃勃的真实生活。这个戏揭示了一个真理，只有投身于生气勃勃的人生和沸腾欢跃的生活的人，才能写出具有生命的文艺作品。鲁贝克第二个妻子梅娥的理想也幻灭了，生活破碎了，她当了一个修补旧衣的裁缝，把许多碎布片“东一块，西一片，缝补起来——就这样拼拼凑凑出一种人的生活”。然而这是一种多么惨淡阴暗的生活啊！多么有力的象征啊！避开生活是没有出路的，要认真地勇敢地生活，否则艺术生命将会消失和枯萎。这对我们搞戏剧创作的人来说，是个重要的启示。

第二个使我受到影响的剧作家是莎士比亚，莎士比亚的戏博大精深，宇宙有多么神奇，它就有多么神奇。我从易卜生的作品中学到了许多写作的方法，而莎士比亚的变异复杂的人性，精妙的结构，绝美的诗情，充沛的人道精神，浩瀚的想象力，是任何天才不能比拟的。莎士比亚的诗，就像泉水那样喷涌而出，每个人物，哪怕是一个乞丐，一个流氓坏蛋，一个王侯，说出来的台词，时如晶莹溪水，时如长江大海，是宇宙与人性的歌颂，是用利刃解剖人性的奥秘，是寻常却永恒的哲理的珠玉，是阳光灿烂的人道主义的精华。

我只能讲一点莎士比亚的皮毛——他的闭幕与开幕的手法。

莎士比亚的几个戏对我有很大影响。如《奥赛罗》，我现在要讲这个戏的结尾，莎士比亚对戏的结尾处理得很好。奥赛罗受埃古的挑拨，怀疑妻子苔丝德蒙娜不贞，错杀了妻子之后，上级来的官员要把他带回京城去审判。这时剧本是这样处理的：奥赛罗在结尾讲了一大段话，台词写得好极了，然后他一刀把自己杀死了，扑在苔丝德蒙娜身上，吻了一下，死去。这样一个伟大的将军，错杀了自己的妻子，他的痛苦是无法描写的，怎么写呢？莎士比亚这样写有多好呵！我想第一个理由是，戏到这儿必须结束。坏人已经暴露出来，被逮住了，戏已完了，还写奥赛罗受审吗？不必要了。所以莎士比亚在此结束此剧。第二个理由，作者要当场解决奥赛罗的结局，奥赛罗受不了如何错杀自己心爱的妻子这样的审讯。第三个理由，就是奥赛罗是那样爱他的妻子，她有一个最洁白的灵魂，却被他亲手杀死了，痛苦充满了他的胸膛，他无法再活下去，只有死亡。奥赛罗的死，写得多么美，台词动人极了。莎士比亚所以是一个伟大的剧作家，因为他真正懂得舞台，懂得观众。奥赛罗的死写得多么动人，如果写他后悔，稀里胡涂自杀了，就没有多大意思。我们在这里要很好地学习莎士比亚处理戏的结尾的方法。我写戏总是先把结尾想明白以后再写。可能先写出来，也可能想好了不写，但一定要先把结尾想清楚了。

莎士比亚时代的剧场，舞台的三面都有观众，剧场秩序很乱，要在这种环境中演戏，要叫观众安静下来是很难的事。莎士比亚对于如何用戏征服人，想得非常好。所以对莎士比亚的戏剧的开头与结尾可以好好地研究。当然更重要的是学习莎士比亚对人物的刻画，但对戏的开头和结尾的技巧也要细心学习。奥赛罗死了，戏并没有完，当时剧场没有大幕，所以不能拉大幕表示结束，还必须有结束的方式。奥赛罗死后还有一段戏，抓奥赛罗的官员对埃古又说了一段话，另一官员又对如何处理后事做了交代，演员才都下场。这是当时必须有的一套结束的程式，是出于当时舞台条件的需要的。

《哈姆雷特》的开场写得很精彩，通过两个守夜人，等待鬼魂出现。鬼魂出来后就把戏的起因、主要事件介绍出来，并展示出一个贯串全剧的最大的悬念，国王是怎么被害死的？父亲要求儿子给他报仇。这样一来，人们就要往下看戏了，看哈姆雷特是怎样为父亲报仇的。这样地介绍往事，是从动作开始的。易卜生的剧本大都把往事压缩在一起，让出场人物说出来，这是一种办法，叫“Confidence”，叫“对话（如久未逢见的密友）铺叙”，如《娜拉》。当然铺叙的方法也是很多的。但莎士比亚不这样做，他往往是从动作开始。戏一开始就是动作，紧紧抓住观众，非往下看不可。莎士比亚的剧本都是这样开头的，比较少重复叙述过去，这是因为他是非常懂得如何抓住观众的。

莎士比亚的《柔密欧与幽丽叶》不是悲剧，虽然柔密欧与幽丽叶都死了，但戏中蕴藏着生命与青春的力量，给你一种欢快和前进的感情，这是一出洋溢着生命气息和青春冲动的戏。这个戏第二幕第二场把爱情描写得如此细腻动人，实在少见。这出戏的开头，两家仇人在街上打起来了，这样紧张的开头也开得很出色。

对我影响较大的另一个剧作家是契诃夫。我读他的作品比较晚，我从他的作品中学到什么呢？他教我懂得艺术上的平淡。一个戏不要写得那么张牙舞爪。在平淡的人生的铺述中照样有吸引人的东西。读了他的作品，使你感到生活是那样丰富。他的作品反映生活的角度和莎士比亚、易卜生都不一样，它显得很深沉，感情不外露，看不出雕琢的痕迹。虽然他对自己的剧本是反复地修改，是费了力气写出来的。我不希望你们只学一个作家，要多读一些作家的作品，受他们一些影响和熏陶，但更重要的是要走自己的道路。

我在五十年代曾到过莫斯科，看过莫斯科艺术剧院的演员演契诃夫的《三姐妹》。虽然我听不懂俄语，但看演出使我感到好像自己生活在《三姐妹》当中。整个剧场鸦雀无声，演得好极了。戏的最后，三个姐妹留下来了，永不能去她们向往了多少年的莫斯科，她们认为光明与幸福的地方。远处传来军乐声，大姐抱着小妹妹，眼泪流下来了。艺术感染力如此之大，使观众也不禁流下了同情之泪。

契诃夫的戏，没有我们通常所说的那种动作，实际上它是有动作的。戏剧不可能没有动作，没有动作就不成其为戏。只是契诃夫剧本中的动作并不表现在我们通常安排的高潮、悬念和矛盾冲突之中，他看得更深，写真实的人在命运中有所悟，在思想感情上把人升华了，把许多杂念都洗涤清净了。我写的《北京人》在风格上确实受契诃夫的影响，但不等于说《北京人》和《三姐妹》相似，因为《北京人》写的是中国人的事，中国人的思想感情。两个剧中的人物的悲哀、向往都是不同的。这一点我在这里就不多谈了。我还想请大家再读读契诃夫的《樱桃园》，这个戏也是写得很好的。

美国奥尼尔也是对我影响较大的剧作家。[1]《天边外》是他早期的作品，我很喜欢读。我佩服这个剧作家有几点：一是他不断探索和创造能生动地表现人物的各种心情的戏剧技巧；二是他的早期的作品，理解下层水手，是真正从生活中来的。他后来的作品写知识分子，慢慢地走上一条更深奥的道路。奥尼尔有个剧本翻译为《只因素服最相宜》，是从一个希腊悲剧的故事中来的。这个故事讲一个将军被他妻

1　此句论戏剧本作“从美国奥尼尔，我也得到许多益处。”。

子的情夫杀了，他的儿子和女儿又把他们的母亲杀了，报了仇。但将军的儿女从此就受命运的诅咒，受复仇神的诅咒，到处被追赶，使他们无路可走。奥尼尔根据这个动人的故事写成剧本，不过他是用弗洛伊德的心理学来解释人物行动的动机。这个戏是一个三部曲，可以演九小时，戏剧性很强。我年轻时读这出戏，觉得奥尼尔很懂戏，岁数大一点就不喜欢这个剧本了，但这并不是说这出戏没有价值。奥尼尔可以说是美国戏剧之父，我推荐你们看看他的《东航卡迪夫》《天边外》《安娜·克里斯蒂》。

《安娜·克里斯蒂》是写水手生活的。安娜的父亲是老水手，把她托给亲戚，但亲戚没有好好照看她，使她流落外地，成为妓女。戏写安娜回到父亲船上，与一个青年水手相爱，但当他知道安娜过去当过妓女的经历后非常痛苦，最后经过了激烈的内心矛盾和感情的冲突后，水手和安娜真诚地相爱了。但他和安娜的生父又得从事远航。没有钱，不能在陆地安家，完成他们幻梦已久的安身之处。何时回来呢？不可知。安娜只好再等待。一个年轻的水手，一个久厌远洋生活的老水手，又在茫茫大海中漂泊。这个戏写得好极了，如果你要学习戏剧性，学习如何集中，如何写人物，这个戏是值得学习和借鉴的。剧中的青年水手写得很可爱，他粗犷、豪放，有巨大的内心冲突，从失望、痛苦到觉醒过程中的激情写得多么激动人心。我去年去英国访问，在莎士比亚的故乡的一个放汽车的铁棚改造的小戏院里看了这个戏的演出，观众只有一百多人。演员们演得强悍、真实、热情、纯朴，打动每个人的心。老水手是爱尔兰口音，有的是道地的美国话，也有苏格兰语的口音，都带有地方色彩。其中惊心动魄的搏打，演得很见英国剧校[1]的基本功夫。

现代西欧的戏剧也有可借鉴的，我在国外听说过荒诞派的戏剧，不大好懂，不过它既然成为一派，也是应当研究一下的。我在英国看过一个戏叫《萨利芮》[2]，是讲莫扎特的故事。萨利芮是个老头，是德高望重的大作曲家，他又是个总乐师，管宫廷乐师的官员，他临死前对身边的人说，是他杀死莫扎特的。大家都不相信，于是戏就开始演过去的事。萨利芮变成中年人，莫扎特见他时只有十七八岁。萨利芮要莫扎特弹奏他的曲子，莫扎特说，你叫我弹可以，但要增加一点东西。于是莫扎特弹奏起来，使萨利芮大为惊奇，他的谱子忽然成了华丽的天上音乐，他发现这个孩子是个天才。过后，萨利芮大声向上帝叫喊：为什么我写不出这样美的歌曲？上帝，你偏把“天才”赐给这个乡下小子！上帝，你好不公平啊！（我只记得大意如此，没读过剧本。）他对莫扎特嫉妒极了，经常压制他。莫扎特最后是贫困而死的，是在一个大风雪里死去了。这个戏的结尾萨利芮又变成老头，快要死了，他喘着气说，我就是这样把莫扎特杀死的，我杀死了一个天才。然后演员把头套去掉，站在舞台的前面，大声对观众说：“观众们，你们听见没有？你们当中，杀死过天才没有？”于是戏完了，闭幕了。这个戏使我非常感动，写得有哲理，激动人心！在表现手法上也有独特的地方，没有布景，中间不休息，不分幕。萨利芮一直在台上。当着观众改装，从头到尾不换景，戏的节奏很强，很流畅。

---

1 “剧校”论戏剧本作“演员”。

2 “《萨利芮》”论戏剧本作“《阿马德乌斯》（莫扎特的名字）”。

去年，我在美国还看了美国剧作家阿瑟·密勒的戏，叫《堕落之后》，是在一个圆圈形的剧场演出，台在中央，有六个入场口，四周都是观众。戏剧发生在几个口上，一会儿在这个口上演，一会儿在那个口上演。戏的内容我不在这里详谈了，据说这是自传体的戏剧，密勒把自己的一些事写进戏剧中去。此剧写得好，演得很吸引人。

有人说，现在电影、电视把话剧压倒了，我不相信。我认为舞台艺术是不可能被代替的。舞台上的戏与观众有直接的交流。电影、电视不是真人的艺术。它与观众还是机器与人的关系。虽然我们看的时候，也哭，也笑，但大家总觉得隔一层，终究以为这不是和我们一样的有血有肉的人。因此电影、电视是代替不了戏剧的。今后是否使舞台和观众亲近些，更亲近些，使我们听见他们的气息，看见舞台演员的眉目、神情，感触到他们内心的颤抖。一个有血肉、有灵魂的人在我们身边经受痛苦、悲哀和欢乐。自然，我们有些话剧演出所以不卖座，主要是质量不高。而要提高质量，首先我们剧作者要提高思想和艺术水平。

我认为一个写剧本的人应当有舞台实践。我从十四岁起就演话剧，一直演到二十三岁，中间没有停过，这给我舞台感[1]，对于一个写戏的人来说，舞台感很重要，要熟悉舞台。莎士比亚的舞台感为什么那么强，因为他一直是跟着剧团跑的。莫里哀、契诃夫也是如此。莫里哀一生都在剧团里，契诃夫虽然没跟剧团跑，但他对莫斯科艺术剧院熟悉极了。我年轻时演过《娜拉》、《国民公敌》、《新村正》(我们自

1 “这给我舞台感”论戏剧本作“我似乎理解了舞台感”。

编的)、《财狂》(即莫里哀的《悭吝人》，我改编成中国味道了)，还演过高尔斯华绥的《斗争》、霍普特曼的《织工》，还有其他一些大大小小的戏。我还导演过戏。

一个剧作者总要懂得舞台的限制。一个人总是要在限制中求得自由，绝对的自由是没有的。我觉得剧作者最大的限制是观众。要了解观众，这是我的一点体会。如果我们写的戏观众不理解，不欣赏，不来看你的戏，那不什么都完了吗！

我还觉得一个写剧本的人应当多看戏。我母亲在我三岁的时候就抱我去看戏，看过谭鑫培的演出，当然当时等于没看。后来长大了，我看过很多京剧，如余叔岩、杨小楼的演出。我觉得他们演得很精彩。我还看过文明戏、幕表戏以及一些地方戏。我看过老白玉霜[1]的演出，演得很好。我小时候对河北梆子也看得入迷，看过小香水、元元红的河北梆子戏，他们真是高唱入云啊；看李桂云的演出，也是一种艺术享受。我八九岁时，我父亲是宣化镇守使，我和我母亲一起去看晋剧。我上大学后常和靳以到天桥[2]看戏，看侯宝林的老师云里飞的演出，他们当时穷困，在天桥落地。我在天津教书时看昆曲，喜欢侯喜奎的《林冲夜奔》。我也欣赏曲艺，爱听刘宝权的京韵大鼓，有一时期，几乎每天听一场。我读了不少闲书、旧戏、旧传奇。一部《戏考》，一本一本地都读破了。从中确实学到不少东西。西洋戏我反复读《少奶奶的扇子》(洪深先生翻的，改编得非常好，是当时仅见

---

1 “老白玉霜”论戏剧本作“老一辈评剧演员”。

2 “天桥”论戏剧本作“广和楼”。

的一部极好的可以上演的剧本），知道一把扇子，一件道具，就有许多名堂。中国传统戏中，如《玉簪记》就从一个玉簪引出许多戏来。旧小说的且听下回分解，就是所谓悬念吧！这里面都有可学的学问。

二、关于《北京人》的写作

大家希望我谈谈《北京人》的创作，我先谈一下《北京人》是怎么样的一种戏。有人曾说《北京人》是作者唱出一首低回婉转的挽歌，是缠绵悱恻的悲剧，是对封建社会唱的一首天鹅之歌。这些说法我都不同意。我觉得《北京人》是一个喜剧，正如我认为《柔密欧与幽丽叶》是喜剧一样,《柔》剧中不少人死了，但却给人一种生气勃勃的青春气息，所以是喜剧。我觉得喜剧是多种多样的。莎士比亚的喜剧是浪漫的喜剧，针对社会和现实，又在幻想中对人性进行描写或做善意的嘲讽。莫里哀的喜剧是针对当时的社会和宗教，针对当时贵族人物和暴发户的丑态进行讽刺，从中找出许多可笑的地方加以对比，成为喜剧。果戈理的喜剧带有沙俄时代的风味，只有沙俄时代才会产生《钦差大臣》这样的喜剧。它对沙俄的官僚政治进行辛辣的尖锐的讽刺。总之，喜剧都是使人发笑的，使人感到人性的可笑，行为的乖谬和愚蠢。我说《北京人》是喜剧，因为剧中人物该死的都死了，不该死的继续活下去，并找到了出路，这难道不是喜剧吗？至于说到这个戏的调子沉闷一些，忧郁一些，这是我对那个时代的感觉。那个时候死气沉沉，这样写比较贴切。

《北京人》是怎样写出来的呢？我说还是从人物那里来的。一切戏剧都离不开人，离不开人的心理和行为。这个戏中的人物在生活中都有影子，如曾皓[1]，我就见过一个很有学问的名教授，和一个青年女子有某种感情上的来往，实际上是剥削别人的感情。我对此深有所感。我从他的灵魂深处构思出了曾皓。他的故事并不长，也不热闹。同时我也见过一些年龄大还没有嫁出去的女孩子寄居在姨父家里，她们当然不像愫方那样，但有几分相似。曾皓的家也有出处，我考清华大学之前，寄居在一个姓于的大家里，他的房子很多，一个套院一个套院的。他承继了祖父的家产，曾经很有钱，当时已经败落了。不过他还有包车，偶尔也上馆子吃饭。到了晚上，他家的少爷、小姐们抽鸦片、赌博。他们把家中贵重的古董都拿出去变卖，这对我的印象很深。这些少爷中就有曾文清的影子，他懒得要死，整天没有事做，不过没有曾文清那么风雅。我还有一个活的曾文清的影子，就是我的哥哥。他也抽鸦片，没有曾文清儒雅。我父亲的脾气很暴躁，有一次一脚把我哥哥的腿踢断了。我哥哥就出走，从天津到哈尔滨，过了一个冬天，他又回来了，但不敢进家。后来母亲托人把他弄回来。他回家后，我的父亲不和他说话。有一天我父亲在楼下看见我哥哥在抽鸦片，他向我哥哥跪了下来，对他说："我是你的儿子，你是我的父亲，我求你再也别抽鸦片了。"我父亲把这件事情告诉我，给我留下很深的印象。《北京人》中写曾皓跪下来求曾文清不要抽鸦片，就是根据这样一件真事构思的。

1 "曾皓"底本作"曾浩"，当作"曾皓"。

愫方在剧中是一个重要人物，我是用了极大的精力写她的，可以说是根据我的爱人方瑞的个性写的，她在十年动乱中逝世。回忆起写这个人物，也可以说是对她的纪念。我的已逝的爱人是安徽名书法家邓石如先生的几代重孙女，会写一手好字，会画画，很文静，跟我守了一生。她的文静很像愫方，不过没有愫方坚强、忍耐的一面；也没有愫方那么不可言传的痛苦。当然在十年动乱中，“四人帮”迫害我，她也和我一起受苦。她就死了。愫方的“方”是我已逝的爱人方瑞母亲家的姓，她也可以说是方苞的后代，“愫”是她母亲的名字“方愫悌”中的“愫”。我确实是想着她而写“愫方”的。我把她放在这样一个环境中来写。当然她的家庭和愫方完全不一样，她父亲是日本帝国大学毕业的一个很有名的大夫，妹妹是一个很进步的学生。

我们写剧本一定要有真情实感，总是会有一个地方使你激动，让你产生非写不可的创作冲动，于是你就把许多事情集中和贯串在一起。创作不是照猫画虎，把见过的东西如实写出来。即便是写实主义大师如巴尔扎克、左拉，也不是这样，否则就是照相，而不是绘画了。创作要有想象、联想或幻想，所谓结构不是东一块、西一块的补贴和拼凑，要把活生生的人物放在具体的天地和环境中去思想和行动。

《北京人》中的人物江泰是根据我在抗战时在四川的一个小城里遇到的一个法国留学生作为原型而写出来的。这个法国留学生和他爱人住在老丈人的家里，是一个乐天派。别人都在抗日，他整天钓鱼，快活得很。每次见到我都东拉西扯，高兴极了。他不像江泰那样有满腹牢骚。我父亲还认识一个法国留学生，是研究科学的。在那个时代，搞科学是很不得志的，他不会做官，很失意，常常和我父亲穷聊。江泰这个人物就是取材于这些生活中的人，或者还包括我的某种幻想。我们有时写东西，就是各种联想加上自己的幻想创造出人物来的。这些人物不是假托出来的，他们都像真人似地存在自己的心里。很多作品中的人物就是这样孕育出来的。例如阿Q，鲁迅真正看见他了吗？还是他运用想象，在真正的生活的观察和分析的基础上创造出来的？这种写作的本领，有时的确有些神秘，连作者自己也不知道笔下的人物是怎么活起来的。

思懿这个人物在生活中也有原型，这种人我见得很多，印象最深的是某个学校校长的夫人，嘴上很刻薄，但不是那么凶残。剧中其他人物如瑞贞和曾霆也是我在生活中见到的人物。我有一位朋友，他的哥哥三十六七岁，就有一对十七八岁的儿子和儿媳。我到过他们家，见到这对年轻的夫妇，他们叫我叔叔。这对小夫妻并不相爱，女的经常回娘家，后来我听说一个自杀、一个病死了。我没有把瑞贞和曾霆写成这样，因为我不忍心这样写他们，那样写就太残忍了，我写瑞贞要挣扎出来。

关于剧中的音响效果的处理，我写剧本是很注意音响效果的。它帮助烘托气氛，增强特定环境的真实感。例如在城墙上吹号的声音，尤其是傍晚，乌鸦在天上飞，令人倍感凄凉。当我十岁时，父亲在宣化做官，带着我，每当傍晚，有个号兵在城墙上吹号，很单调。我听起来感到那么孤独，也许想到自己没有母亲，也许想到许多悲哀的事，让我那么悲伤。

我为什么要写《北京人》呢？当时我有一种愿望，人应当像人一样地活着，不能像当时许多人那样活，必须在黑暗中找出一条路子来。我当时常常看到周围的人，看他们苦着，扭曲着，在沉下去，百无聊赖，一点办法也没有。我感到他们在旧社会中所感到的黑暗。我想好人应该活下去，要死的就快快地死吧，不要缠着还应该活下去的人。这是我当时的想法。

曾文清这个人物并不是那么值得怜惜，愫方因为没有见过什么世面，在这么一个小的圈子里生活，她把感情寄托在曾文清身上。他代表了她的青春、生活的向往，甚至代表着她活着的目的。如果我们说愫方为什么这么无聊，这么可怜，这么没有意义，这有什么办法，因为她生活的圈子就这么大。她明明知道文清抽鸦片，还把感情交给他。他们之间互相忍耐，封建的礼教和礼仪束缚着他们，文清根本就挣扎不出来，尽管他不是坏人，却把愫方拴得很紧很紧。他们的关系怎么办呢？中间还有一个思懿，感情是不可能有出路的。愫方很坚强，也很善良，曾皓把她也拴得很紧。

我在《北京人》里把袁任敢写成人类学教授是有意义的，他不仅研究北京猿人，还研究人类学。剧中映出过猿人的影子，我想到罗丹雕塑的思想家（Thinker）的塑像，浑身是肌肉，很有力量。剧中袁任敢说："那时候的人，要喊就喊，要爱就爱……他们是非常快活的。"有人说我在提倡恢复原始状态。我没有这个意思。我当时感到人在受着各种束缚，应该打破它。我借袁任敢说出这样的话。我希望有一种没有欺诈，没有虚伪，没有陷害的世界。当然在当时是不可能实现的。我感到旧社会生活的不合理，需要把这种沉闷的生活炸开。剧中我还写江泰跟袁任敢谈完话以后，心里快活极了，说他说得对，不能再对了。接着就说他们现在过的是什么日子，成天希望、希望，而永远没有希望。这是一种对比，是我的一种比较明确的思想。我写戏时，有这种明确思想还是较少的，这是我写这个戏的主要动机，要打破幽灵所居住的国家。“五四”以来有这样一种文学，要打破封建桎梏。我的戏虽然没有这样直说出来，但我绝不是宣传什么原始主义。

我写戏不是从主题出发，而是从生活和人物出发的。我写《雷雨》时，并没有明确要通过这个戏去反封建，评论家后来说这里有反封建的深刻主题，我承认他们说得很对，但我写作时不是从反封建主题出发的。写东西如果先有主题，然后搜集材料再写下去，在我来说是很费劲的。我已经试过几次，结果都失败了。我想写作要有对生活的真实感受，逼得你非写不可，不吐不快，然后写出来的东西才是浑然一体的。剧本的思想，评论家能分析出很多道理。而我个人的写作经验，写作总是在个人不得不写这种劲头上，然后开始写。当时虽然并不是很清楚自己所写的东西的深刻含义，但写着写着，就会明白起来。我写《北京人》也是这样，开始只有江泰等几个人物，后来我写出袁任敢说的那两句话：“那时候的人，要喊就喊，要爱就爱……”我才觉得这是戏的主题了。

我写这个戏时，想到一个人应该像北京人那样活着，要恨就恨，要爱就爱，而不能像愫方、瑞贞、曾霆他们那样，被社会捆住，他们应该有希望。他们的腿和脚虽然已被埋在腐烂的泥坑里，他们的眼睛还在追寻着阳光，我相信他们是肯迈出来的。至于江泰和曾文清这些人，土已经埋到他们的胸口，是没有救的了。曾皓更是一个埋入土里的人了。他们的去处只有走进棺材。棺材这个情节，是我过去在生活中见到的。以前老一辈的人，一过五十岁，就得备下“寿木”，他们认为这样做可以添寿。有人连寿衣都制作齐全。这类事我看见很多。这是从生活中来的戏剧情节。

有一个朋友看了《北京人》，后来告诉我，说我写曾、杜两家抢棺材的情节太巧妙了。他说曾皓死抢着棺材，杜家也争着要棺材，意味着封建遗老和资本家都抢着要睡棺材，象征着封建主义和资本主义都共同走向死亡。我想这种说法并不坏，可是我写作时并没有这个意思，经评论家指出，才恍然大悟，知道这里面原来还有这么多讲究哩。我们搞创作的和搞评论的还是两个不同的行当，评论家的脑子好像比我们想得更深一些。我经常读到评论我的作品的文章，他们讲的许多道理，很多是我事先没有想到的。我想，如果我写作时都想到了，道理虽然明白，如果没有形象，也是写不出作品来的。

唐朝李商隐写了许多无题诗，他有一首题为《锦瑟》的诗，后五六句写道：“沧海月明珠有泪，蓝田日暖玉生烟”，诗的最后两句是“此情可待成追忆，只是当时已惘然”。这后两句很能说明作者写作时和以后回忆起来模模糊糊的情景。李商隐在这首诗中表达了他对过去恋情的回忆，可是一旦追忆时，过去的种种情景又不那么清晰了。我觉得搞创作和搞评论的人都是有道理的，作家的作品一经评论家指出之后，回过头来再回忆当时创作的情景，真有点像李商隐的诗中所说的：“此情可待成追忆，只是当时已惘然。”

作品的思想性是作家在生活中的真实感受并通过艺术形象展示出来的。只要你真正地生活了，对人、对生活有真切的感受，把人写透、写深，在艺术形象中自然就蕴藏着思想性。思想性是个活的东西，如同生命和灵魂在人体内一样。凡是活人都有灵魂，艺术形象都含有一定的思想性。

《北京人》中，我寄予最深情感的是愫方，我通过这个艺术形象解决一个人应如何活着的问题（当然这是我现在的想法）。生活不是痛苦、受罪、受折磨的，生活应该是幸福的。愫方在极度痛苦中产生了极其变态的心理，剧中有一段台词是写她的这种心情的。她抛弃了自己的一切，很像中世纪的苦行僧一样，不要幸福就是幸福。她的感情是我们今天的人所不能理解的，但这就是愫方。可见人是复杂的。我在《北京人》中把人的这种复杂性挖了一挖。曾文清和思懿感情不好，简直是一对冤家。可是思懿又突然怀孕了。已是四十多岁的人，又要生孩子，多么可笑啊！难道曾文清不爱愫方，不讨厌思懿吗？思懿却偏偏在曾文清要走时怀了孕。这就是人物、也是生活的复杂性。

剧中江泰对曾皓是憎恶的，对他轻蔑到了极点，可是当棺材要被抬出去的时候，江泰有个神来之笔，说：等等，他要去朋友处借钱替曾皓还账，以便把棺材留下来。而他的老婆文彩说江泰一贯说话算数。其实江泰何曾说话算数过？奇怪的是曾皓还是真的相信了。当棺材被抬走的时候，曾皓还想着江泰怎么还不来呢！剧中还有一段描写，曾皓的棺材被抬走时，碰到墙上了，曾皓非常着急，拼命地喊：这是四川漆呀！其实棺材早已是杜家的了，他竟然忘记了。

我写《北京人》的时候，感到剧中人物个性的魅力，使你着迷，使你非按照人物的性格逻辑写下去不可。当人物在你写着写着忽然活起来以后，他们就会按照逻辑活动起来，比你想的复杂得多，有趣得多。有的使你不得不推翻你原来的写法。这是什么逻辑？也许是写作的逻辑、想象的逻辑？或者是最深的生活逻辑渗透在里头。我也讲不清楚。真是可以意会不可以言传啊！例如剧中江泰读《麻衣神相》对照镜子一节，说道“鼻子，鼻子，我在照我的鼻子”。这一笔看起来像是废笔，其实恰恰写了江泰的个性，也是江泰这个人物最精彩的戏。这一句台词比其他许多台词更能生动地刻画江泰的个性。江泰在这里独立地生活着，他有自己的生命力。

我们观察人不能只看一眼，要多看几眼。写人不能只写一面，要写好多面。要从他的表面写到他的内心，从他的此一时写到他的彼一时。

《北京人》中有个大配角，就是我所说的各种音响，音响帮了戏很多忙，创造环境气氛。有的导演不太注意，戏就丢了很多。例如戏中有一台苏钟，即苏州出产的时钟，钟的嘀嗒声很迟缓，很单调，走起来慢极了，给人的感觉就是单调地活着、活着、活着，无聊地无味地活着、活着。没有这种钟声，气氛就搞不出来。这个戏的第一幕是比较快乐的，鸽子在天上飞时的哨声嘹亮悦耳。假如五六只鸽子一齐飞，那声音好听极了，给我的感觉是充满了青春的欢笑。戏开始的感情和最后的感情对比是很明显的。戏的后一部分，痛苦的事一件一件地到来，在初冬的傍晚，乌鸦呜哇呜哇的叫声，听着使人难过。还有一种水车的声音吱扭吱扭地响，非常烦闷不快。曾霆和瑞贞要离婚的时候，又有一种瞎子算命的铜锣声，这声音让人感到生命非常没有保证，人活着毫无意义。在一条深深的胡同里，瞎子半夜还要给你算命，这时候天是凉了，人心也凉了。

作家对自己的创作都不大能说清楚，我也是如此。分析作品要靠评论家。不过作家写作，对自己的感受是清楚的。爱谁、恨谁、同情谁，是很清楚的。作于我不能不作，止于我不能不止。我们写作，要真有所感才写。我写《日出》时，要写那些人物是清楚的，要表达什么思想，开始不太清楚。但在写作前有一句话很清楚，“太阳升起来了，黑暗留在后面。但是太阳不是我们的，我们要睡了”。刚写了半幕[1]，这话就有了，就搁在后头[2]。戏写完之后，我想找一句话来表达一下自己的思想，就找了老子的一句话放在前面：“天之道损有余以奉不足。人之道则不然，损不足以奉有余。”我想大概我写的就是“人之道，损不足以奉有余”。

大道理我当时讲不出来，但这个戏还是告诉人不应该这么坏，旧世界应该打倒。于是地也震了，山也摇了，大家团结起来，一个新世界就要创造出来。我写作时人物是一点一点地写出来的，人物之间的种种的复杂关系，也是一点点地写出来的，最后才展示出了思想。不是先有思想，再有人物，再有结构和其他一切。

三、对中青年剧作者的希望

最后我想谈一点对中青年剧作者的希望。近年来无论在杂志、电影、舞台上都出现了一批崭新的中青年剧作家的名字，这是一股蓬蓬

---

1 “刚写了半幕”论戏剧本作“构思不久”。

2 “就搁在后头”论戏剧本作“于是放在首尾处”。

勃勃的、不可阻挡的新力量。看到许多新作品写得好，我异常兴奋。

我老了，岁数大了一点，写东西不像以前，缺少那种一往无前的劲头。当然有时也还有。当我看到你们这些中青年作家，我像是被你们所感召，也就充满了干劲。我们有这样一大批热情、坦率、真诚的青年和中年作家，有理想、有抱负。你们是文艺创作中的中坚力量。你们懂得生活，有的一直没有离开工作岗位。你们在农村当过农民，在工厂当过工人，在机关当过干部或领导。你们在沸腾的生活当中，感到矛盾，解决矛盾，看见了是与非的冲突。你们有想法，你们要写作，你们有一种不可遏止的欲望，你们要为人民写出心里的话来，这是可贵的。我相信你们都是有感而发的，我从来都认为，有了真实的情感才能写出好作品。事实证明，确实如此。

但是，我想到作为一个作家，还有一些问题可以考虑：

第一就是要开阔眼界。

如何开阔眼界呢？首先要从生活中开阔眼界，我们身边有各种各样的灵魂，有一声不响、埋头苦干的英雄，有工作起来就要有声有色的英雄。我们身边有卑贱的灵魂，苟苟且且，见别人比他好，就妒忌、打击；得起意来，就欺上瞒下，营私舞弊，无视党纪国法，做那些见不得人的事，终于毁灭了自己。我们身边有许多普通人，看来是做着平凡的工作，心里充满了忘我的精神，做了很多有意义的事。他们心里爱祖国，爱人民，爱社会主义。但他们没有像那些卖嘴皮子的，说个不停。他们只是默默做他们应该做的。祖国离不开他们，他们是让祖国站起来、富起来的基本力量，他们是伟大的。

人心不同，各如其面。有多少人就有多少不同的身世、心理，不同的精神面貌，我们要放开眼界看到更多人的心灵。要不怕艰难，探索他们的灵魂深处，是高贵的还是龌龊的？亲爱的作家们，不要满足于已有的生活知识，不要满足于已经知道的人物性格。只有勇敢地、艰苦地探索人物的灵魂，在生活中开阔眼界，才知道应该写哪一种人，甚至于怎么写。这些生活会告诉我们的。

再就是从书本上开阔眼界，这就是我们这次读书会的重要性。古往今来，有多少经受过历史考验的大作品。中外古今，我们的前辈给我们留下极其丰富的伟大著作。我们也许读过一些，还是读的不够多；有些作品读了，但是还没有读透。中国的、外国的，我们要广泛地浏览，遇到自己喜欢的，真心喜欢的就要用心去读，多读几遍，读到真懂得作品的精神，作品为什么那么吸引你为止。无论是小说、戏剧、诗歌、历史、哲学，都有我们非读不可的书。这些书会启发我们，开阔我们的眼界，使我们分清楚是和非，分清楚高贵与鄙贱，使我们知道人是多么完美的一个构造。(《哈姆雷特》中有一段谈人的台词，请大家读一读。）人能改造自然，能改造世界，叫人们勇敢起来向前奋斗。

看了这些伟大的作品，能使我们明白起来，——才开始明白起来，我们写作的天地是多么辽阔、深远。原来几千年来，中外多少勇敢的作家，已经在无限大的天地中为我们指出多少条道路。我们要学习生活，也要从书本中学习。我们要接受这些伟大作品的影响，在这些作品中熏陶。但是受影响、受熏陶决不是要模仿，更不是要抄袭。

模仿、抄袭是奴才干的事，我们要做作品的主人！我们是中国的作家，是今天的作家，是社会主义的作家，我们的作品必将屹立于世界，我们的作品必将贡献于人类。

现在有的文章、文艺作品不大高明，观众、读者说看了头便知道尾，看了这个，不必看那个；这种现象虽不普遍，却是对观众、读者极不负责任的表现。我们的作家，每一位都应闯新路的探索者，而不是不动脑筋、不下苦功夫的懒汉。

第三，我想谈一下写作的标准问题。我们常说自己眼高手低，其实经常是眼不高，手才低的。眼要高了，手就高起来。——当然这也不一定。手高是要下苦功的——但是眼高是第一，就是要有一个高标准，这样才可能写出好东西。如果根本眼就低，哪里能写出什么好东西来呢？多生活、多读书可以使我们得到一个高标准。这个东西不能用尺量，也没有一定的格式，这种标准只能是在自己心里、脑子里，有一种敏锐的感觉。看古今中外的大作品，使我们知道自己的成就究竟有多大，他们的成就究竟有多高。这种标准是多少年的文化修养潜移默化得出来的。有了这种高标准的感觉，我们才知道如何修改我们自己的作品，要一遍、两遍、三遍、五遍甚至于数十遍修改而不厌倦，直到自己和读者共同认为是好文章才算数。文学史上这样的人物、这样的作品是很多的。

党的十二大已经召开，党中央向全国人民提出了开创社会主义现代化建设新局面的伟大任务。我们要认真地学习十二大文件，坚决贯彻十二大的精神。我们要奋发图强，要紧张扎实地工作，同全国人民一道，为实现社会主义现代化建设的宏伟目标而奋斗。我们要努力反映伟大的时代，塑造社会主义新人和“四化”建设的创业者形象，为建设社会主义的物质文明和精神文明做出贡献。我们的戏剧创作要起到鼓舞广大人民，以共产主义思想教育和影响广大群众的作用。这个重担的一部分，正放在你们中青年作家的肩上。我们老一辈的人，要努力地干，尽可能地写出东西来。但我们终究是要过去的。我们的希望，全国人民的希望寄托在你们身上。

中国的中青年的作家们，我完全相信，你们一定会写出无愧于伟大祖国的好作品来。

探索人生　追求真理

——曹禺同志九月十三日接见安庆市文艺工作者时的讲话

你们市文联主席耿龙祥同志，称我为“大师”，大作家，这不对。我既不是大师，也不是什么戏剧的大作家。老实说，我只是一个普普通通的写作的人。也不知怎么搞的，把我说成是戏剧家。我从小没想当作家，尤其没想当剧作家。但是，我从小就很喜欢戏剧，很爱看戏。记得在我三岁时，母亲就抱着我看京戏。那个时候有谭鑫培，还有杨小楼、梅兰芳……很多人吧，他们一讲戏就提到安徽，说“我们这个戏呀，我们的本领呀，从老祖宗上讲都是从安徽那儿来的”。过去京剧界不是有这么一句话吗？叫作“无石不成班”，“石”就是指的石牌，也就是现在怀宁县的石牌，安庆原来是属于安庆府怀宁县的吧？所以，作为一个普通的戏剧工作者，我这次是“朝圣”来的，是向诸位求经来的。假使说唐僧经过九九八十一难，才能够到西天求经，我确实借了现代的光，坐飞机一下子就到了，也没要孙悟空明里

【题注】载《黄梅戏艺术》1982年第1辑。文末附注：“黄旭初根据录音记录整理。”

暗里保护。我倒是有几位老师在引导，一个是左平老师，一个是那沙老师，他们时时指点我，使我一点儿难都没经过就到了“戏剧之乡”——安徽。我在合肥看了一次戏，是京戏，很好，大都是青年演员，演出是非常精彩的；看得出来，安徽在培养青年演员方面很下功夫，很有几个出色的演员。我们写戏的人主要还是为了演，演戏就要靠演员了。因此，我对演员的产生，对新一辈的产生，特别的重视。我那天在合肥看完京剧后，写了十个字：“引高歌于世，播佳种在田。”他们都是“佳种”嘛！

现在，我们正处在伟大的时代，尤其是经过党的十二大以后，可以说是一个大转折的时代，面临着四个现代化，面临着我们社会主义的强国在几十年内就要建成，将来我们真是要昂首阔步在世界上。就是现在，人家已经对我们看得不一样了，将来就会更不一样。在这个时代，能够做歌唱家，做文艺家，做画家，像在座的诸位，你们都是安徽有成就的、优秀的文艺工作者，这尤其使我感到欣慰。我看到你们的刊物——《振风》，觉得办得很好，这里面有你们的文章，愿你们的名字也出现在全国其他的刊物上。可以说，安徽是一个人物荟萃的地方。

前天，我跟《安徽日报》的一位记者谈心，因为看了工厂，又看了农村，觉得到处是朝气蓬勃。我对他说，我想起了唐朝诗人王勃在《滕王阁序》里写的八个字：“物华天宝，人杰地灵。”你们此地就是王勃说的“物华天宝”。你们这里出棉花，有大石油化工厂，出最好的米，各样副业都兴旺发达。三中全会以后，地里的矿藏一个一个的都出来了。（李玉茹同志插话：出人才！）当然了，就是“人杰地灵”哪！你们就是“人杰”，人就是“地上之灵”啊！有了你们，“物华天宝”才可出现，有了你们，中国才真正有了希望。我这样说，决不是恭维你们的安徽文艺工作者，我是祝愿、歌颂包括你们在内的全国的现在这一代的文艺工作者。我深深感到，咱们中国目前这一代文艺工作者，比我们那一代强得多。我们现在年岁多了一点，所以常常觉得搞着搞着，劲头就不大了。但是一想到你们，想到各位同志们的工作，我就觉得劲头上来了。我是一直跟在你们后头干。我们不干不行。

我说说跟张大为同志（中共市委副书记、安庆石化总厂党委书记——整理者注）见面的情景吧。那时我们刚到合肥，他正要到北京去开十二大。他听说我来了，我们就见上了面。我先不知道他是张大为，我还以为这是一个普通的科学家，等介绍完以后，我拿他简直就像我的新朋友、好亲戚一样啊！我紧紧地抱着他，我说：“你就是张大为呀?！你这个名字啊，香得传布于全国，我在上海就听到过多少次你的故事了。”他很谦虚，完全是一个普通工人的样子。我说：“一个人做了好事，不只是本地香啊，全国都香！”他说什么呢？“哎哟，也不见得吧，我在本地也不怎么香哦！”我理解他的话，这就叫斗争。

看到张大为这样的同志，就令我想起，在今天的社会，尽管条件好，党的领导好，我们每个人还必须经过种种复杂曲折的斗争。矛盾可多了！比如生活方面的矛盾，人与人之间的矛盾，事业搞不好这中间的痛苦，这些都是必然有的；但是有一条最主要，就是必须要有一个崇高的理想。我觉得我活着，算起来也有七十多岁了，这一辈子我经过的，看见过的黑暗，愚蠢，压迫，剥削……，等等许许多多事情。我们经过帝国主义侵略战争，如日本帝国主义的侵略，美帝国主义的侵略。我们作为中国人，到底还是昂着头存在在世界上！靠什么东西呢？一个是靠我们几千年的文化遗产，咱们的祖先使我们有那么一种福气，使我们中国人有文化，有先进的文化。尽管现在在物质文明上差一点，但这个是不难改变的。第二个，就是我们有崇高的理想。大家都会说，啊呀，这个崇高的理想不都有吗？共产主义嘛！这个话随便一说很容易，然而真正的崇高的理想，得来是很不容易的。就是说，你不要认为读了几本马克思的书，你就认识了共产主义，你就有了崇高的理想了，这个情形可以有，不是说没有。有人确实是从书本上学到的，也有人从口头上，有几个良师益友给讲讲，也可以得到；但是真正做一个有崇高理想的人，必须经过自己痛苦地摸索，白天晚上睡不着觉，思考着为什么目前的状况这么困难？为什么自己还不能拿出全部的精神来解决问题？靠什么东西来解决问题？靠什么东西来解决矛盾？这样，你才逐渐知道，今后，人要到何处去的问题。我这一生啊，从小就感到想不出路子来，我就觉得旧社会黑暗，旧家庭黑暗，就想人为什么活着？我很不高兴，很难过。我觉得人生哪，就像曹操说的“譬如朝露，去日苦多”。后头大概是“慨当以慷，忧思难忘”。我们应该好好干一干，但我这“忧思”还是忘不了，对人生之短促忘不了。“何以解忧，惟有杜康。”怎么能解忧呢？还不如喝喝酒哇。这是一种想法。确实我在小的时候，还是十几岁孩子的时候，忽然有这种想法。我不晓得你们有没有？我个人有过。当时我认为这个想法不是错误的，这个想法很实在嘛，人是有生离，有死别的，人生是短促的。古诗十九首说过这句话：“人生不满百，当怀千岁忧。”一般人活不了一百岁，但要忧虑千年的事。“昼短苦夜长，何不乘烛游?”何不拿着蜡烛去游玩呢?！这是一种解决矛盾的生活方式。不要看这种想法是消极的，不要看它是颓废的，这个想法对有些人是可能的，遇到一件事错了，一件事情解决不开，想不通了，甚至自杀都可能。但是他还是考虑人生问题的。他对人生是执着的，就是想活着，而且要活得有意义，不然为什么这么想呢?混吃等死的人，像猪一样地活着，这样的人从来没想过这个问题。(左平同志插话：讲得好！)一生一世他就这么过下去了。我并不是说打扑克牌不对，也不是说喝酒错了，但是有些人就只知道打扑克牌，就只知道喝酒，什么人生的事自己不去想，就是洗衣服，生孩子，到老一死了之。这样的人如果多了，国家就没希望。讲到实在的人，一旦讲到人生短促的时候，就想到一个问题，也就是曹操自己说的：“老骥伏枥，志在千里。烈士暮年，壮心不已。”他想到什么?他刚刚五十多岁，想的正好相反，却是另外一面。但凡对人生敢于追求的人，追求之后，觉得没有出路了，又从另外一面走了出来：一个是颓废下去，这是不可取的，这种人也不是太多的，假若颓废的后面还是积极地向人生探索出路，那就是可取的了。

我们怎样去探索?比方说吧，共产主义是共产党探索的个目的。我有一个想法，不晓得对不对，也许我完全说错。“共产主义”仅仅是四个字，如果你把这四个字像一道符似的画在纸上，烧成灰吞下去，你就变成共产主义者了，这倒容易罗！问题不是那么简单。共产主义的思想，不仅仅从书本上得来，也不仅仅从人家的口头上得来，而是必须在你痛苦的琢磨中，在你真正思考人生是为什么，这样得来的共产主义理想才比较牢靠。我是说比较牢靠，而不是绝对牢靠。因此，可以这样说，从来没有人，没有任何人能代替我们去认识真理。真理，是我们自个儿建筑起来的。所以，现在每天都在给我们讲共产主义，但还是不能代替我们自己去寻找。每一个人寻找共产主义道路是不同的，是经过痛苦的，经过磨折的，经过反复的，因为人生的事情可复杂了。你可以从这条道儿认识共产主义，也可以从那条道儿认识共产主义。我今天并不是专门谈共产主义的，但我觉得一个人活着必须有一个崇高的理想。如果活着没有崇高的理想，你到死的那一天，到最后喘息的时候，回头一想，你会感到遗憾的。有的人不在乎，无所谓，就像个“行尸走肉”那样活着。我们这些在文艺工作岗位上能够做点事情的人，是中国土地上的“佳种”，我们应该有一种深沉的灵魂。有灵魂的人，必须想到将来要干什么？想到祖国要干什么？人的这张嘴不仅仅是为了吃饭和说话而长的，这张嘴是为了说明我们心中的思想甚至理想的。这样，我们就会觉得活着的意义大一些。确确实实有的人很聪明，就是他干的劲儿足吧，他在十来岁、二十岁就成为了不起的人物了。像我这个后知后觉者，我在七十岁才开始明白这个道理。你们这一代经过十年“动乱”，年纪轻的，不像我们经过的那样有意思。那时候到处都是“真理”，一会儿一个“真理”，但那个“真理”是靠不住的，因为我没有去探索，它就来了，而且你就得接受，你们说，那个“真理”靠得住吗？因此，我们幻灭了，不只是我们这一辈老天真幻灭过，你们年轻人恐怕也幻灭过。不是吗？但是，反过来我也想过，有好处，有极大的好处，就是说我们经过这一场，比不经过这一场强。经过这幻灭之后，我们对真理就更接近了，就看得更扎实一点了，而且知道什么叫“是”，什么叫“非”。我想，人活着不能白活着，我们的十年不能让“四人帮”白白地把它夺去，而是必须活得很有意义。

我确实应当跟诸位多谈谈，但是我的精力不够。希望大家做起事来无愧于伟大的祖国，无愧于伟大的党。党对你们希望很大，我们这一辈老年人对你们希望很大。你们一定要写出、演出、画出、唱出无愧于我们伟大祖国，伟大时代的新生活的画卷和赞歌来。我就讲到这儿吧。谢谢同志们。

重视编辑工作，办好戏剧刊物

——在《戏剧界》编辑部召开的座谈会上的讲话

编辑是无名英雄，应当受到社会的尊重。无数事实都说明：好作家往往出在好编辑的手里。巴金的第一部小说就是通过好编辑叶圣陶的手发表在《小说月报》上的。我的《雷雨》所以能问世，不能不归功于当时向《文学季刊》推荐的巴金了。如果没有他的帮助，我也许不会再写东西了。“良医如良相”，好的医生就像好的宰相一样，我认为好编辑就如同良医良相。你发现好文章把它推荐出来，那就是为造就好作家出了力量。所以说，编辑要当作者的伯乐，当作者的知音。不然，刘勰也就不会在《文心雕龙》中强调提出“知音其难乎”，深感“音实难知，知实难逢”了。今天就更应该要求编辑能成为作者的知音，加强自己的责任感。

当一个好编辑并非易事。首要的是不能变成老朽，更不能变成中朽、少朽。老和朽这两个字经常连在一起。为什么呢？老很容易保

【题注】载《戏剧界》1983年第1期。按，座谈会于1982年9月15日举行。

守，抱残守缺，新东西听不进去，老就朽了。但是也有不老朽的——我们党中央的同志就是不老朽的。最可怕的还不是老朽，而是“中朽”“少朽”。因为他还不老，他在那里拉着你的腿，不让你做这个，不让你做那个。这种人是最可怕的，对这种人该怎么办呢？我的看法是：不让他们再朽下去。我们要与之斗争，要使他变成少而有壮志，少而有进取心。

当编辑不易，编好刊物更不易。我国最早的编辑恐怕要首推孔老夫子。他编选的《诗经》，是从几千首诗歌中选辑了三百零五篇。尽管其中也有歌颂帝王的，但反映人民生活的困苦，诅咒鱼肉百姓的勾当也不少。开宗明义第一首《关雎》篇，就反映了男女对爱情的向往和追求，思想不是很解放吗？可见从当编辑的角度来看，孔夫子这个“老朽”还不守旧，为后世也留下很多好的东西。

我看《戏剧界》办得很好，思想性强，敏锐、丰富。登了许多老作家的作品，新人的作品也出现不少。这些文章是替戏剧界、替人民说话的。我觉得今天要特别提倡大家说真话，推心置腹说心里的话。一个杂志如果真正做到把大家心里想的文章登出来，这个文章就会起作用。《戏剧界》所以能做到这一点，我猜想他们的编辑是知音者，他们编辑部里没有老朽，更没有中朽、少朽。

特别是看过今年第五期发表的评论员文章《文艺是人民的事业》，很感到激动，像这样根据党中央的精神及时阐明新文艺观的文章，说了真话的文章，为什么在全国那么多的刊物中未曾看到，却偏偏刊登在一个省级的戏剧刊物上，岂不令人奇怪吗？这也正看出《戏剧界》有胆识，使大家看后有痛快之感。在同一期里，有一篇《重视观众学的研究》的文章，也写得很好，把我们今天观众的情况，我们艺术作品的情况讲得很清楚。资产阶级也研究观众学，那是为了好卖座；而我们研究的目的，则是更好地让戏剧为人民服务，为社会主义服务。其实，戏剧为人民服务并不等于讨好一般群众，单纯地考虑票房价值。群众与人民有着不同的概念。易卜生在《人民公敌》中通过斯多克芒便说过："平常人不过是原料，要经过加工培养才会成为人民。"谁也不敢讲自己是人民，但可以说是群众。"四人帮"时期的所谓"群众专政"，实际是"暴民政治"，并不代表人民的利益。因此，我们研究的观众学是人民的观众学。这样，是非界限就分清了。

我这次到合肥看到《戏剧界》的编辑部在四楼平台上的防震棚里，想象不到这么小的一个防震棚，出了这么讲究的《戏剧界》，不仅印刷好，而且内容好，面向全国。有学术性的讨论，也有外国戏剧的介绍；电视剧也当作一个题目来研究。我觉得这个杂志是站得住的。我在考虑为什么这个杂志偏偏在安徽得到发展，这值得我们想想。理由很多，这个地方是一块很好的土地，"遗老"少，"遗少"也少。当然，我们还不要满足于现在。

任何杂志，尤其是文艺杂志，应当看成是一所流动学校。编辑部要树立起办学精神。一方面要勇敢地传达党的新精神，宣传党的方针、政策；另一方面还要了解你所培养的对象就是观众。观众确实有一个培养、提高的过程。看戏的人是不会先上"看戏学校"再去看戏的。所以只有靠刊物来提高观众的艺术修养，欣赏好的艺术，欣赏艺术的美、人的美，辨明是与非的斗争。否则，谈不到社会主义精神文明的建设！

编辑的责任是重大的。我呼吁：应当提高编辑的社会地位。希望《戏剧界》办得更好。

一九八二年九月十五日

文化部召开的《中国文艺年鉴》座谈会发言纪要（节选）

这本书装订之好，出乎我的意料。北京能有这么好的装订，简直是空前的。严文井可以做证。

（严文井：和日本出的工具书相比，我们这本书能镇住它。）

多少年来，我们就缺少这么本类书。

中国的文学艺术，在今天是全世界的事。我们到过几个国家，可

【题注】收录于《1982年中国文艺年鉴》，文化艺术出版社1984年第1版。按，文前“编者按：在文化部领导的关怀和支持下，在各界人士的协助下，1981年《中国文艺年鉴》创刊。为了进一步提高《中国文艺年鉴》的编辑水平，以适应文化艺术事业发展的新形势、新局面，文化部于1982年10月19日举行座谈会。中宣部顾问周扬、文化部部长朱穆之、《人民日报》社长秦川以及文艺界知名人士曹禺、陶钝、吴晓邦、刘白羽、严文井、孔罗荪、袁文殊、贾芝、成荫、谢铁骊、于蓝、王昆、朱琳、李玉茹、新凤霞、曹辛之等共四十余人参加了会议。座谈会由文化部顾问林默涵主持，与会同志对中国文艺年鉴社的中青年编辑们敢担重任，编纂出版了建国以来第一部大型的全面反映中国文艺现状的工具书，给以热情的赞赏和鼓舞，评价了这部书的现实意义与历史价值，并对如何改进《中国文艺年鉴》的编纂工作和选题等问题，提出了诚挚的批评和建议。他们的发言，不仅是对《中国文艺年鉴》编纂工作的促进，而且对我国文史工具书的编纂工作也很有意义。为此，本刊征得他们的同意，依座谈会的发言顺序将他们的讲话发表在这里”。曹禺发言排在第五位。

以说，每到一个国家，他们对于最近发生的中国文学艺术方面的问题，都很清楚。比如关于《假如我是真的》这出戏，我刚到瑞士，瑞士东方研究院的人就跟我谈东谈西，谈得非常详细，问的问题也相当尖锐。所以我们有这样一部书，是很容易解答这些问题的。特别是《年鉴》上有一篇胡耀邦同志的讲话，对这些问题的解释是比较清楚的。我到美国去也是这样。我倒不是说能解答所有研究中国现代文学专家们的问题，而是说我们应该有这样一本书。这本书能够使我们把我们的意见很真实地拿给全世界看，这是非常重要的。

现在真正搞研究的人，想方设法地在各种图书馆找材料。一般搞文艺研究，搞中国现代文学研究的人，很难找到这么一本类书。从全世界来看，世界上各大图书馆也需要这种书，这是我们宣传现代中国文学艺术的一个非常主要的工具，也是作为我们社会主义文学艺术的最好的宣传品。我认为宣传二字，看你怎么用。我们社会主义的宣传是正确的、真实的，不说谎话的。

《年鉴》，大致翻了一翻，我觉得内容很齐备。这本书，对于我国的文学艺术工作者也是个鼓励。有些东西没有记载，居然在《年鉴》上有了记载，这很出乎我的意料。

戏剧方面看了一些。尤其是地方戏曲，我不敢说都包括，但地区以上的差不多都包括了，就不算少了。

这么多地方戏曲的项类，还有一个特点，每个戏的内容介绍是一个小小的故事，讲得你明明白白的。我是搞戏的，特别想多知道一点。这对我们做研究工作的人有好处。就是不做研究工作的，看一看也长见闻。这是个很大的特点。电影也是如此，不但中国电影有故事，外国电影也有故事，这都是你们自己编的吧？还是谁提供的？但你们又编了一点儿。因为我感到文书词语的味道很一致，有一个调门，这一点也很重要。例如大百科全书就是一个调门，不然，你一个风格，我一个风格，就不统一了。做到这一点，很了不起了。

另外，我觉得今后这部书在书后是不是需要有个“索引”（洋文叫作index），例如在一个作家名下，按一、二、三、四……列出他的全部作品。这个索引很重要，要提倡一下，但不知《年鉴》是否需要。编这个索引很难，要费很大功夫，不下于编一部《年鉴》。但这么一大部书，查起来很麻烦。有个索引，就比较方便了。我要查某一个人，这一辈子演过什么戏，清清楚楚地摆在那里。所以，类书更需要索引。这话对不对？我作为门外汉提一提这个意见。

整个说来，这部书为文艺界争光，为中国争光。对全世界的文艺研究者都有极大用处。参加这项工作的各位，经过苦心编辑，获得了非常大的成功。对此，我表示庆贺。

美好的感情

近几年来，我到过欧美几个国家，看了不同的地方和人，结交了许多的朋友。他们热情、亲切、谈话直爽，常常饮酒到夜半，互相探索着心灵的语言……我不断地坐车，一条条道路在身后飞快地闪过；然后，便置身于种种热闹非凡的场面。之后，又是一段旅程接着一段旅程，如同流星一般，在喧嚣的空间划过。

回到静寂的家里。秋天了。夜晚，听到大片大片的树叶，飘落在逐渐变得阴凉的土地上。我追思起那些发生在遥遥万里之外的生活场景，不由感到人和人情的真挚是多么值得留恋。

日子一天天地过去了。我心中渐渐地感到一种不满足。我像是还没能尽兴地感受人间的美好感情；尽管我曾看到过雨雪霏霏的山川，

【题注】收录于《绿　万叶散文丛刊（第一辑）》，文化艺术出版社1983年第1版，据以排印。又收录于《美好的感情——中国戏剧家访问日本散记》，中国文艺联合出版公司1983年第1版，兹以通校（校注称“中国文联本”）。

月色空明的湖泊，花朵斑斓、[1]绿色的郊野，和一张张生动的、活跃的、目光闪烁的面容。我诧异，为什么我的心里还会有这样的空荡之感，人，难道是这样的贪得无厌吗？

直到前些天，我就要启程到日本了……

我一直很忙，但是却抑制不住一种急切的兴奋的感觉。我怀念起很多可爱的日本朋友和善良的日本人民；我记起我曾经游历日本时的始终萦绕心头的情感；往事熟稔得就像是在昨天。哦，我忽然明白了，我不满足的缘由；原来，我的不满足就要在这块美丽如画的土地上得到补偿了。我盼望着，我回想着。

我到过日本三次。

一九三三年我在大学读书，放春假时来到日本。我第一次在一艘不到一千吨的小海轮上喝了日本的酱汤，吃了黄萝卜，玉一样白的米饭和一点点鱼、海带。那新鲜的感觉与青春一道，给我留下无穷的回味。

那时我才二十三岁。一句日语也不会讲。但是像我一样年轻的日本大学生们，和我用笔、用半通不通的文字，开怀畅论，交谈得那么热烈。那些脚踏木屐，穿着裙子式的学生装的同学现在在哪儿呢？他们会不会还记得我？当然，我们都老了，可是在我的脑海里，他们永远是那么年轻。

我不能忘怀古朴、静谧然而又绚丽多彩的西京。满目的樱花依山傍水，正是盛开的时节。每一株樱花树下都是一团欢悦的野宴。地上

1 “、”中国文联本作“的”。

摆着酒菜，男女们唱着跳着，弹着琴，仿佛世界都沉醉在梦一般的春光里。我和我的清华同学们不会唱，可[1]也不由得唱起来；浓艳的樱花，美丽的姑娘，好像一片片彩云。

我第一次看歌舞伎也是在那时。菊五郎扮着一个怀春的少年，在春雨如丝的日子里，在樱花树下，碰到一位少女，于是被深深地打动，再也无法忘怀。菊五郎从花道上举着纸伞，低徊地舞着走过来，缓缓的舞姿使我神往。那是多么凝炼的美啊。当时，我不禁想起中国的《诗经》[2]："有美一人，清扬婉兮，邂逅相遇，适我愿兮。"[3]

记得到东京后的第三天[4]，傍晚下开了小雨。忽然听说筑地小剧场有戏，我和同学孙浩然不顾绵绵的细雨，就摸着去了。现在已经想不起当初是怎样在沉沉的夜幕里找到筑地小剧场的。总之，我们到了那里，买了票走进去。舞台似乎和一个大讲台一般，简朴得令人感动。剧场里大约只有五六十个观众。那天我记得[5]演出一个北欧的讲航海的戏。我们听不懂日语，却被演员们真实、诚挚、干净的表演紧紧抓住。戏演完后，我们和日本观众一起为他们鼓掌。当时我似乎有一个印象，台上的人比台下的人还要多；这是一场多么庄严动人的演出。回旅馆的路上，我和孙浩然十分兴奋，春寒阵阵袭来，我们却一点也

---

1 中国文联本无"可"。

2 "中国的诗经"中国文联本作"《诗经》中的句子"。

3 此处中国文联本有"正是男女青年相悦情景。"。

4 "第三天"中国文联本作"第二天"。

5 "那天我记得"中国文联本作"我记得那天"。

不觉得。日本话剧的深刻的现实主义传统，从那时起一直使我[1]萦怀不止。

第二次到日本是一九五六年。我四十六岁。在羽田机场一下飞机，就看见一团团花束和充满友情的花束一般的脸。我遇见了千田是也、杉村春子、泷泽修、木下顺二、山本安英，结识了许许多多话剧界的朋友。我在俳优座看了他们的戏之后，到台上祝贺，想不到他们赠送给我一个巨大的花篮，我几乎无法抱动它。我知道当时他们的生活并不富裕，还用这么多钱为我买花。花是美的，但人的心更美，人与人之间的友爱是珍贵的，无法用金钱来计算[2]。

这一次使我倍感幸运的是，我访问了已进八十岁的秋田雨雀先生。在阳光下，他的孙女扶着他出来见我，老人家还为我写了字。至今我仍看得见他满头的银发、和悦的面容，听得见他清越的声音。一九三五年，正是秋田雨雀先生和郭沫若先生一起为我的《雷雨》日译本写的序。我终于能够当面向他表达我深情[3]的感激了。

一九五六年[4]在日本，正是炽热的夏天。十几天的访问仿佛一瞬。我流着汗，与朋友们相逢，道别；我感受着如火的夏日般的热情，同时，又止不住分离时的莹莹泪光，惜别，惜别，这两个字，我是真正

1 中国文联本无“使我”。

2 此处中国文联本有“的”。

3 “深情”中国文联本作“深深”。

4 “一九五六年”中国文联本作“五六年”。

地[1]领会了的。

我忽然想到，多么巧！我三次访问日本，正是由青年度到中年，又进入了老年。而时间也是如此安排，年轻时来日本正是春天，壮年时正逢夏季。这一次访问，又恰恰是深秋了。

是的，我要说，日本变了。新干线上，高速列车的时速已经超过了三百公里；据说有这样一个统计，世界各国的城市，人行走最快的是日本。今天的日本，到处可见的是两个字：速度，使我震惊的速度。我看到日本人民用这样的精神——像中国艺人在头发丝上雕刻图案一样，在他们的每一寸国土上建设着，这是使人十分感动的。

富足的生活来之不易，我不由这样想，是多少善良的热爱和平的日本人民用劳动和心血换来的。中日两国人民都经历过苦难的历史，也许正因为如此，我们才更加感到中日友好的珍贵。广岛的马鞍形大纪念碑下有这样一句话："安息吧，过去的错误不会再犯了。"我想我们会永远把它记在心里，永远不忘记。中日两国的人民有着共同的心愿：消除苦难，创造幸福。

说到这里，我便深深地怀念起为中日友好的事业勇敢地献出毕生精力的战士，我们共同敬佩的朋友——中岛健藏先生；我想到今日正致力于中日文化交流的井上靖先生；我更怀着无限敬意追忆那些"仰不愧于天，俯不怍于人"的为中日人民永久的[2]友好献出生命的日本朋友们。我相信他们的生命如同他们的事业一样，将是不朽的。

1　中国文联本无"地"。

2　中国文联本无"的"。

只要想起日本，我的眼前就浮现出春雨迷蒙的日本海岸，细浪轻轻地拍打着沙滩上小小的石灯；古城的窄道上摇曳着酒旗的酒楼，时而飘来一阵沉郁的歌声；金红色的夕阳下，金黄色的草地上奈良的驯鹿；一座座碧绿的岛屿，像在雾里，又像在梦中；这就是美丽得令人迷恋的日本，使人难以忘怀的日本。然而，比这一切更令人留恋的，是人，是人的友情。

旧友新知啊，让我把你们深深地、永远地留在心中。

一九八二年十月

访日前夕

三访日本

我们中国戏剧家代表团，是应日中文化交流协会等单位的邀请，来到日本进行访问的。

只要想起日本，我的眼前就浮现出往日的春雨迷蒙的日本海岸；在古城的窄道上摇曳着酒旗的酒楼；金黄色的草地上奈良的驯鹿；一座座碧绿的岛屿，像在雾里，又像在梦中……

今天，日本真的又在我们眼前了。一下飞机，我们就发现，这是一个微笑的、目光闪烁的、热情的天地，我们的手紧紧地、一遍一遍地握着。我们的心沉醉在真挚的友情中。

对于前来欢迎我们的朋友们，对于今天这个盛大的聚会，对井上靖先生、千田是也先生的讲话，我们说不出的感动。我只能说，让我们把这一切深深地、永远地留在心里。

【题注】载1982年11月3日《光明日报》。文末“编者注：这是曹禺同志十月二十五日在东京戏剧界人士为欢迎由他率领的中国戏剧家代表团举行的酒会上的祝酒词。经本报驻东京记者征得曹禺同志同意在本报发表”。

朋友们，我们是最近几年来日本访问的第三个中国戏剧家代表团。——一九八〇年于伶先生曾率领一个代表团到这里来过。临行前，他要我代表他在这里说一声，他们忘不了日本朋友的热情款待，忘不了在日本度过的美好的日子。那么，就让我代表他，同时，也代表我们代表团的每一个人，感谢你们，深深地感谢。

我曾到过日本三次。一九三三年，我在大学就要毕业，放春假时，来到这里。那时我才二十三岁，一句日语也不会讲，但是像我一样年轻的日本大学生们，跟我用笔，用半通不通的文字，开怀畅谈，交谈得十分热烈。我想起那满目浓艳的樱花，好像一片片彩云，真不知那些脚踏木屐、穿着裙子式的学生装的同学们，现在在哪儿？在做什么工作？他们会不会还记得我？当然，我们都老了，可是在我的脑海里，他们永远那么年轻。

第二次到日本是一九五六年的夏天，我四十六岁，十几天的访问仿佛一瞬。我遇见了千田是也、杉村春子、龙泽修、木下顺二、山本安英各位先生，结识了许许多多话剧界的朋友。我流着汗同朋友们相逢，我们含着惜别的眼泪惜别。惜别，这两个字我是真正领会了的。我在俳优座看了他们的演出之后，到台上祝贺，想不到他们赠送给我一个巨大的花束，我几乎无法抱得起来。我知道当时他们的生活并不富裕，还用这么多钱为我买花。花是美的，但人的心更美，人与人之间的友情是珍贵的，这是无法用金钱计算的。

我忽然想到，真是巧。我三次访问日本，正是从青年到中年，又进入了老年。而时间也是如此安排：青年来日本，正是春天；壮年来日本的时候，正是夏天；这一次访问，又恰恰是深秋了。

我和我的许多朋友，面上都添了皱纹，头上也添了白发。但是，现在使我高兴的是，我又认识了许多壮年、青年的朋友。

中国称朋友有这样一句老话，叫作“世交”或者叫“通家之好”。就是说，这种亲密无间的友情，如同家与家都相通了。

我想，我们正是这样的好朋友。

通常，老一辈操劳一生，常常是为了给子孙留下遗产。我们留给他们的一份最好的遗产，就是中日人民的友谊，中日人民文化交流的事业。这是我们的祖先开始时克服了多少困难、阻碍，世世代代传下来的。为此，我们付出了心血。

今天这个欢乐的聚会，正是经过这样的努力才获得的。所以我借主人的酒杯，为中日两国人民的友好事业，为促进文明、促进文化交流，为了在座的老一代、中年一代、青年一代，把这一崇高美好的理想传下去，干杯！

全国戏剧评论和戏剧期刊工作座谈会开幕词

我正在病中，住在医院里，不能和同志们见面，参加这次大会的开幕，只好做个书面讲话，请陈刚同志代替我讲一讲。

为了进一步贯彻十二大精神，为了开创戏剧工作的新局面，提高戏剧刊物和戏剧评论质量，中国戏剧家协会决定召开全国戏剧评论和戏剧期刊工作座谈会。我现在宣布座谈会开始。

召开这样一次工作座谈会是大家盼望已久的。粉碎“四人帮”以后，特别是党的三中全会后各地戏剧期刊纷纷复刊，有的地方还创办一些新的戏剧报刊。据了解，全国二十九个省、市、自治区，除了个别地方外，都各有一至两个以上的戏剧刊物。有的专区还办了戏剧期刊或戏剧小报。这些戏剧报刊对于活跃戏剧评论、繁荣戏剧创作，都起了很大的作用。在这个期间，各地的戏剧评论工作者在党的“百花齐放、百家争鸣”方针指引下，发表了很多质量较高的评论文章和研

【题注】收录于《中国戏剧年鉴1983》，中国戏剧出版社1983年第1版。按，座谈会于1982年12月7—18日召开。

究文章，对推动戏剧工作的繁荣发展，起了很好的作用。党的十二大提出我们在建设高度的物质文明的同时，建设高度的社会主义精神文明。我们从事戏剧工作的同志无疑地要在建设社会主义精神文明中起积极作用。而戏剧刊物和戏剧评论工作在这方面更应当负起重大的责任。我们把大家请来参加这次座谈会，目的在于交谈与研究戏剧评论和戏剧期刊的情况、经验和问题。我们还要探讨如何全面提高戏剧评论与戏剧期刊的质量。我们希望在建设社会主义精神文明中做出应有的贡献。

这次座谈会是一次工作会的性质。由于时间比较短，不可能具体讨论会上提出的每一个戏剧理论问题。这当然有待于以后召开专题的或学术性质的会议。但是，我们希望大家能够在短短的十几天中抓紧时间，畅所欲言，把自己感到的问题，了解的情况和积累的经验，在这次座谈会上充分地交谈。大家都是各地戏剧期刊的负责人或戏剧评论家。同志们都有丰富的经验和精辟的见解。现在大家聚集一堂，集思广益，座谈会是必然会有成果的。

从建国以来，还没有专门召开过研究戏剧评论和戏剧期刊的会议，因此这次会也可以说是一次创举吧！希望大家积极出主意，想办法，共同把会议开好。关于这次座谈会如何开，它的意义和目的，刘厚生同志后面还要讲。我在这里就不多说了。现在让我代表中国戏剧家协会热烈欢迎从各地来的同志们。我们这次向大家提供的生活条件比较差，在此表示歉意。最后让我预祝座谈会开得成功！

神妙的舞台

——祝贺全国舞台美术展览会

在中国的戏曲中，有这样一个词汇：“砌末”。大约就是指往日的舞台美术。传统戏曲中的布城、云片、水旗，大大小小的道具，都统称“砌末”。而旧时的检场人，也许就是最早的舞美工作吧。小的时候，我常常看戏，鲁迅文章中写到的社戏，我在北方也看过。关公是红脸，曹操是白脸，小丑则是瓦块；还有舞台上的“出将”“入相”的帘幕和“守旧”，我最初对于舞台美术的感觉，似乎就是这样得来的。

后来在大学时，我曾经读过英国著名戏剧家戈登·克雷的文章。应该说他是个理想主义者。他最高的理想是，剧场要由一个集剧作、导演、舞美、表演乃至音乐于一身的超人来主宰。当演员的表演妨碍舞美的效果时，他情愿用一种服从舞台艺术的统一效果的“超傀儡”。我想，这种追求绝对统一的论点，即便在国外变幻无穷的舞台上，也

【题注】载1982年12月28日《人民日报》。

是难以实现的。

今天，我们的舞台美术应当是什么样子呢？我想，它应当与戏剧、导演、演员融为一体，相得益彰。这个创造的过程，就是一个从无到有，然后又从有到无的过程。这就是说，真正好的舞台美术创作，使人沉浸于中，难以觉察，似乎消失在整个的戏剧演出艺术之中，然而它真正的生命正因此而焕发出来，达到感染与震撼人们心灵的境界。

最近在首都举行的全国舞台美术展览会正是展现了我国戏剧舞台上舞美工作者们这样的可喜可贵的努力。这个盛大的舞台美术展览会是中国戏剧史上空前的，也是别开生面的。把千百个舞台摆在人们的面前，显现了不同艺术家、不同剧种、不同剧目的不同风格，在有限的空间里表现无限的世界。这样的创造多么令人兴奋。真是神妙的舞台啊！

新中国成立以后三十多年来，舞台美术的发展很快，在一定意义上它推动了整个戏剧界的进步，提高了观众的审美能力、鉴赏能力，对全国人民美的教育做出了积极的贡献。同时，舞台美术创造之精湛，细腻，深刻，启发了剧作者的写作愿望。我们为有这样一支雄厚的勤奋的舞美工作队伍而感到自豪。

勤奋，我想是每一个舞台美术工作者当之无愧的荣誉。为了一个戏，他们常常是寝食不安。要画多少张草图，做多少纸型，才能使自己满意；但拿出来与导演、演员商量，又需要不断地改动，甚至要把自己最得意的地方抹去，重新来过。这其间耗费多少心血和精力，是无从计算的。焦菊隐先生排《蔡文姬》《武则天》时，舞美设计家画了几十张的草图，使那无声的造型的美，流动着音乐感、节奏感，创造出无声胜有声的艺术境界。而这样的劳动并不只是舞美设计家，所有的舞台工作者（包括灯光，服装，化妆，效果，道具等）无不如此。

“砌末”已经进入博物馆了，但是在这个洋溢着想象力的展览会上，我们感受到传统的教益。这些舞台美术家们具有丰富的文化修养和基本功。他们研究中国的山水人物，练习素描、写生，借鉴外国的舞美艺术和先进技术；更加重要的是他们对生活的细微观察、体验。今天的成绩是人们一眼可以看到的，而看不见的朝朝暮暮的劳作，才是这个展览会最动人的地方。

有了交流才能更快地发展。全国舞美展览会也是个交流的大会。不仅国内的同行互相沟通，同时也使世界的同行们了解我们的面貌与进步。今年国际戏剧协会日本中心举办了“现代中国戏剧展望”的展览会及报告会，其中就包括舞台美术。我相信，我国优秀的舞美艺术将走向世界的舞台，成为人类文明财富的一部分。

新年的祝愿

春回大地，万象更新。

今年是党的十二大召开后的新的一年。我们的戏剧工作正和全国各条战线一样，努力开创新局面。戏剧创作将日趋繁荣，大有希望。

在新的一年中，剧作家们如何为社会主义祖国做出新的贡献，开创社会主义建设的新局面，这是大家都在考虑的问题。

我们的戏剧一定要符合十二大精神，有利于四化建设，是以共产主义思想为核心的社会主义精神文明的一部分。这个局面只要我们大家共同努力，就必然会实现。

我去年在安庆曾对中青年的剧作家们提出这样的希望："我们的戏剧创作要起到鼓舞广大人民，用共产主义思想，教育和影响广大群众的作用。这个重担的一部分，正放在你们中青年作家的肩上。我们老一辈的人，要努力地干，尽可能地写出东西来。但我们终究是要过去的。我们的希望，全国人民的希望寄托在你们身上。"

【题注】载《剧本》1983年1月号。

我们需要好的作品，要能够鼓舞人民群众前进的好作品。这样的作品，从党的三中全会以来已经有了不少。就去年一年中发表和演出的优秀剧本来看，话剧《宋指导员的日记》《下里巴人》《绝对信号》《可口可笑》《金钥匙》《祸起萧墙》《被控告的人》《哨位》《吉庆有余》《宋庆龄与孩子们》《朱小彬》《哥仨和媳妇们》，戏曲《朝阳沟内传》《六斤县长》《恩仇恋》《碧螺情》《柳下人家》《程咬金招亲》《春嫂》，歌剧《啊，现在的年轻人哪……》等大多是出自中青年剧作家之手。这些剧作家比较熟悉生活，有真实情感。特别应当指出的，他们有一种“振奋精神，开拓前进，坚毅不拔，奋斗不息”的精神状态。有这样的精神状态才能写出好作品。

要创作，当然会遇到困难，不可能一蹴而就。反映现实生活，要有正确认识现实生活的能力，要有善于表现矛盾的才能和敢于表现矛盾的勇气。可喜的是，在戏剧创作队伍中已经出现了一代新人，这是我们的希望所在。

巴金同志在“茅盾文学奖”首届授奖大会上有一篇书面发言，讲了“新”和“深”两个字。我想这两个字同样适用于对戏剧创作的要求。

我们要求“新”。这里不仅要求题材、主题和人物新，我们也要求剧本的情节和表现手法新。四个现代化中有多少新题材、新人物、新主题，我们还没有写。群众多么希望看到他们能够相信的英雄人物，看到扎扎实实的矛盾与情节，听到贴贴切切的言语，感到英雄人物和他对立性格的心中声音。他们希望剧作家能提出新问题，反映新矛盾。塑造的人物不仅有勤勤恳恳的普通劳动者形象，还要有跳动着革命脉搏，不为什么“行情”凑趣的风云人物。我们要写工人，写农民，写战士，写知识分子，写科学家，更要写年富力强、既有能力又熟悉业务、真正内行的领导者，善于开创新局面的创业者。这一代新型人物，我们现在还写得很不够。我希望在新的一年里，创作队伍中会出现不少的闯将，创造出新的人物形象，使人耳目一新，经久不忘。

我们要求“深”。这里所说的“深”，包括思想深度，包括生活的开掘和人物的塑造。主题思想不能重复人云亦云的一般道理，要从生活中展示出振刷人们精神的斗争力量。这就要求作者有较高的马列主义的思想修养，对生活有较深的开掘。要求作者有认识生活的思想水平，有表现生活的胆识和艺术上的概括力。否则只写些浮光掠影的生活表象，就不能表现深刻的生活矛盾，不能使人深深地想一想，从中得到深刻的教育。

我们要反映时代精神，就应当重视艺术典型的塑造。如何把人物形象塑造得深一些，这就看作家如何提高思想和艺术修养。要学习马克思主义的基本理论，学习古今中外的文艺名著，学习借鉴前人和同时代作家的艺术经验，努力创作实践，不断总结经验。

我相信我们的剧作家是能写出反映深刻的时代风貌，有艺术魅力的更好的剧本来的。

热烈的祝贺　真诚的希望

近年来，我大部分时间在上海。一方面是养病，同时抓紧时间整理旧作，很少出来活动。可是这次《大众电视》在昆明举办电视剧“金鹰奖”和“飞天奖”授奖大会，接到林辰夫同志的热情邀请，我就特地从上海专程赶来了。

我是满怀热忱来祝贺的。一是祝贺我国电视剧在这样短短几年里取得这样大的成绩。电视剧历史短，真正发展起来只是近四年的事情，现在几乎达到一天一部，而且出现了一些大家公认的较好的电视剧，这是件了不起的事情。现在大家都承认：一个以最现代化的传播工具武装起来的，具有最广泛的群众性的新兴艺术品种——电视剧诞生了。电视剧虽然还处在初创时期，但是它具有强大的生命力，不久的将来它必然昂首阔步于视听艺术之林。我首先为电视文艺工作者在短时间里取得这样大的成绩而祝贺。

第二，向这次评奖的主办单位祝贺。他们以巨大的热忱，辛勤的

【题注】载《大众电视》1983年第5期。署“中国剧协主席 曹禺”。

劳动，使这次评奖活动取得圆满成功。一个仅仅创办几年的刊物，人手也很少，能举办这样全国性的活动，而且搞得这样红火，我是很佩服的。今天这里济济一堂，嘉宾如云，而且得到此地省、市各方面领导机关的支持，可见这件事深得人心。所以我要向主办单位和大家祝贺。

第三，也是最主要的，我向获奖的单位和个人热烈祝贺。三百多部电视剧里，经过读者评选，选中了你们，这是民心所归，是观众对你们劳动成果的评价。我向你们祝贺，并且为你们获得这样的荣誉而高兴。

我是很赞成群众性评奖活动的。记得去年五月《文汇报》举办评奖活动时，已故的金山同志和赵寻同志到上海去祝贺，在我家里讨论发言稿时，我们认为群众性的评选活动是促进艺术繁荣的好办法。戏剧、电影、电视剧都是演给观众看的，归根到底，人民是评价一部作品价值的最高权威。这次评奖，以群众选票作依据，同时设立特别奖和荣誉奖，这样的考虑很周到，很必要，而且与群众性评选在总的精神上是一致的。

“飞天奖”是推动电视剧繁荣的奖，以数量多取胜。目前，我国电视剧数量还很少。仅日本东京一地，一年六个台要播出八千小时电视剧。与之相比，我们的数量还少得很。文艺要满足群众的需要，其中包括数量。所以说，设这个“飞天奖”不是没有道理的。“金鹰奖”就是以质优取胜。把“飞天奖”“金鹰奖”结合起来，意思就全面了，也就是说“多”与“好”相结合了，年初在北京召开的电视剧导演会上，我说过：“常说电视剧‘多快好省’，这四个字中实现‘好’字最难。”因为电视剧目前不仅创作基础薄弱，经费、器材等方面都有困难；在改进领导方法，提高队伍素质方面也有不少问题。要实现“好”字，都与这些问题的解决联系着。所以我说实现“好”字最难。因此，更要注意在“好”字上狠下功夫，多下功夫。观众口味的提高往往超过艺术实践本身的发展，这个矛盾今后会更突出，观众希望好的电视剧多一些，更多一些，这个希望更该引起注意。我希望每年能够出现十几部、几十部，以后达到几百部众口皆碑的高水平电视剧。到那时候，我国的电视剧的发展将进入一个新的阶段。

还有，与质量有关的另一个问题是电视剧应该走一条什么样的路。我在访问日本时，NHK的负责人曾经问我，电视剧究竟向电影靠拢还是向话剧靠拢？我说：“照我看，哪个也不要靠，电视剧就是电视剧。”他同意我的看法。当然，电视剧一定要向电影、戏剧学习，这点毫无疑义。但总要摸索出一条自己的道路吧。任何艺术如果没有自己的特点，就没有生命力。电视剧的规律，是不是可以说我们基本上还没有摸着。这就需要时间。实际上全世界都还在摸索。希望电视文艺工作者勇于探索，努力实践，及时总结，尽快摸索出电视剧的规律和美学特点，建立自己的艺术理论体系。

我常与一些同志谈到，电视剧是在很艰苦的条件下，在很短时间里，甚至可以说是在人们不十分注意的情况下，拔地而起，取得这样的成就，所以显得特别可贵，特别值得珍惜。你们通过自己的努力为电视文艺争取了应有的社会地位。我也知道，你们的工作条件和生活条件都很艰苦，人力、物力、财力各方面都有许多困难。我们一方面争取条件的改善，另一方面要通过自己的努力，把能办好的事情尽量办好。多出成果，出高水平的成果。努力使队伍实现革命化、年轻化、知识化、专业化。全面提高队伍的政治和专业素质，这是发展电视剧事业的重要一环。电视剧需要自己的专家，大家努力多培养出一些专家来。

我是你们的忠实观众和热心的支持者。虽然我具体能为大家做的事情不多，但我要争取一切机会在适当的场合为电视剧呼吁，请作家、艺术家为电视剧的创作出力。谢谢大家！

曹禺谈我国电视剧的发展

电视剧在我国历史很短。从一九八〇年算也才四个年头。现在已经做到了天天有电视剧看，这是了不起的发展。

电视剧到底向哪里发展？是向电影靠拢？还是向话剧靠拢？国外也有很多朋友向我提出这个问题。我想，尽管电视剧要向这两个方面借鉴、学习，但总要走出一条自己的道路。电视是一个新的领域，电视剧，也就应该是一种特殊的艺术手段和工具。电视剧有自己的规律，这个规律，我们还没有摸着，这需要时间。要经过许多人的探索。不仅我们，全世界都在探索。

现在许多人都强调电视剧的数量，因为观众对电视剧的播出要求很大。我一方面赞成数量多，一方面也希望在可能的范围里，集中精力，搞一些好的电视剧。现在确实也产生了一些好的电视剧，但数量毕竟太少了。希望我们的电视工作者，认真研究电视剧的思想，规律，电视剧的美学观念。电视剧的理论将会在这些过程中产生。当

【题注】载1983年3月23日《云南日报》。

然，理论的产生是不容易。希望大家快快摸索，而不是慢慢摸索，制作出更多更好的电视剧！

（《中国上演话剧剧目综览（1949—1984）》）序

《三十年上演话剧综览》终于由中国戏剧出版社接受出版，这对于从事话剧事业的人们是一件可喜的事。编纂者刘孝文和梁思睿同志为这本书工作多年，几经压缩、修改，编出这样一本“类书”，他们的精神和勇气应该得到人们的鼓励。

他们说：“多少年来，没有人重视和过问话剧资料的整理和编辑工作。”

现在有了这本书，这个缺陷可以大大弥补了。

关于话剧的研究，可做的工作很多。今后话剧的发展和前途也是值得我们重视的事。想想过去，看看现在，望望将来，这本书作为研究者的工具，也是大有益处的。

我们为此书的编纂者高兴，也为中国戏剧界添了一本有用的参考书而高兴。

曹禺　八三、五、廿

【题注】据刘孝文、梁思睿编纂《中国上演话剧剧目综览（1949—1984）》所载排印，巴蜀书社2002年第1版，原题《序》。

“威利，你为什么要这样?”

——看了北京人艺《推销员之死》的演出

读了阿瑟·密勒的《推销员之死》，认为这是一部杰出的作品，看了这个戏的演出，才真正受了震动。也许这是剧本创作的一种特性吧。在没有演出前，无论写的如何好，总像是一块未经开凿的含玉的璞石。只是当有才能的导演与演员，用他们对剧本的深切的理解与热爱，将它展现在人们面前，让人们走进剧作者心中的世界时，人们才会发现，它是一块光辉四射的宝石，人们将无比地珍惜它。

这，便是《推销员之死》所带给我们的感情。

衰老的威利·洛曼终于撞车自杀了。没有什么人来参加他的葬礼，只有他身后的遗孀、对他一生温存体贴的老伴林达，在台前对着丈夫的墓石哀诉着：

“原谅我吧，亲爱的，我哭不出来……你为什么要这样呢？

【题注】载《文艺报》1983年第7期。文末“注：文章引用的剧中台词，是北京人艺英若诚同志译的。”

我想找原因，我找啊，找啊，可我还是不明白。威利，我今天付清了房子最后一期款项。今天付清了，亲爱的，可是家里没有人了……我们自由了，自由了。”

我的心里一阵阵酸楚，我难过，为了林达，为了这样一位失去终生伴侣的老妇人，为了她失去了“爱”的寂寞的余生。同时，我难过，也为了我无法回答她的问题——“威利，亲爱的，你到底为什么要这样?”我答不出，因此我思索，我为了林达而思索，我听到周围和身后的唏嘘声，我想这大约也是含着思索的眼泪吧。

林达是久久留在我心中的一个女人。她使我想起数不清的经受了无穷悲痛的人。还有谁能比“特罗伊”（Troy）城失陷后的老王后赫卡柏（Hecuba）更痛苦呢！白发的衰弱的老王，肢体被脔割成一块块，她的那些英武的王子，被杀戮，剜刳，被敌人飞奔的战车，拖在尘土飞扬的地上死去；美丽的女儿被劫虏，被仇人占去做他们鞭挞的女奴，或是成了胜利者泄欲的工具。那满眼流泪，在火焰中赤脚奔走，披着褴褛的毡巾的老王后啊！你使我懂得了什么才能够叫作悲痛！而这一点，那坐在丈夫墓前的林达也告诉我了！以不同的方式，不同的内容，一切都是不相同的，除了她的悲痛。

林达，你是贴近我心的。我想正因为我懂得你，才同情你、爱你，以至崇敬你。你用心去爱你的丈夫，理解他，保护他，温存着他。在你周围的人中，你是唯一一直清醒的。你承受着一切，而你恰恰是最无辜的。我永远忘不了手中补缀着袜子的你，永远忘不了在丈夫的墓石前独坐，喃喃地哀诉的你。我甚至想到你一个人回到家中，回到那所已经属于你的住宅。但你失去了一切，你献出了一切。你是一位具有高贵情感的妇人。我愿献给你眼泪，献给你我的思索。

威利·洛曼死了。

为什么，他为什么要这样？

我想起这个戏的著作者阿瑟·密勒说过的话："人是复杂的，世界也是复杂的。"那么"就把这一切看得复杂一点吧"。

这个最普通的推销员，抛弃了他的真诚相爱的妻子，还有他的孩子；抛弃了那些永远值得追忆的美好的往日，那满墙的树叶的绿影，两棵老橡树树干之间悬挂着的睡网，摇着小旗，欢笑着去参加球赛；抛弃了多少年经过按期付款终于买下的房子；抛弃了他心中的那个"一切大门都敞开着，到处是了不起的、正直的人"的世界，就匆匆忙忙地走了，去到那个从来就没有人回来过的地方。

他走得那么仓促，然而又是从容的。因为他可以不走，而又不能不走。他可以在老友查理手下拿到足够生活的薪水，可以不再四处奔波，可以不再为别人做出笑脸，可以不再为房子付款，甚至可以在自己的小院子里种种胡萝卜……然而他不能。因为这一切是与他的梦，与他做了一辈子，到死都在追寻的梦，无法相容的。他的梦在主宰他的精神，在催促他行动，在摧毁他的生命。

也许他曾经是一个脸上充满幽默的笑容，妙语连珠，皮鞋锃亮，到处受到欢迎的推销员。他应该是。遗憾的是他觉得他应该永远是。他上了年纪，疲惫不堪。以至精神恍惚，可是这个念头无休无止地缠绕着他——为什么？成功的秘诀在哪儿啊？他不断地一次次地想起他的哥哥，他那个成功的偶像——"本"。他羡慕他、崇拜他，为了自己没有成为他那样的人而感到大惑不解，为了曾经失去的某一次偶然的什么机会而懊悔不已。但是他不懂，他没有懂，他，是“威利·洛曼”；而那个发了大财的人，叫作“本”。我想这也就是戏的最后，在他的墓前，查理之所以要说：“可不能怪罪威利·洛曼这个人啊！”

“本”的秘诀，其实他已经说出来了——“小子，跟生人打架，不能讲公道，就得心黑手狠，不然你一辈子也甭打算活着从原始丛林里出来。”

威利·洛曼是美国梦的成功者的不可缺少的陪衬。因为他的善良，因为他的乐观，因为他的聪明与糊涂，因为他的软弱与固执，因为一切一切属于他的东西，所以他没有成为“本”。他不是“本”，他只是一个叫作威利·洛曼的推销员，一个生活在成功的梦中的推销员。

他并不是懦弱，他是没有醒过来，他醒不过来，他用欺骗来维持他心目中的自己。没有这个，他就活不下去。他成了一个奴隶，一个被“发财的神话”掠夺去奴役的人。

只有当他面对他唯一的依靠、他的妻子林达时，他才说了这样一句话：“我干不了啦，林达，我就是干不下去了！”

这是一句使人最为悲痛的话，因为它是一句真实的话。

我不想多提他的小儿子哈皮了。哈皮就是哈皮，一个可以看得清楚的，甚至对他未来的生活也可以做出种种明确的假设的青年。他不像他的父亲，虽然他也吹牛，也有雄心，或者说是野心。他在父亲的墓前说：“威利·洛曼没有白死，他的梦是好梦，人只有这一个梦好做——压倒一切，天下第一。他这一仗是在这儿打的，我就要在这儿替他打赢。”我想，他是这样想的，也会这样去做，无论他成功或失败，他都只是想当一个阔人。不过是如此。

而他的另一个儿子比夫是完全不同的。我甚至想说，比夫是压倒一切的，面对这个“无情无义的世界”，面对这个社会，面对他周围所有的人。他的愤怒和觉醒震动了我——“老天爷呀！你们就让我去吧，把那套骗人的梦拿走，烧掉吧！不然还要出事……”

他哭了，搂住父亲的双肩抽泣着，他要走了，第二天一早就要离开了。但是他的走，将不是一种悲哀、一个悲剧，而是清醒，是透射出的光明和自由。

他曾经是那样天真，那样地充满自信（他的父亲和别人给予他的自信）。现在，他不再天真了，但是他重又获得了自信，一种属于他自己的普通人的自信。

那最后的一场戏是惊心动魄的，它最充分地展现了威利和比夫他们之间的父子之爱。这是一种多么奇怪、奇特，甚至畸形的“爱”。威利爱比夫，他所做的就是把梦给了比夫。他不光维持心目中的自己，也要维持心目中的比夫，并且要求比夫也这样做！因为他爱比夫，他觉得比夫就是他生命延续的另一部分，所以比夫必将是前程万里，不可能不是这样！这对于威利既是他的梦的体现，更是一种爱的信念。

而比夫呢，无疑他也是爱他的父亲的！他所做的是要打碎这个“梦”，把它不光从自己的心里，也要从父亲的心里铲除出去。他不光认识了自己是什么人，也要让父亲认识自己是什么人！

他失败了。因为这已经是不可能的了。这种梦、这种发财的神话，已经溶在人的血液里了，成为了社会的基础和良心。不是吗？连比夫都像是从这就要塌陷的悬崖跳开，只差一步就晚了似的。

但是，比夫那最最简单的下意识的爱的流露，却震动了威利。在痛苦、绝望、犹豫、无路可走、完全垮了的威利的身上，产生了一种意想不到的推动的力量。他觉得他又找到实现他的梦想的道路了，他的生命又有了盼头。这办法便是“死”。过去他也曾沉溺在这样的念头里，但他怀疑、犹豫。他缺少一个明确的目标。现在他明确了，保险公司的两万块钱，这不仅仅意味着钱，还意味着一个变得实在了的梦——“等他兜里有了两万块钱，你想想他将多么出类拔萃！”

他去了，他死在他的最后的一个梦中，为了爱。

威利·洛曼究竟是一个什么样的人呢？该用弱者，用可悲，用崇高，用什么样的字眼来形容他呢？

人性是多么复杂！人哪，是多么难以理解，真是不可思议。

1983.6.4　北京

要保证精神产品的质量

党的十一届三中全会以来，我国的文艺事业欣欣向荣，中青年作家多了，特别是女作家多了，杂志多了，好作品多了，中国文学家到国外讲学的多了，国外研究中国当代文化艺术的人也逐渐多了。但是，我们的精神产品，质量不高，是个普遍性的问题。赵总理在报告中，对这个问题讲得很在行，讲得非常及时，值得我们文艺工作者和做文艺领导工作的同志好好学习。现在有的文艺作品确有庸俗化、商品化的味道，不应该出版的旧书也出版了，奇奇怪怪的电影、小说也出来了。对青少年影响很不好，社会上发生的一些不良现象，不能都叫文艺界负责，但文艺界的恶劣作品是有影响的，应该负有一定的责任。对精神产品的商品化，一定要有足够的警惕，一定要及时采取有效措施，切实加以纠正。这不是阻止文艺发展，而是推动文艺进步。

【题注】载1983年6月18日《人民日报》。文前署“湖北代表曹禺（北京人民艺术剧院院长）”。

不要辜负人民的期望

赵紫阳总理在政府工作报告中，用了那么多篇幅谈文艺问题，说明党对文艺工作的重视。赵总理指出："必须在克服'左'的错误的同时，对于已经有明显表现和恶劣影响的某些精神产品不顾社会效果的完全商品化的倾向，给以足够的警惕和注意，并采取有效措施予以切实纠正。"我认为，这一段话是非常重要的。我完全赞成赵总理提出的主张。能不能纠正艺术完全商品化的倾向，这关系到我们文艺事业的发展方向。

艺术的商品化在资本主义国家是司空见惯的，那里所有的精神产品都可以用钱来买卖。我们国家是党领导下的社会主义国家，社会主义文艺的社会职能和资本主义文艺有本质的不同。虽说我们精神劳动的成果大部分要以商品的形式在社会上流通，但这决不意味着要我们把艺术变成单纯的商品，决不意味着应该"无利不起早"。党信任我们，人民信任我们，称我们是文艺工作者，人类灵魂工程师，把建设

【题注】载《戏剧报》1983年第7期。

精神文明的重任托付给我们。我们千万不能忘记自己的光荣职责而去迎合社会上某些观众低级庸俗的趣味。十年浩劫之后，社会上确实有那么一部分观众，要看不健康的东西。但我们决不能只管票房价值，不顾社会效果。我并不认为所有的社会不良风尚都是文艺作品造成的，然而我们又必须承认这样的事实：那些不顾社会效果的完全商品化的文艺作品确曾起过不好的作用，助长了社会不良风气。

我认为对于当前出现的商品化倾向，必须开展正常的批评和自我批评，既有专门的批评家来批评，也有来自各方面观众的批评。广大群众肯定会欢迎这样做的。没有哪个做父母的会愿意自己的子女看坏戏，读坏书，干坏事。而有分析的、有说服力的批评正可以帮助观众，特别是青年观众明辨是非，提高思想觉悟和艺术欣赏水平。我不赞成简单禁止的办法，经验证明，用行政命令去禁，效果不一定好。把世界搞得干干净净，纯而又纯是不可能的，这对提高人们的分辨能力也是没有好处的。现在无论做什么工作都很讲究效率，纠正艺术商品化倾向也应当讲究效率。但也要办得谨慎，要做细致的思想工作。

同时要加强文艺队伍的思想建设。文艺工作是神圣的事业，你要用爱国主义、集体主义、社会主义、共产主义思想去教育别人，而自己的灵魂却不那么干净，这怎么成呢？把文艺团体的体制改革片面理解成赚钱，把自己的作品和表演当成捞钱的手段，这是非常错误的。人的能力有大小，但大家都应当有一种责任感，这就是对国家、对民族、对子孙后代的责任感。我们戏剧工作者要尊重自己，别忘了自己对人民负有的重大责任，别辜负了人民的期望。

（《李宏林电视剧本集》）序

现在全世界对电视剧的需要，就像人们要吃饭，要喝水，要在空气中生活一样紧迫了。在我们国大人多的中国，更是如此。电视剧正在逐渐地成为人们家庭生活中的一部分，这样的前景既令人兴奋，又令人焦急。

我们需要好的电视剧，我们需要好的电视剧本。在这样的时候，《李宏林电视剧本集》[1]的出版是使人十分高兴的。

李宏林同志是记者，他敏捷、热情；他的作品反映了我们这个社会新的风貌、新的人物，在小小的屏幕上，我们感受到了时代的气息。这正是电视剧所应起的可喜的作用。

电视剧的历史短，还处在贫弱状况，但，只要能像李宏林同志一

【题注】据李宏林著《李宏林电视剧本集》所载排印，群众出版社1984年第1版，原题《序》。又载《中国电视》1983年第12期，题名《〈李宏林电视剧本选〉序》，兹以通校（校注称“中国电视本”）。

1 “剧本集”中国电视本作“剧本选”。

样，朝气蓬勃，孜孜不息地追求、创作，而不是凑合，电视剧就会很快地发展起来。

《红楼梦》中，一次贾政带宝玉去新修的大观园，试试他的文才：我们的大师曹雪芹把大观园从各色各样的角度来描写，无一不是千姿百态。我们的电视剧也应该像一个千姿百态的“大观园”，有清淡的，有浓烈的，有含蓄的，有奔放的。沈三白说，好的园林要大中见小，小中见大，实中有虚，虚中有实，或显或露，或浅或深，这就是运用之妙，要靠多年的修养，多年的经验，要靠严肃认真，要靠对事业的忠诚热情。

现在，小说、绘画各方面，我们都有大师，我希望在不久的将来，能涌现出一批电视剧艺术的大师。我想这不仅是我的希望，而是全国人民的殷切希望。

一九八三年八月二十九日　北京[1]

---

1 “一九八三年八月二十九日　北京”中国电视本作“1983年8月北京”。

谈电视连续剧《红楼梦》的改编

《红楼梦》是一门学问，这门学问大得很。我虽然从少年时代就开始读《红楼梦》，一直读到今年七十三岁，但是还觉得没有认识、欣赏够。

《红楼梦》在我们中国家喻户晓，是大家最爱读的一部古典长篇小说。它用极精美准确的文字，把康熙、雍正、乾隆时代的社会生活极其丰富地、极其深刻地描写了下来。《红楼梦》里总共写了四百多个人物，其中有相当一部分写得性格非常鲜明。读了《红楼梦》就会知道什么是中国的封建社会，它是如何腐败，如何堕落，最后又是如何衰亡下去的。要了解中国的封建社会，读读历史书不就行了吗？但是，历史书大都用概括性的叙述性语言，而在曹雪芹这个天才作家的笔下，才让人们看到了典型的真实的活生生的社会生活，才形象地知道了什么是封建社会，封建帝王、官僚地主是如何维持他们的统治，众多的百姓是如何供养着少数骄奢淫逸、花钱如流水的贵族。

【题注】载1983年9月15日《光明日报》。文末附注“吕大渝根据曹禺谈话整理”。

中国的古典名著很多，但像《红楼梦》这样好的，实属凤毛麟角。可以说，在中国古代文学史上，最伟大的小说家是曹雪芹。《红楼梦》是中国民族传统、民族文学的结晶。在所描写人物的深刻性上，在反映思想的深度上，在表现社会生活的广度上，都是了不起的。曹雪芹是中华民族的文学大师，是中国人民的骄傲。在《红楼梦》传世以后，中国的作家大都受过它的影响和熏陶。如何观察生活，如何认识社会，如何构思，如何写作……都可以在《红楼梦》中获得富有教益的启示。

中央电视台决定把《红楼梦》搬上屏幕，这是件非常有意义的事情。过去，一般人把《红楼梦》看作消闲小说、言情小说，大大贬低了它的价值。解放以来，用马克思主义武装起来的红学家们，认真地对《红楼梦》进行新的研究，揭示出深广的思想意义和精湛的艺术成就。今天，我们又要把这部伟大的作品以电视连续剧的形式显诸屏幕，让全国广大人民看到活生生的《红楼梦》中的人物故事，可以受到反封建的教育作用（时至今日，封建制度虽然早已被摧毁，但封建思想却还残存在某些人的身上，有时还死灰复燃、祸害人民呢）、认识作用和美感享受。这对于建设社会主义精神文明是大有裨益的。因此，这是我国当代人民所渴望的一桩美事，必须如邓力群同志所指出的，“郑重其事，严肃认真”地去完成。

现在，由于《红楼梦》本身具有的不灭的艺术魅力和国际文化交流的频繁，世界上知道、赞赏《红楼梦》的人一天比一天多了起来，中国和外国研究《红楼梦》的论著可以说是汗牛充栋，曹雪芹及其《红楼梦》日益赢得了国际的崇高声誉。但是还不够，我们有义务、有责任、有感情（深厚的感情）把曹雪芹和《红楼梦》，通过屏幕，进一步介绍给全世界，让全世界的人民都看看：中国有堪与莎士比亚、巴尔扎克、托尔斯泰并驾齐驱的伟大作家和作品。

曹雪芹在《红楼梦》中对西方文化、西方文明写得颇多，可见，他在当时就极其敏感地吸收了西方的文化和文明；反过来，西方的人通过《红楼梦》，知道了中国的行将崩溃的封建社会到底是怎么回事。因此，曹雪芹的《红楼梦》不仅使中国的世世代代的读者受到教益，外国的读者也同样可以从中得到启发。

我认为：与电影及戏剧相比，电视连续剧是改编《红楼梦》比较理想的艺术形式。像《红楼梦》这样一部伟大的巨著，如果仅仅摘取其中一段，或加以浓缩，表示这就是《红楼梦》，那太对不起曹雪芹的辛勤劳动和我们的“大国宝”了！把《红楼梦》的艺术境界之高深、阔大、丰富，尽可能生动完美地表现出来，是非常重要的。“字字看来皆是血，十年辛苦不寻常。”《红楼梦》是通过广泛丰富的社会生活来表现极深刻的主题。这主题拍一个片段是不能尽意的。搞不好，会变成鸳鸯蝴蝶派、风花雪月派的东西。只有把《红楼梦》从头到尾演下来，当然，也要突出重点，有所剪裁，把形形色色的人物表现出来，当然，有主次，挖得深，挖得透，才是对文化事业的巨大贡献。一部电影一个半小时，拍上、下集也不过三个小时；一出戏两个半小时，还要受时空的很大限制。《红楼梦》里有四百多个人物，主要人物的数量也很可观，电影和戏剧摆得开吗？恐怕深挖几个人物都不容易。因此，拍电视连续剧有其优越性。

我读了电视连续剧《红楼梦》文学剧本的改编提纲，觉得写得好，很有特点。我看出编剧周雷、刘耕路、周岭三同志下了很大功夫，非常严肃地要把它编写好。这是艰巨的意义重大的计划。把这部名著介绍到全中国、全世界去，凭这一点雄心壮志，就足以使人们自豪。

一般来说，名著改编工作成败的关键首先是忠实于原著。但是，在《红楼梦》的改编工作中，忠实于原著则是一件很难的事情。曹雪芹究竟为什么要写《红楼梦》？我认为：他对人类、对中国社会负有责任感；他是以初步民主主义的眼光，暴露了封建社会的黑暗，预示了这个社会必然崩溃的结局。尤其是在表面上尚维持着鼎盛的躯壳的乾隆统治时期，他敢于这么暴露，实在是很了不起的。尽管他要做一些掩饰，说《红楼梦》的故事“无朝代年纪可考”等等，但只要是个明白人就会看出，他是在痛骂即将总崩溃的封建社会的腐败、黑暗，诅咒它的灭亡。曹雪芹是多么勇敢、坚韧！在“举家食粥酒常赊”的困境下，他坚持写了十几年，鞠躬尽瘁，死而后已[1]。这种精神，实在令人肃然起敬。

目前流行的一百二十回的《红楼梦》，后四十回是高鹗续作的。到今天，这部一百二十回本似乎已经被我国甚至被全世界的读者接受了。但接受的究竟是不是曹雪芹的原意呢？这大可怀疑。实际上，高鹗续作的后四十回，已经在读者的思想中造成了混乱，因为高鹗毕竟不是曹雪芹，他的际遇没有曹雪芹坎坷，他的思想境界和艺术修养不如曹雪芹高。从曹雪芹在前八十回埋下的伏线可以看出，高鹗的后四十回与前八十回有许多地方不连接；另外，后四十回也有许多和脂

1 “死而后已”底本作“死后而已”。

砚斋批语不一致的地方。例如，根据脂砚斋批语所示：宝玉最后“出家”之前，还被关入“狱神庙”，但高鹗的续作中没有这个内容。高鹗似乎应该知道脂砚斋的这段批语，但他偏偏不这么写，道理何在呢？恐怕有他思想上的局限性和某些不得已的原因。

对于高续后四十回，目前学术界有两种截然对立的意见：一种意见认为一百二十回是一个浑然整体，对后四十回全盘肯定；一种意见认为后四十回是狗尾续貂——全盘否定。我认为，这两种意见都不足取。改编时，对后四十回要持审慎态度，不能完全照搬。不符合曹雪芹原意的，要删改；凡曹雪芹在前八十回中埋下伏线，后四十回里没有呼应的，要依照曹雪芹的本意，加以增补，也就是要经过再创作。再创作不是篡改，而是要有一定的依据，以科学的态度、精细的功夫写成忠实于原著的电视连续剧。我们的目的是使电视连续剧《红楼梦》尽可能成为一个完整的艺术品。所谓完整，是指这部作品的主题思想、人物性格、情节安排……应该符合曹雪芹的原意。其中最重要的，是找到一个更合理的悲剧结局。假如我们不忠实于曹雪芹原著的精神，而是跟着流传了二百多年的高续后四十回《红楼梦》跑，是对不起艺术良心的。

我现在从改编提纲里已经看出，它和高鹗的续作大有不同，有味道，真实，是曹雪芹的东西。这比那种硬捏出来的大团圆结局使人觉得完整。当然还有待于各位同志下更大的功夫研究，使之更趋严密、合理、完美。

忠实于原著不仅是剧本改编工作必须遵循的原则，对摄制组的各部门来说也同样存在着是否忠实于原著的问题。

譬如，我看过的旧戏曲，都是明代服装。唯有以《红楼梦》为题材改编的剧目不同：宝玉的头上总要顶个紫金冠，女子的服装也不伦不类……后来才品出人们的良苦用心。《红楼梦》的背景，是清代康、雍、乾三朝，而曹雪芹却说《红楼梦》的故事“无朝代年纪可考”。这是对传统小说写法的一个突破。所以，《红楼梦》的服装就要做到非汉，非晋，非隋，非唐，非宋，非元，非明，也非清。再如，清代的男性是剃头留辫子的，如果把贾宝玉的造型搞成这个样子，不只是一个难看的问题，更严重的是违背了忠实于原著的精神。

总而言之，整个电视连续剧《红楼梦》的时代，只能是曹雪芹笔下的那个时代——特定的《红楼梦》时代。

为振兴川剧欢呼

十月，北京黄金的秋天，四川省振兴川剧赴京汇报演出团带来了令人欣喜、振奋人心的创新剧目，以及改革后的精粹的传统剧目，长长短短，大大小小，真是一台一台的好戏，使人眼花缭乱。在这支队伍里，有杰出的老艺术家，有成长起来的川剧新秀，更有文采风流的中年一辈。他们的艺术优美、精深，他们的功夫深厚、扎实，让我们一览川剧的人才、剧目、艺术的壮美。

今天，祖国的一切都在振兴。

振兴川剧这个壮举是何等气魄，何等响亮，何等鼓舞人心！我们怀着期待和激动，欢迎你们这一支戏曲改革的先锋队伍。

“戏曲改革”这个口号，提出许久了。许多剧种做了不少的试验、努力，用心非浅。但成绩十分理想的不算太多。因为我们走的是一条艰难曲折而又复杂的道路。然而在这条道路上，我们看到了前进的足迹，振兴川剧的成功，正是可喜可贺的一步。

【题注】载1983年10月8日《人民日报》。

川剧是公认为家底子厚的大剧种。剧目说起来有“唐三千，宋八百，数不清的三列国”，还有“高腔四大本”“弹戏四大本”“江湖十八本”，更有若干解放后经过多次革新的剧目。在这样的宝库中，该有多少可以加工、磨练，能为今天的社会主义精神文明增添光彩的好戏。

这次来京演出的川剧《巴山秀才》和《丑公公》是新创作的，《绣襦记》[1]《禹门关》是整理改编过的传统剧目，还有经过革新、发展，精选出的折子戏，像一簇簇引人注目的美丽花朵，召唤着人们来欣赏、采摘，领略它们的甘美。

川剧是有着自己独特风格的剧种，它亦庄亦谐，幽默，泼辣；写得透辟，演得生动。看川剧，不使人感到“噎闷”，不是雾里看花，而像是爆出的脆生生的爆竹，道破人情世故。这次首场演出的《巴山秀才》就是这样的一出好戏。戏中人物的发展既有个性，又渗透了做人的道理。词句妙而活，说出人们的口边语，心中话。这样的川剧，这样的戏曲，将是人们爱看的。

掌声是听得见的，而要赢得掌声，取得戏曲改革的成果，却要付出多少艰辛的劳动。这次振兴川剧一举，是四川省委常委会讨论通过的决议，并成立了一个川剧领导小组。谭启龙同志提出“振兴川剧，务求实效，千锤百炼，精益求精”。领导上这种热情而又切实的支持，是一切条件中至关重要的一条。这是为继承祖国的文化传统，为今天的精神文明建设做出的意义深远的部署。

---

1 “绣襦记”底本作“绣孺记”。

中国戏曲是中国古老悠久的文化的一部分。而今天，戏曲的“危机”又确实存在着。要让青年人热爱祖国的文化遗产，懂得欣赏中国的戏曲艺术，要让我们的戏曲观众中更多地涌现出年轻的一代，这副担子落在戏曲界乃至文艺界每一个同志肩上，也同样落在社会主义文艺事业的领导者的肩上。

总之，川剧是我们爱看的戏，川剧艺术家的名字是我们心里熟悉的名字。我们渴望你们很久了。在这个金色的秋天里，让我们一起来收获劳动创造的硕果吧！

空谷足音

——欢迎四川省振兴川剧汇报演出团

四川省委在戏曲改革方面提出了一个振奋人心的口号，叫作“振兴川剧”。多么响亮的口号啊！有如空谷足音，预示着一个新的信息，一个新的行动即将来临。

解放以来，党的百花齐放、百家争鸣、推陈出新、古为今用、洋为中用的文艺方针，一向指导着戏曲事业不断前进。但也曾受过“左”和右的干扰，几度偏离轨道。“四人帮”的文化专制主义就不必说了，那是毁灭艺术。即使粉碎“四人帮”以后的几年来，在戏曲事业的恢复工作中，也还有缺点和不足。例如某些人过分地迷恋旧戏曲的艺术形式，甚至于连封建糟粕也一起接受下来，未能正确认识继承和改革的辩证关系，推陈而不出新。更有某些剧团领导和演员，一味向钱看，致使目前各地戏曲演出剧目陈旧、贫乏，甚至于良莠不分，糟粕与精华并存。正如贺敬之同志在文化部第四届戏曲演员讲习会上

【题注】载1983年10月9日《戏剧电影报》。

的讲话中所说的:“这主要表现在戏曲工作的某些领域,艺术革新的步子不是越迈越坚定,而是裹足不前,甚至于倒退了。有一些本来已经做了改革,现在竟然又改回去了。”

上述现象的产生,不能只怪广大戏曲演员和戏曲工作者,主要责任应该领导来负。某些剧团领导干部,长期不钻研业务,不学习党的戏曲政策,遇到问题拖拉推诿,不置可否;或者指手画脚,以个人爱好代替政策;或者故意挑剔,关卡重重,自命不凡,致使专业人员惶惑不解,无所适从,这不能不为戏曲工作带来不必要的混乱。四川省委领导同志,面对现实,不仅提出了“振兴川剧”的口号,而且成立了领导班子。由一位省委常委亲自挂帅,吸收各地区文化行政领导、专家、老艺人参加。他们不是徒有其名,而是一竿子插到底,抓得准,抓得狠,抓得细。用他们自己的话说:“即使演出字幕也要求写得工整,不出现一个错别字。”于是成绩显著,立竿见影。这次来京汇报演出的新编历史故事剧《巴山秀才》、现代戏《丑公公》、整理传统戏《禹门关》和《绣襦记》就是一年多以来振兴川剧的初步成果。

这使我联想到其他各地方剧种。难道京剧不要振兴?评剧不要振兴?梆子不要振兴?豫剧、汉剧、沪剧、越剧、黄梅戏就没有个振兴问题?“风乍起,吹皱一池春水。”预计“振兴川剧”这股东风,终将使各地戏曲作者,闻风而动,有所作为。

我预祝这来自远方的“空谷足音”,不久将变得喧嚣杂沓,进而节拍和谐,威武雄壮,形成了全国戏曲队伍前进的新步伐,昂首前进。

向登高一呼的四川省领导同志及广大川剧工作者致敬!

坚持和发展毛泽东文艺思想，抵制和清除精神污染

在党的十二届二中全会上，邓小平同志着重谈到了在思想战线上清除精神污染的问题。这个问题提得及时，而且必要，为我们敲响了警钟。我们应该认真地学习和运用毛泽东文艺思想，深入领会二中全会文件精神，并据此检查我们的实际工作，看看有哪些严重的差距和需要改正之处，以便我们的戏剧工作在毛泽东文艺思想的指导下健康地发展，更加符合党的需要，符合社会主义的要求。

毛泽东文艺思想是马列主义文艺观与中国革命文艺实践相结合的产物，是建设具有中国特点的社会主义文艺的指导思想和基本理论。毛泽东文艺思想正确地解决了和回答了当前文艺工作的一系列最根本的问题。如文艺与生活的关系，文艺为谁服务，文艺工作者的世界观、立场和观点，文艺创作中的歌颂与暴露、普及与提高。重视作品的社会效果，反对“一切从爱出发”的资产阶级人性论，以及正确地进行文艺上的两条战线的斗争等等一系列重大的原则问题。我们只有

【题注】载《戏剧报》1983年第12期。

在新的历史条件下坚持、运用和发展毛泽东文艺思想，才能促进社会主义文艺的繁荣。

十一届三中全会以来，社会主义文艺所取得的巨大成绩，是大家有目共睹的。这正是由于党中央坚持毛泽东思想，制定了正确的文艺路线、方针、政策，并领导全国文艺工作者努力奋斗的结果。戏剧也是同样。社会主义文艺（包括戏剧）在反映现实生活的深度和广度方面都有新的发展，艺术上的表现力也有了显著的进步，不少优秀作品对建设社会主义四个现代化的宏伟事业起到鼓舞、促进的作用。但是，我们也应该看到，文艺界、戏剧界也存在着违反毛泽东文艺思想，背离社会主义方向的严重的思想混乱和精神污染的现象。我们党提出的文艺为人民服务为社会主义服务的方向，以及“百花齐放、百家争鸣”的方针，这是我们早就明确了的，绝大多数文艺工作者也是沿着这个方向在努力的。但也有那么一部分人，有那么一些作品和演出对这些基本概念、基本方向表示冷漠。我们反对资产阶级自由化，他们却在宣扬什么抽象的人性论，“社会主义异化论”，宣传奇怪的“三无”主义（即无人物、无情节、无主题）。我们主张文艺作品应该是站在党的立场上，通过讴歌伟大的时代，提高群众的觉悟，激发群众建设社会主义的热情。可是有些人却热衷于写阴暗面，写灰色的东西，甚至胡编乱造，歪曲革命历史，歪曲现实生活。有的人不去深入群众的火热斗争，却鼓吹什么西方“现代派”思潮。这些错误观点和错误倾向，同毛泽东同志早在四十年前就尖锐地批评过的许多错误观点很相近似，今天重复这些错误思想，实在是一种历史的倒退，应引起我们的注意。它们突出的特点，是抹煞了无产阶级思想和资产阶级思想、社会主义制度和资本主义制度的本质区别，祸国误民，十分有害。

戏剧界要深入贯彻二中全会精神，坚决抵制和清除精神污染，就必须掌握毛泽东文艺思想这一锐利武器，更高地举起社会主义文艺旗帜。戏剧是在剧场里直接与观众见面的，与观众的关系尤为密切。好戏有鼓舞人民向上的积极作用，坏戏却能使人们意志消沉，产生不良作用。戏剧工作者应该是人类灵魂的工程师，在舞台上摈弃一切不健康的演出，彻底清除精神污染。同时我们还应恢复革命文艺工作者的优良作风，真正为人民服务，而不是使精神产品商品化，一切向钱看，用低劣的粗制滥造的东西去赚取人民币。我们要演出更多的好戏新戏，努力推进社会主义精神文明建设，毫不留情地抵制和清除精神污染，牢固地用社会主义思想占领戏剧阵地。

让《火热的心》更多一些吧！

早就听说空政话剧团又出了一台好戏，我很想看，苦于身体不好，直到最近才看上。看完戏之后，我向全体人员鞠了三个躬，我说："很受教育！很受教育！很受教育！"因为确实如此。前些天，我出席人大常委会，会上议的一个主要问题，就是要清除精神污染。我在会上发言，也谈了戏剧界的精神污染情况，但主要还是谈了在十一届三中全会以后，我国戏剧事业兴盛、繁荣的状况。可惜当时我没能看到这个戏，如果看了的话，我一定会把这个戏推荐给人大常委会，看一看我们的部队文艺工作者写出了多么好的戏！歌颂了多么好的精神！这个戏的产生是很及时的，在当前是非常重要的。

搞这个戏，是"攻关"。而且攻的是一个很难攻的关。它写的是真人真事，但又没有按真人真事那么去写。过去有人反对写真人真事，后来出过话剧《雷锋》。雷锋的共产主义精神，永远是我们学习

【题注】载1984年1月19日《解放军报》。文末附注"本文是作者在中国剧协和总政文化部联合召开的座谈会上的发言"。

的榜样，应该写，但当时写得十分成功的，不多。《火热的心》这个戏所以成功，我觉得在于它独特的创作思想和独特的创作方法。记得，1956年我们搞了一个国际性的戏剧节，请了许多外国戏剧家来看我们的话剧。戏是从全国各地调来的，却都是一个套子：一个工人，因病或因伤养病去了，又不甘于养病，跑出来接着工作，大家怎么拦也拦不住，等等。大部分的戏几乎都如此。外国人看了非常奇怪，问我："怎么回事？你们像是商量好的呀？"原因就在于概念化在作祟，没有一个独特的创作思想，没有一个独特的创作方法。《火热的心》这个戏的独特的创作思想是什么呢？就是从一开始就着力于写人，不是"高、大、全"式的，而是要写有血有肉的人，写无产阶级的新人。要人家看了戏有深刻的印象，产生出良好的社会效果，引导人们去思考，并得出这样的结论："人，就应该这样活着。"

这个戏的创作方法，也非常好。从结构上说，戏从头至尾是一个连贯的故事，没有堆砌之感。这个戏很难写，因为朱伯儒同志事迹很多，组织起来不容易。而这个戏不光是写事，而是写人、写心，确确实实创造出了一些东西。当然，可能有些还不那么完美。但整个说来，流畅、通顺、自然、完整，而且贯串着一种革命乐观主义精神，催人奋发，使人向上。这两个"独特"结合起来，就产生了梁子如这样一个非常有特点，非常真实可信的人物。这个戏把人物写到这样一个高度，而且令人信服，太不容易了。有位人大常委对我说："要'破'，更要'立'。"我觉得《火热的心》就是一个"立"的戏，它立起了一个榜样，而且是可亲、可信的。尽管这个人物做的许多事，我们不一定能完全做到。但是大家感到他是人，不是神，是和我们一样的人，不是高不可攀的，而且只要我们努力，也是能够做到的。这样，它就打动了我们的心，教育了我们如何为人。梁子如，他有家有业，有妻有子，妻子还真不错！这是一个非常典型的环境。梁子如做到这种程度，确实难得。

戏写得这么让人相信，益发难得。因此，我觉得这个戏对正在进行的整党，对于扭转我们的党风和社会风气，将会起很好的作用。你看梁子如说服副师长，谈到他当年“开仓济民”的那段戏，写得多么好，台词多么精彩！它生动地唤起人们对党的根本宗旨的记忆，唤起人们对革命传统作风的怀念！这不是因为剧作者“聪明”，或者“有灵感”。我觉得，首先是作者有了高尚的情感，才能写得出这样高尚的语言来。再比如妻子埋怨他：“天底下怎么生出你这么个怪人？”他没有讲什么共产党员要为人民服务的大道理，只是淡淡回答了一句：“谁知道呢？也许是需要吧？”这一句简单的话道出了多少共产党员的心情，说出多少群众的心声！

这个戏还好在没有回避矛盾。比如韩枫这个人，老实说，我看了不舒服：我们人民解放军里头怎么出了这种人呢？但实际上，这种人是客观存在的。戏里写了，而且写得恰如其分。他不是贪污、盗窃，只是品质上有问题，对人民的感情有问题，而且最后又改了。转变的过程写得非常之好。过去常说，写戏忌讳大段地讲道理。但要讲道理，也得看搁在什么地方。第五幕，梁子如劝韩枫的一大段话，我认为就非常动人。前几场戏，没有多说话，一切事实都摆清楚了，最后讲出这么一大段话，把情和理讲明，就非常必要；没有它，还真不行。看来，在什么地方发议论，确实有点道道，有点学问。在创作方法上，剧作者们光议论，是不能改变韩枫的抵触心理的，必须有事实，就是他发现梁子如把给孩子买电视机的钱都给了人家，梁子如还讲是“组织上给的”，韩枫这才难过了，真正被打动了。要打动一个人很难哪！他有固定的想法，习惯的想法，要在舞台上当场见效，是更难、更难的！

最后梁子如请韩枫吃饭，设想得好。把结尾放在两个人在台阶上亲切交谈，结得实在精彩，真是神来之笔，一锤定音！光这一笔，就看出剧作者、导演、演员的高明。再就是严副师长的觉悟问题，我认为这个人物塑造得好，是可爱的，可信的。对这样知错就改的领导，我尊重。我很佩服剧作者，敢于以现实主义的态度揭示这些矛盾。

我更佩服空军、空军政治部以及话剧团的领导同志，许可剧作者这样写矛盾，允许韩枫这样的人物，副师长这样的领导形象在舞台上出现，不避讳事实，不怕说是“给解放军抹黑”。这很了不起！事实是不仅没抹黑，反而让我们更看到解放军的可敬、可爱，增强了这个戏的深刻性。

我想引一句古人的话：“其身正，不令而行；其身不正，虽令不从。”梁子如只是解放军的一个基层干部，他官不大，位不高，但他身正！他用自己的行动维护了党的荣誉和尊严，密切了党和群众的联系。假如我们的每一个党员，尤其是身居高位的党员干部，所有的领导同志，都能像梁子如这样，该有多好！党中央三令五申地强调要端正党风，要建设社会主义精神文明，为什么有些地方就是成效不大？看了这个戏，大家都学学梁子如，好好想一想，不是非常必要的吗？

肯定这个戏，鼓励这个戏，宣传和推广这个戏，不是说这个戏就很完美，没有缺点了。大家提了许多好的意见，说明还可以提高。我觉得有的演员的台词不大清楚。这也是普遍的毛病，所有的话剧院，都还需要再在台词上下些功夫。我这个半聋的人听不见还可谅解，可有许多不聋的人也说听不见，这就不行了。尤其演话剧的，台词听不清怎么可以？

我还有一个希望：剧团千万不要听了意见就动手改，要多听听，多想想，有些地方改起来，有困难，不一定很快就改动。但我觉得所有同志的意见，都是希望这个戏改得更好，更完美。

最后我要大声疾呼：一个《火热的心》是远远不够的，让《火热的心》这样的戏在我国戏剧舞台上更多一些吧！

各行各业都有梁子如这样的社会主义新人，我们应当像空政话剧团这样，深入到生活中去，深入到工厂、农村、部队、知识界、教育界、科学界……去发现梁子如这样的典型，去写出更多更好的《火热的心》。但不是照猫画虎，更不是生搬硬套，而是像他们这样，有独特的创作思想，独特的创作方法。最重要的，是怀着一颗火热的心去讴歌梁子如式的先进人物。

如果都能这样，我们一定可以更好地完成党交给文艺工作者的任务，一定可以更有助于清除精神污染，一定可以为人民提供更丰富的精神食粮。我们中国的戏剧舞台一定可以出现更加繁荣兴盛的新局面！

1984年1月11日

一面镜子

——《劳资科长》观后

我常常有一种感觉，当一个戏被人们大为赞誉时，我却会有些担心，生怕看的时候会感到并没有那么好。然而这一次，我看了中央实验话剧院演出的讽刺剧《劳资科长》后，我感到我的担心多余了。

我要说，这是一个在笑声中给人以震动的好戏。尤其在今天，这个戏能帮助我们清除社会上的不正之风，对目前党内整风也是有积极意义的。

《劳资科长》讽刺了生活中一些庸俗、可卑的人物，把他们灵魂中的丑恶用讽刺的方法暴露在人们的眼前。使我们更加鄙视、唾弃这些为人耻笑的言行，使一些人可以照照镜子，看清自己是什么模样。这就是这个戏的意义。

劳资科长拒绝了他的母亲，拒绝了他的爱人，甚至也拒绝了他的上级，把唯一的一个调入城市的名额给了一位对人民有贡献的、默默

【题注】载1984年1月14日《光明日报》。

无闻的科学工作者。为此，他曾处于各种矛盾之中。他躲躲藏藏，左推右挡，苦不堪言。但是最后，他终于做出了一个共产党员的抉择。如此一个劳资科长，是很真实的。大家同情他，也理解他，因而就越发敬重他。他的窘境，他内心的苦恼，他十分狼狈而又十分聪明地甩开那些纠缠不清的人，这些都引起了观众的笑声，同时，也引起人们的思考。我想，这正是这个人物的独到之处，是他个性的体现，也是他成功的原因。

在看戏的时候，还有一处是十分触动了我的，就是那位呆头呆脑的科学工作者，在万般无奈之中，也提着大包的野味去上门送礼了。他并不是一个世故的人，他不会这一套，心里也讨厌这一套，但是他却不得不去学着做。他当然没能“学”好，所以方式生硬，令人尴尬，自己更是难受。观众笑了。然而，在这引人发笑的举动之中，包含了社会上不正之风的最大危险性。它像是一种病菌，会渐渐地污染健康的人，削弱人的抵抗力。剧中这个人物的这一举动，像是在大声疾呼：不能再这样下去了！

《劳资科长》这个戏，用了大量的误会、巧合，但想想又合乎情理。这正是一种喜剧的创作方法。我觉得，喜剧、讽刺剧，无论对于写作、导演和演员，都是一个难题，是一种考验。在整个剧场里，应当不断地充满了会心的微笑和开怀的大笑。要做到这点是很不容易的。必须注意一个问题，那就是夸张与过火的区别。我们舞台上的喜剧，应当是夸张的艺术，同时又是有分寸感的艺术，有风格的艺术。我相信,《劳资科长》这个戏，会在这方面继续做出尝试和努力。

潜江新花

——推荐《家庭公案》

有几位同志向我介绍，我的家乡潜江县荆州花鼓戏剧团，将要在北京上演一出大型现代化题材的好戏《家庭公案》。我知道花鼓戏来自民间说唱，长期活动在农村，剧目多属民间生活小戏，受到广大观众的喜爱。现代题材的剧目，他们演来是会有较深厚的生活基础的。

正值我参加一个庆祝会的活动，心里总在想看看戏。为了看戏，我不得不早些离开这个庆祝会，兴冲冲赶到剧场。我一坐下就被整个戏的思想内容、剧情发展和人物的高尚情操吸引着了。

《家庭公案》描写一个青年医生王连生道德败坏，喜新厌旧，为了满足个人肮脏灵魂的需要，卑鄙毒狠，辱骂受孕的未婚妻——农村姑娘李云霞，又把她推入水中，妄图杀人灭口。恰被王连生的父亲、市公安局长王刚救起。王刚是徇私情？还是重民心？围绕这桩公案，展开了戏的尖锐矛盾。

【题注】载1984年1月26日《光明日报》。

通过情与法的斗争，塑造了一个忠于党，忠于人民事业，执法如山的公安局长王刚的形象。王刚这个人物，既是一个坚持革命原则的老干部，又是一个深爱自己儿子的父亲。这个人物有血有肉，使人感到真实可信。他在“败坏党风失民心”还是“整顿党风顺民心”的思想斗争下，设身处地一连唱出“云霞若是我的女儿”……为被迫害者着想，表现他把人民群众当亲人的崇高精神。最后，这位老公安战士亲手给儿子戴上手铐，伸张了正义，使罪犯得到应有的惩罚。在法律面前，人人平等。维护党的利益，维护人民的利益，王刚法重于情的大公无私的高尚品德，教育着观众，感染着观众，使人们增强了信心，看到了希望。

李云霞这个人物，演员演得纯朴善良，带着浓郁的乡土气息。从演员的表演和气质，看得出剧团长期生活在人民群众之中。在车站那场戏中，李云霞扑跪在母亲面前喊出“妈妈你打吧，你就狠狠地打我这个不争气的女儿吧”，那一段悲腔，唱出人物心中无限委屈和悔恨，确实动人。善良耿直的农村母亲喊出：“难道他当官的儿子高人一等，难道我的女儿比他矮三分！”反映了人民群众殷切希望我们的干部要严格加强对子女的教育，不要使子女因地位特殊，无视道德与国法，坠落成为人民共弃的罪犯。人民群众希望我们的干部个个是活包公，不徇私情，执法如山。

这个戏写得合乎情理，有利于整党教育，符合人民的愿望，是一出进行法制教育和宣传精神文明，值得推荐的现代地方戏曲。

我很钦佩湖北省、地、县、局各级领导给予荆州花鼓戏剧团的指导和培养。他们勇于让创作和演出人员大胆揭示今天社会上某些不正风气，既暴露了黑暗，又歌颂了光明。这个戏道出了人民群众对精神文明建设的要求。当然，一个新的现代戏的创作诞生，难免会带有一些雕琢的痕迹，要经过不断加工、提高、磨练，才能达到尽善尽美的境界。

演出结束后，我怀着极其亲切的感情见到了剧团的艺术家们。我们相互欢呼着握手，像久别重逢的兄弟姐妹，我心里说不出的高兴。我在想，潜江的山水，潜江的人民培育着这些艺术家们。潜江荆州花鼓戏剧团给首都人民送来一台跟上时代脉搏的好戏。我和他们一样，期待得到首都观众的喜爱和好评，获得同行和专家们的赞赏与帮助。这个戏将会不断提高，更加完美。祝贺你们，在我心中将会长久存在的潜江荆州花鼓戏剧团！

我很想念老舍先生

老舍先生是我的文学前辈，他很谦虚，说我是他的朋友。我们经过抗日战争与解放战争，又生活到社会主义时代，我们相处可以说是相当亲切。

他回到北平，知道房子不好找，他邀我住他家的一个小跨院儿，这样可以朝夕见面。我知道他是一个非常勤奋的作家，尽管他热爱朋友，每天一定要写多少文章，这个习惯是不能废的。

我怕打扰他，不敢应承。但我却失去一个好机会。他的家是一个群众之家、文艺之家、国际友人之家。下午，许多可爱的人来找他，如果我和他住在一个门里，我可以结识很多朋友。老舍先生博学多能，见闻广、认识深，我也可以不断向他请教。

但我们还是经常往来，一等巴金、赵树理和不常见的老朋友们来北京，他必然请我们到他家里谈天、喝酒。他的夫人胡絜青十分好客，总是准备很丰盛的道地北京味儿的菜，我们边喝边谈。我见了熟

【题注】载《人民文学》1984年第4期。

人、老朋友，容易多喝。老舍从不吝惜，总拿出最好的绍兴老酒，我有时喝得酩酊大醉，一次，居然溜到桌子底下。大家兴致高，老舍先生也唱起他拿手京戏《秦琼卖马》，赵树理大唱他的上党梆子。那时真是快乐之极，再没想到今天会纪念他的八十五岁的诞辰。

老舍先生是世界闻名的作家。他的著作，有些是不朽的，译成各国文字，为祖国争得了荣誉，是祖国的文学宝贵遗产，目前已经是各国学者争相研究的大题目了。

我很尊敬老舍先生。解放前，我们曾经应美国国务院的邀请，到美国访问、讲学。许多大学、文学家、记者和好客的美国朋友们举行酒会、宴会欢迎我们。那时他的杰作《骆驼祥子》是美国的畅销书，他到处受欢迎，尤其是他谈吐幽默，十分俏皮，赢得许多美国朋友的鼓掌。他走到哪里，笑声就跟到哪里。

但老舍先生也有不幽默的时候。

有一次，我们到美国新墨西哥州做客，女主人请来了很多客人，十分殷勤。她忽然问起老舍："现在美国如何可以帮助中国?"那时，正是美国军队在中国横行霸道，存心要杀中国人的时候；老舍先生说："你们政府帮助我们最好的办法，就是立刻撤军回国。"他语惊四座，神色严肃，再不说话。他的幽默不见了。这个时候，我看见的，是一个高大的中国人，一个高大的中国作家。

在美国，我们一天到晚要讲英文，真是别扭。到了晚上，终于回到旅馆的房间里。我们二人洗个澡，痛痛快快地用咱们北京话大聊一阵，大笑一阵，对白天所见的一些看不惯的事情，甚至也大骂一阵，真是打心眼儿里感到畅快无比。用自己祖国的语言谈话，总使我们想到祖国的一切，想沏碗酽酽的北京的花茶喝，以至于后悔没带一点中国的咸菜来嚼嚼。当然，更想到那时的祖国是多么困苦，我们都想回去。

北平一解放，周恩来同志叫我写信请老舍先生回来。他立刻回国。从此，他日夜不停地写作；不少好的作品，在他的手笔下长江大河似的涌流出来。他写过各种体裁的作品，更写了不少表现新中国、新社会的话剧。他的《龙须沟》就告诉全世界，中国老百姓翻身了，残酷害人的旧北京变成了爱护人民的新北京，这是多么巨大而又动人的变化。他的《茶馆》，用五十年的历史变迁，概括几个时代的人民的苦难。世界的评论，说“《茶馆》是中国的史诗剧”。北京人民艺术剧院的《茶馆》，在欧洲一些国家和日本各地的演出，受到外国观众极其热烈的欢迎。他使外国人认识中国的面貌。他的笔从来是为人民服务的。他是第一个被称为“人民艺术家”的作家，对于这个称号，老舍先生是当之无愧的。

作品总说明写作的人。老舍先生坚强，勤奋，爱国，爱老百姓，爱社会主义。他正直、慷慨、热诚、精细、工作负责，十分喜爱帮助青年作家。他经历几个时代，熟悉各种人物、世情，诗文书法，艺术鉴赏都达到了很高的境界。

我想念他，常常是感到人见不着了，才开始真正认识一个人。我说不出如何赞美老舍先生的话。他的作品已经是不朽了。我很想念老舍先生，尤其在纪念他八十五岁诞辰的时候，他却不在我的身边。

其实，他是可以为祖国写出更多的好作品的。

（《难忘的二十五天——〈茶馆〉在日本》）序

老舍先生的史诗剧《茶馆》终于在日本演出，获得了广大日本观众的热烈欢迎。他们的称赞与友好的感情使我深深感动。遥望东方的日本，云山浩渺，水波荡漾，我们相隔万里，可是一本戏的演出震动中日两家朋友的心。正如东京有一对老年夫妻说的："我们日本人也有同样卖儿女的经历，所以看到卖孩子和王利发上吊的时候，我们控制不住自己的感情，流了泪。"

北京人民艺术剧院的导演、演员与其他艺术家们回来对我谈起日本朋友们的深情，台下的人与台上的人真是呼吸相通，听得见两颗心在心窝里跳动的共同声音。他们说："这是我们一生少有的经历，我们在台上感到台下安静中燃烧着炽烈的火。我们用足精神在演戏，台下仿佛有无数知心朋友的火热的眼神望着我们，似乎要看透我们的灵魂。"是的，旧中国是个多难的国家，我们不能忘记苦难的过去。正如《茶馆》中那三个主角都不会忘记自己在过去五十年中遭受的种

【题注】据周瑞祥、汪宝贤、王宏韬《难忘的二十五天——〈茶馆〉在日本》所载排印，北京出版社1985年第1版，原题《序》。

种不幸。我们十分同意帮助我们工作的日方翻译江草裕子女士的话："我看了《茶馆》，想了很多问题，从战争给我父母带来的苦难，联想到中国民众遭受的苦难，这叫我们永远不能忘记。"

历史告诉我们要正确地看清自己的命运，从过去的历史中明白今后该如何处理自己的前途，掌握国家的发展，理解人民心里的愿望，不再受那些"称王称霸"的人们的愚弄。人民永远是国家的主人，人民总要和平相处，要谋求幸福，使整个世界走上一条安定、进步，共同有怀着一个崇高理想的道路。"人民的事业在世界上会青春长久"。哪能允许《茶馆》中的事再发生呢！

中日两国人民的深厚友谊和长期的文化交流，会保证我们人民不仅是永远和平相处，而且互相取长补短，共同在和平生活中创造更深的情谊。

中日两国人民是清醒的，是有力量的，是不会受人摆布的。"中日友好二十一世纪委员会"在进行着更有远见的工作。今年，我们正在筹备欢迎三千日本青年来中国，和我们相聚，让更多的中国青年结识日本的下一代，与他们做好朋友，这便打下了来日以至世代相传的友好的基础。

为何谈起这一大堆与戏剧无关的话呢？

不，不是无关。如果没有中日这些年来友好的交往，《茶馆》是不可能到日本演出的。我们感谢这些年来日本戏剧界朋友们的多次来华访问，我们在北京、上海、广州以及其他城市看到多少杰出的日本戏剧（包括话剧、歌舞伎、能乐、傀儡戏种种）的演出，我们和日本戏剧家经常在中国，也在日本促膝交谈。我们喝了清酒，也喝了茅台，我们共同在日本的静冈，中国的西湖赏玩过风景，我们多次流着泪水握手告别。这一切都成了我们难以忘却的回忆。与其说我们互相交流着戏剧的知识与学艺，还不如说我们在一次一次地开掘着一条宽阔、浩瀚、永不停息的友谊长河。“子在川上曰：‘逝者如斯夫，不舍昼夜。’”孔夫子叹息的是“时间的流逝”，我们刚刚相反，我们在这水波激荡的不舍昼夜的奔流着的长河岸边上赞美：这条河的水涌流着多么长远的友谊，它又是多么甜美呵！

让我说回来吧！

《茶馆》访日演出，是日本戏剧界前辈千田是也与杉村春子先生首先发起和大力奔走促成的。他们把邀请中国话剧访日一直作为有生之年的宿愿。杉村春子先生特为《茶馆》访日的演出，亲自率领许多舞台艺术家和配音的日本演员到北京看《茶馆》的演出，研究如何把这台戏译成日文口语，又如何把那些数不完的道具、灯光器材安排妥当。在演出方面，日本戏剧界、影视界大力支援，想方设法把日本各地最适合演话剧的剧场早日订好，甚至于宣传广告都由以杉村春子先生为首的舞台专家们，费尽心思来布置，使北京人艺的艺术家们未到日本之前，《茶馆》一剧几乎在日本家喻户晓了。中国有一句剧场里的术语“爆满”，《茶馆》的演出正是如此。因为没有那么多座位，可爱的日本观众就站在走道上，坐在台阶上，全神贯注、动情而安静地观看他们早已盼望看到的来自中国的这出话剧。

杉村春子先生在大阪告别会上说：“我预计你们的演出会成功的，但是真没想到你们会获得这么大的成功。”

满头白发的千田是也先生给了我们极大的鼓励，他说：“在日本戏剧界，有些人追随西方搞‘不条理戏剧’，使人看不懂。《茶馆》的演出引起日本戏剧界对现实主义的重新估价。戏剧，看懂是很重要的，你们的戏头一条就是使人看得懂，所以大家爱看。”

著名评论家尾奇宏次先生说：“《茶馆》第三幕使人深刻地感受到这戏是现实主义所达到的高峰。”

我还要引一位老朋友，著名评论家户板康二先生的话，他提到演员的演技非常精彩，没有一处多余的地方，他说：“《茶馆》这出戏演了四百多场，在欧洲曾引起了轰动，它是一出彻底的现实主义戏剧。

日本卓越的演员泷泽修先生也对《茶馆》的演出给予了很大的鼓励。

使我们感到亲切的是佐藤正二先生和文化厅的加户守行先生以及外务省情报文化司的市冈参赞，他们都观看了《茶馆》的演出，强调了此次访问演出的意义。市冈先生说，中国上半个世纪以来是在苦难之中的，应该让大家了解。你们的演出对促进日中人民之间的相互了解，加强两国之间的友好团结是起到很好作用的。

公明党竹入义胜先生所讲的一番语重心长的话更使我们深为感动，他以政治家的眼光看出了《茶馆》访日演出“对今后的日中关系有很大作用。”他从培养日中友好的第二代、第三代接班人的高度提出：“希望《茶馆》给年青一代人看，因为他们是接班的，是二十一世纪的人。”

大约是我上了年纪，唠叨了。引了这么多日本朋友的话来充塞这篇文章。难道我是拿这些发自衷心的赞美的话来自我吹嘘么？不，太不是了！我们在日本演出有点成就，首先是因为老舍先生的著作，其次是因为有许多日本优秀的演员为我们配音，我们要衷心感谢“文学座”、“俳优座”、“青年座”的好朋友——这些优秀的名声远扬的演员们。他们在阿部广次和于黛琴（中国青年艺术剧院的名演员）的帮助下，用了几个月的时间，准备同声传译。演出时，他们配音准确，感情分寸适当，受到日本各方面观众的称赞。每场演出后，他们列队到下场处向所有演员道辛苦。为了不分散观众注意力，他们穿深色服装在配音室工作，他们为《茶馆》演出付出了劳动和汗水。我们深深为之感动。

此次访日是由杉村春子等先生多方奔走，由日本官方和民间联合邀请的。

我们要感谢日本国际交流基金，中国话剧《茶馆》上演委员会——由民主音乐协会、日中文化交流协会、松竹公司、日本新剧俳优协会组成。

我们感谢的日本朋友还有：国际交流基金的中川经治先生，民主音乐协会的姉小路公经先生，日中文化交流协会的井上靖先生、白土吾夫先生、村冈久平先生、松村和明先生以及无计其数的好朋友。

从来，北京人艺到国外演出，我不曾参加。这次赴日访问演出的人们回来了，我感到我没有随去，确实是件憾事。莎士比亚在《安东尼和克莉奥佩特拉》中说：“可以量深浅的爱情是贫乏的。”难道我们之间的友情是可以用语言量出深浅么？我看是道不尽的，量不出来的。

这个小册子正是这深厚友情的一份真实的记录，一份中日友谊的历史见证。

我祝愿，我相信：我们的友情会世代相传。

1984年6月13日

学而优则“美”

——在北京市戏曲表演艺术讲习班结业式上的讲话

搞戏曲艺术的人要懂得什么叫做“美”。

任何艺术都好讲“美”。我感觉，美，不仅在于说话说得怎么样，画画画得怎么样，文字写得怎么样，演得怎么样，舞得怎么样，唱得怎么样。艺术上的美还有一个，就是立身为人之道，如何在社会中成为一个美的艺术家。

各位同志应该不只是天天练基本功，讲四功五法，在日常行为上也有一个美的问题，应该一辈子代表着“美”。不仅是我们的艺术，而且包括我们的道德。

这包括：一，同行间不嫉妒别人；二，要尊重别人的劳动，尊重其他和你合作的人，配角、龙套、文武场，使每个人都知道自己是美的艺术参加者。每个人都有这样的责任：在舞台上表现出美来，用“美”字美化人们的精神。人民是欢迎这样的艺术家的。

【题注】载1984年6月17日《戏剧电影报》。

刚才杨毓珉同志讲到，这次讲习班理论与实践并重，这一点很重要。大家都有丰富的舞台实践，但只有懂得理论之后，才能提高自己的实践。如果只是平平淡淡地演下去，老先生教的一字不差地学，父传子，子传孙，这样下去，任何戏曲都是没有前途的。

中青年演员除了继承以外，还要创造新的艺术形象，即歌、舞和内在的感情与思想。如果不发展，再好的天资也没有用。

北昆一位同志说，演员知识要渊博。同志们，你们不再是个“唱戏的”，而是有文化有修养的艺术家。大家都是著名演员，但甘心屈尊为“学员”。两个月中，十八次听课，表现了对知识的渴求，这是一个好现象。

今后你们都会遇到各种困难。李玉茹讲过一件事：她十几岁时和金少山合演《霸王别姬》，落了个倒好，回到后台大哭起来了。金少山拍着她肩膀说：“姑娘！我们唱戏的哪有不跌跤的。我们就在倒好声中才长得大呀！”他说：“明天咱们还唱这出！”同志们今后“跌跤”，不是不可能的。要互相体贴，互相帮助，互相尊重，好好合作。

假如我是一个青年演员，我希望接着再上这样的讲习班，希望这样的班继续办下去。

孔夫子说“学而优则仕”，我希望同志们：学而优则“美”！

《蜕变》写作的前后

抗战初期，由于日寇对重庆的经常空袭，国立戏剧专科学校被迫迁到数百里外的嘉陵江上的一个小县城——江安。一九四〇年冬，话剧《蜕变》的创作就在那里完成。它是我写得最快的一个戏，总共只用了三十多天。当时，我让一个叫季紫剑的学生跟着我，我们同吃同睡，夜以继日地干。我写一部分，他就刻一部分蜡纸；写一幕，交演出队排一幕。张骏祥同志是《蜕变》的第一位导演，那时他从美国回来不久，是位十分有才能、有学识的教授。因为这个戏准备到重庆去演出，所以我们星夜兼程，大家都表现出一副急行军的姿态。

这个戏的写作，主要是由以下几方面的因素促成的：一、强烈的民族愤恨感。“七七”芦沟桥事变时，我住在天津，亲眼看见河东被炸得一塌糊涂，刹时间，死尸遍地，惨不忍睹。日寇飞机轰炸重庆，繁华街道两边商店住户的楼房顿时成为一片火海。我在灼热烘人的火道中穿过，除烧焦的人尸外，便是熊熊燃烧着的倒塌的梁木，活着的

【题注】载《华东师范大学学报》1984年第4期。文末附注“陆葆泰整理”。

人躲在大防空洞里。眼前是“《神曲》中的地狱”，烈火中只有一个游荡的孤魂的我。国破家亡，当时每个正直的中国人的心头，都有一种难以言传的民族义愤。二、广大人民爱国热情的鼓舞。这一点，生动的例子是不胜枚举的。例如在天津时，我曾目睹一个普通的群众在光天化日之下怒打一个日本兵的英勇行为。又如，我由天津乘坐英国商轮去香港时，在船上，全体老少在唱《义勇军进行曲》《松花江上》等爱国歌曲，刚会说话的孩子也在唱，人心是激昂的，孩童的心灵里，也播下了抗日救国的火种。剧专也是如此，不少教员都是放弃了优裕的生活条件，奔向重庆，投入抗日救亡运动的。例如丹尼、佐临夫妇，他们都出身在很阔气的家庭，上海有舒适的花园洋房，但是他们毫不留恋这些，到重庆后，就住在潮湿的地下室里。他们夫妻双双还将手中的订婚戒捐献给抗战！张骏祥也是这样，为了抗战，坚决由美回国，在那穷乡僻壤里，毫无怨言地拿着一个月没几个钱的薪水。三、新人新事的激励。一九三七年我从香港坐火车到武汉，获悉剧专在长沙，就赶往那里。在长沙，我听说有位老人讲演讲得很好，就赶去听讲。以后才了解，他就是声名赫赫的“异党分子”徐特立同志。他讲的题目是《抗战必胜，日本必败》，一讲就是五六个钟点。他的讲话内容使人感奋，所以第二天天不亮，我就去拜望了他，可是他已经出去了。闲聊中，他的小勤务兵告诉我，他和老人就睡在一个床上，老人对他很好，晚上常帮他盖被，还教他读书。我听了感动极了。官兵之间这么融洽，在当时，是人们见所未见的。从这里我才知道了“平等”到底是怎么一回事。我在心里对自己说，这样的老人，我非写出来不可。还有，我在长沙时，在一份小报上见到了白求恩的事迹，它也使我大为感动。一个外国人，千里迢迢地来援助我们抗战，其精神真是太崇高了。四、我对国民党政府各级机构腐败状况的严重不满与跟伤兵医院接触时的一些感受。关于那些机构的腐败情况，是人所共知的，贪污腐化成风，大大小小的官员都在鬼混。抗日好像跟他们毫不相干，他们只想凭“抗日”贪污捞钱。前线战况十分丧气，国民党军队节节败退。在天津时，我就看到日本人在高空中放出大气球，上面写上了又侵占的一个个城市的名称。国民党两三天就失去一个城市。伤兵医院，长沙不少，内部许多情形都令人气愤。在四川江安，我们剧专的附近，也有一所这样的医院，对于它们，我有一个粗略的接触与印象。

《蜕变》是根据我生活中的实际感受创作的。梁公仰，他的生活原型就是徐特立。丁大夫这个形象，取材问题当然与激动人心的白求恩的事迹有关，但是应该说，它的生活基础主要还是活跃在我身边的众多的爱国知识分子。丁大夫是这些群像典型化的结果。创造这个人物时，在丹尼的身上，我汲取了不少东西。从思想、情感到气质，我觉得在许多地方，她和丹尼很像。关于蜕旧变新思想的产生，这跟我接触了一些辩证唯物主义学说有关。当时我阅读了艾思奇的《大众哲学》。关于蜕旧变新的实际内容，也就是说，以后政府到底要改成如何一个样子，老实说，当时我也没有想得很具体。自然，这件事绝对不会寄希望于国民党，但也确实不是根据地的样式。那时对于延安，我们知道得是很少很少的。在抗战初期的客观生活中，我感觉到，抗日救亡运动仿佛有这样一个好处：那就是，旧的东西一定会去掉，新的东西必然会生出来。我们的国家要变，也必定会变化。我就是根据这样的感受创作的。“大都”，在历史上就是北京。事实上，那时“大都”远远没有克复，但抗战必胜的信念我们大家都是有的。这样写与当时群情激奋、众志成城有关，也与周总理跟我的谈话有关。一九三八年在中共办事处，我结识了周总理。当时国民党内部思想极为混乱，有一种倾向是要英国人出面议和。周总理明确地指出，必须抗战到底，不然国家必然灭亡。他信心百倍地说，抗战必胜，最后的胜利必定属于我们中国人民。

《蜕变》写完之后，要通过国民党政府的审查是很难的。国民党中央宣传部部长王世杰和中统的文化特务头子潘公展两人亲自前来检查。还有教育部及国民党其他机关的大小官员。他们一定要观看排演，而且还要拿着本子进行对照，这样闹了整整的一天，最后也提出了一些刁难的意见。不多日，蒋介石也亲自观看了这个戏。那一次演出，由史东山任导演，舒绣文饰丁大夫，陶金饰梁公仰。蒋介石的政治嗅觉是十分灵敏的，他感到这个戏是在骂他们，所以观后大发雷霆，将中统特务头子张道藩召去训斥了一顿，说这是赞美共产党的戏。《蜕变》随即被禁演了。后来，有人说这样做不大好，大约过了几个礼拜，就又开了禁。国民党政府派了潘公展来找我面谈。在谈话中，关于揭露生活中腐朽现象的内容，他们有自知之明，所以只字不敢提及。潘只对我说：“委员长看过这个戏了，有几处没有看懂，请你解释一下。”他提出了四大问题：一、剧中一再提到《抗战必胜》那本书，究竟是本什么书？二、既然是国家的医院，为什么不挂委员长的相片？三、剧中为什么要唱《游击队之歌》？这是共产党的歌。四、为什么在全剧结束前，让丁大夫手里摇动红旗。对于这些问题，当即我就一一予以顶回。例如挂像问题，我说那个医院人家不愿意挂，我有什么办法呢？又如结尾处的摇旗问题，我说这是个误会，它是小伤员送给丁大夫的儿子的一个小红兜肚。在我国北方，兜肚都是用红布做的。对结尾时丁大夫欢送李营长等人出发，总要有点表示，丁大夫就将那只兜肚挥动了一下。潘听了后，还是希望我改动一下。我对他说："委员长只知打仗一类的事，写戏，他不在行，还是我们内行一点，这样的事还是让我们自己来搞吧。"

解放后，在某种思潮的影响下，我曾一度产生将《蜕变》的后两幕改动一下的企图。当时我的想法是：创作梁专员这个形象的欲望既然是由一位老共产党员逗引起的，那么就索性恢复它的本来面目吧，将梁写成一个打入国民党军医院的地下工作者。由于他的到来，该医院暂时改观了。后来国民党发现他是个"异党分子"，准备逮捕他。最初，丁大夫并不知道他是共产党员，只是觉得这个人怪，外表很不像当官的。而梁公仰呢，在丁面前也从来没有公开宣传过共产主义。有一次丁大夫需要梁帮助，待找他时，发现他已经不见了，原来他为了逃避迫害，只能隐遁了。接着代之出现的，仍然是那个马登科和"伪组织"。马因密报有功，又官复原职了，丁大夫最后感到，她看到了光明，但是光明不在这里。梁公仰好比是乌鸦群中的一只凤凰。乌鸦和凤凰本来是两种东西，凤凰飞了，剩下的就是乌鸦群。"蜕变"两字的含义在这里不是指国家和社会，指的是像丁大夫这样的有良心的高级知识分子内心中的巨大变化。现在看来，过去时代创作的作品，是彼时彼地特定的历史环境中现实生活的反映，它们虽然不同程度地存在着局限性的一面，但它们有显明的真实感，却是无可否定的。我们当代人有时也想对这些作品进行一些“拔高”工作，但结果往往是事与愿违。这一点，解放初我在对《雷雨》的改动上，也是有同样的教训的。所以当时对于《蜕变》的修改设想，实在是有点幼稚和可笑，它极其轻率地将一个旧作从思想内容到艺术形式均纳入至一定的窠臼之中，因而使客观生活的真实表现受到了严重的影响。我感到，让《蜕变》以其本来面貌出现在观众面前，似乎更好一些吧。

看了《青丝恨》的排练

《青丝恨》是李玉茹同志写的京戏剧本，共四幕：逼试，绝情，告庙，噩梦。

这是一束青丝与一顶纱帽的故事。古往今来，多少负义的“王魁”背弃了多少忠诚的“敫桂英”。象征善与美的桂英，在某种意义上，是个不愧为“人”的胜利者，她看透了世态，死得其所。王魁却为了一顶乌纱帽，堕落成为鄙陋、险恶的小丑。高傲的桂英终于战胜了卑怯的王魁，不在于因果报应，却在美与丑性格上的鲜明对比。纯洁、真诚的桂英享受了人的崇敬；阴恶、善变的王魁终于遭尽愤恨与嘲笑的鞭笞。《青丝恨》是一出寓教育于娱乐的喜剧。

《青丝恨》的演员，用了现实、浪漫和极大夸张与嘲弄的喜剧手法。“告庙”一场，庙里不过是木骨泥塑的神胎。但在神魂颠倒的敫桂英的幻觉中，他们不但活动起来，居然和她谈起泰山压顶一般重量的金钱和权势。现实的桂英，一生痛苦与受折磨，她在幻觉中识透了

【题注】载《文汇月刊》1984年10月号。

世态真相。

“噩梦”一场，作者摈弃了“活捉王魁”阴森恐怖、鬼来报仇的场面，却在王魁泥醉的噩梦中，极力刻画他的矛盾、恐惧与狠毒的阴暗心理。噩梦中敫桂英的出现，时而是丞相小姐，时而是妓女桂英，更变幻出一场热闹的嬉笑怒骂的讽刺喜剧。结尾，王魁还是得意洋洋，却不无后怕地戴起乌纱官帽，做他的状元老爷去了。

这出戏的特点是：作者试用现代心理分析的方法，把“告庙”中的敫桂英与“噩梦”中的王魁的内心世界，形象地表现出来，步步不离开京戏的传统形式，却又创造出新的奇异的变化莫测的境界。

这出戏，写作与演出，尽量发挥京戏独特的表现手段。他们企图描绘每一个角色，集中场次，反对冗杂，不想按旧例从头叙到底。当然，那种传统的铺叙写法，是民族形式，自然是可用的，而且是群众喜闻乐见的。但《青丝恨》，从剧本到演员，是另辟蹊径的。

这出戏是上海京剧院根据党中央号召抓好改革中“出人出戏”的原则，培养第三梯队，培养年轻有为的演员，采用新的剧本上演的。作为实验，全剧组冒酷暑燠热，连日排练，花了近四个月的工夫。许多造诣很深的老同志充满信心，紧密团结，下了决心力求达到党与群众的要求。是十分辛苦、十分负责的。

为了“出新人”，这个集体围绕一个青年——李占华全力用心合作，这在京剧界可能是少见的。

这是十分可喜的尝试。

一九八四年九月五日于上海

一部值得一读的好书

——《南开话剧运动史料》

天津南开学校，创办以来，一直在学业之余，为改进社会风气，也为教育自己，演普通话的戏。老师和学生编话剧、导话剧、演话剧，并且公开举行演出，受到津京观众热烈欢迎。当时还没有“话剧”这个名称，大家称这种戏为“新剧”，以别于旧的戏曲。

不久，这个组织定名为“南开新剧团”。

南开新剧团于1909年开始编自己的新剧，也介绍国内外的话剧。这个专演话剧的团体有近四十年的历史。历经晚清、军阀混战、北伐、国民党当政，抗日战争以及解放战争，它从没中断过自己的活动。这是一个业余话剧团体，中国的话剧，可能先是由业余戏剧爱好者草创的。后来，有了专业团体，话剧运动便更正规化，更为广大观众接受了。业余话剧工作者，在为富有意义的话剧摸索、探寻的道路上，用尽心力，终于起了一些作用，是有不少功绩的。

【题注】载1984年10月17日《人民日报》。

我小时在南开学校就学。约十四岁（1924年），参加了南开新剧团。一直到1930年，我离开南开大学，始终是新剧团的一个积极分子。在这短短的，对我又似很长、很长的六年里，新剧团扩大我的眼界，我决定一生从事话剧。我一生永远不能忘记我们排戏的热烈、认真、亲切的气氛。我的青年时间可以说在这个极可爱的团体里度过。在有学识、有才能的导演张彭春教授十分严格的指导下，我跟同学们和比我大一二十岁的老师们，演了相当多的话剧。我开始明白为什么演戏，怎样演戏，甚至于如何写戏的种种学问。这一点一滴的艺术知识是经过年复一年的舞台实践理解的。

彭春老师通过导演、演出，不断地指导，教给我们认识国内外许多戏剧大师。我时常怀念在南开中学礼堂后台和校长会议室排戏的情景。在那几间宽大、亮堂的房间里，我们专心排练，好像面对人生的战场，那样认真，那样充满战斗的气息。

我听说许多前辈和学长，其中如周恩来同志也在这个剧团演过戏，而且写过关于话剧发展指导思想的文章。解放后，我才读到他的论述，以及他组织剧团，参加演戏，并亲自设计、制作布景的事迹。但更早关于南开学校如何开展话剧事业，我是茫然的。

南开大学出版社编印了《南开话剧运动史料》。这部专辑确实把南开学校早期话剧活动，从1909年到1922年的翔实可信的材料搜罗得相当完整。这部书是夏家善、崔国良、李丽中同志用了多年的工夫，辛辛苦苦，从各方面采访、征集、搜罗、甄别大量的材料编成的。他们把南开新剧团的话剧理论、剧团组织、演剧史实、活动纪事、剧目汇览、部分剧目演员饰角色一览，以及一些评论文章和失传的剧本搜集成书。

使我感到特别亲切的并且给我很大启发的文章是周恩来同志写的《吾校新剧观》。这篇文章不只阐述南开新剧团为什么活动的旨趣，也是剧团的总结。它奠定南开新剧团发展道路的理论基础。

南开新剧团仅仅活动到解放前为止。但在我心中，它仍然是一些活生生的人，年年不断地演着新的话剧。当然，这只是我的幻想。实实在在出现在我眼前的，是这本《南开话剧运动史料》。

我希望它能引起爱戏剧的读者们的兴趣，把它看作是一部值得一读的好书。

1984.9.11　于上海

祖国正在全面改革

恩格斯说："这是一次人类从来没有经历过的最伟大的、进步的变革，是一个需要巨人而且产生了巨人——在思维能力、热情和性格方面，在多才多艺和学识渊博方面的巨人的时代。"(《〈自然辩证法〉导言》) 目前祖国正在全面改革，这次改革无疑是我国历史上一次伟大的改革。作为社会主义的意识形态，我们的戏剧应当积极反映这场改革，热情地讴歌我们的时代，响亮地跳动我们时代脉搏的强音，讴歌我们时代的先进人物。

今年五月三十一日胡耀邦同志在给电影界的一封信中，期望文艺工作者"努力再现四化建设沸腾生活，塑造勇于创新、积极改革的社会主义先进人物形象"。这就是对我们从事戏剧创作的同志的期望和要求。

我们许多剧作家这两年来写了不少反映四化建设、歌颂勇于改革的社会主义新人形象的剧本，产生了很好的影响。在中央领导同志的

【题注】载《剧本》1984年10月号。

倡导下，我们的剧作家通过各种不同的方式深入到四化建设的沸腾生活中去，努力写出反映当代现实生活的不同样式和风格的剧本。作者大胆借鉴、探索和创造新的表现手法，开拓戏剧舞台新风貌。如果我们能抓住这个大好时机，善于引导，给作者在思想、生活和创作条件方面更多具体的帮助，一个大繁荣的创作局面定会到来。

戏剧创作的繁荣除了作者自己努力深入生活和大胆创作之外，我们应当创造一个适合百花怒放的环境，多一些阳光雨露，多一些和风细雨，多一些园丁和伯乐。三十五年的经验证明，暴风骤雨中，百花是很难开放的。“十年动乱”“横扫一切”的年代，搞得万马齐喑、百花凋零，教训惨痛，值得永远记取。

戏剧要为四化建设服务，要大力抓好繁荣创作这个中心环节。应当帮助作家解放思想，调动创造性与积极性。领导戏剧创作还应克服过去长期形成的“左”的做法。在新的历史时期中，我们不要以老的观念和老的眼光去对待新的经验和新的事物，不要用老一套的办法来解决急速发展的现实生活中出现的新的问题。我们要跟上改革的步伐。我们领导戏剧创作应当探索适合艺术创作规律的新办法和新经验，也要总结和坚持过去的好经验。应当说，我们过去领导戏剧创作是有过好的经验的。

欢庆建国三十五周年，我们应当总结过去的好经验，像园丁栽培花卉那样看待创作，争芳斗艳的繁荣景象是指日可待的。

回忆蒲州梆子

蒲剧是山西四大梆子中最古老的一种。据说明末，甚至嘉靖年间，已经出现。多年来它和人们酷爱的秦腔，往复接触，相互影响。正如许多长久流传的戏曲一样，它深深植根于人民群众，是群众世世代代喜闻乐见的大戏。

蒲剧有深厚的传统，有十分优美动听的音乐和唱腔，其“唱、念、做、打”的基本功夫是惊人的。有成就的青年演员与其他蒲剧艺术家，既承继往日的传统，又推陈出新，表达今日的时代精神。这是一支有雄厚的后备军的队伍，有造诣很深、善于教戏的老师，有浓厚的艺术空气，有大量会看戏、会欣赏的观众，有一批艰苦学艺、有天赋、戏德高尚的艺徒，当然，还有善于领导、认真领导的负责人。蒲剧的前途是无限的，今后的影响将是深远的。

一九八三年十月间，山西省蒲州梆子青年演出团来首都演出，二十四场中，我大约看了八场。任跟心的《挂画》《烤火》《打神告

【题注】载《戏剧报》1984年第12期。文末附注“本文为《蒲剧艺术》而作”。

庙》，崔彩彩的《放裴》《双锁山》，郭泽民的《跑城》《贩马》《黄逼宫》和另外一位武生演员演的《伐子都》，都非常精彩。这些戏我每场必看，有的看了两遍，如任跟心的《挂画》《烤火》。今天的剧场是不大叫好的，但我心里不知叫了多少声好。我惊喜，我由衷赞美，想不到这几位青年演员对人物有这般深刻的感情。他们心领神会，运用多年苦练出来的那样细腻、精巧、熟练、扎实的功夫，酣畅淋漓地演出来，唱出来，舞出来。孔子闻韶，三月不知肉味。孔夫子欣赏艺术到了“太上忌情”的地步。我看了那几次蒲剧的演出，也想“手之舞之、足之蹈之”，表达自己的喜悦。

这三位演员多年轻（任跟心当时才十九岁！），多朴实，多聪慧，多谦和。他们脸上放出青春的光彩，他们是厚实有力的艺术家。

有远大前途的演员总是不骄不夸，深藏若虚，保有学艺无止境的韧性与耐力。我感到这几个演员就有这样好的气质。他们目前的成就已经称得起现在常说的“表演艺术家”。我们以为不一定演到四五十，六七十岁，才能奉上这顶桂冠。观众有眼睛，有耳朵，他们心里会给这些演员光荣的称号。我看，艺术家不在于头上多加几顶桂冠，艺术应深深刻在广大人民的“口碑”上。

举出这三位演员，不仅是为了赞美他们个人的苦功夫、真本领，更为说明这样的演员代表了蒲剧之所以为蒲剧，蒲剧艺术是不朽的，它是一座宝山，一个宝库。探索、研究、继承、创新吧！紧跟时代精神的发展而发展，更加丰富起来吧！

凡是参加了这个传统丰富、训练严格的队伍的人，当然包括研究蒲剧艺术的同志们，都会有美好的将来。蒲剧艺术将会大大发挥力量。过去的蒲剧传统要研究、分析、总结；对新的蒲剧现状和将来更应重视。因为，活的材料、活的人物、活的蒲州戏曲更生动活泼，更有生命力。

蒲剧的音乐明丽动听。我是不知音的，听音乐，往往像“对牛弹琴”。可是听蒲剧乐队的演奏，忽然豁然开朗，有点“如听仙乐耳暂明”之感。这种美妙的感觉使我回忆起一九六二年在南方听潮剧乐队的演奏，它同样美好动听。潮剧有更悠久的历史，嘉庆年间已有剧本流传。潮剧的音乐保留了不少唐宋以来的古乐曲，不断吸收当地大锣古音乐、庙堂音乐和民间小调。音乐曲调之美，是我从未听过的。我不能道其究竟，只觉管弦乐和打击乐配合得十分和谐，分外动情。当时，我随老舍、阳翰笙、张庚和许多老专家，参观潮剧学校。演奏乐部陈列的乐器，多种多样，大开眼界。尤其是，他们用的鼓大大小小，似有几十个，据说音色、音阶，各具特色，可以表现复杂多变的情绪。更有一面特殊的大锣，叫“深波”，音质低沉，可以引起幽怨沉痛的情感。潮剧、蒲剧，南北两种戏曲的音乐，有异曲同工之妙。看完蒲剧演出，我没有向乐队的音乐家们讨教，探听一下为什么那般优美，真是可惜。任跟心在《挂画》《烤火》中的表演细腻、灵巧、精美，配合她的表演，乐队演奏得那样富丽、轻快，多色彩的音乐，使人欢喜，使人神往。

中国的传统戏曲音乐极为丰富，确应更仔细地研究，它究竟如何解释，如何渲染、衬托表演中千变万化的情绪与动作，如何配合得那样美。我们才能明白戏曲的舞台气氛，戏曲的鲜明的节奏感，是怎样辛苦经营，综合创造出来，丰富起来的。

蒲剧的艺术家经常出城入乡，又离乡进城演出。演出场次多，工作重。演员说他们每年演三百多场，是经常的事。这说明他们不脱离群众，群众也真是爱着蒲州梆子。前次，蒲剧院青年蒲剧团来京前，已到过四川、湖北等地，受到各地群众的欢迎。凡是优美、丰富的戏曲，是经得起所有观众的考验的。

蒲剧的传统剧目很多，如何使旧剧目更新，使它在今日的舞台上更加活跃起来，这是值得蒲剧的作家与研究者重视、研究的问题。

《蒲剧艺术》季刊问世不算很久，正当它出版四周年时，我们祝愿这个大有可为的刊物，对传统的蒲剧艺术下功夫，更为蒲剧将来的发展，探寻更光辉的道路。从来，我国的戏曲，是在不断继承，不断吸收，不断改革中发展起来的。

如何使这个有悠久传统的剧种，充分表现今日的时代精神，是一个很复杂的问题，是一个要全面地、深刻地考虑的问题，需要十分熟悉艺术规律的人来指点，需要广大观众为蒲剧现状提出问题。蒲剧艺术家和研究者要善于解决许多提得好、做起来却有一定困难的问题。

《蒲剧艺术》季刊的发展，应能帮助蒲剧充分发扬社会主义艺术的“真、美、善”精神。

我们正在力行四化。祖国各方面正处在大变革，大有成就的时期。

在党中央精神的指导下，这个季刊将有可观的贡献。

一九八四年十一月六日于北京

唐槐秋和中国旅行剧团

主席、阳翰老、阿甲同志、各位同志：

今天，我能参加“中国旅行剧团成立50周年、唐槐秋同志逝世30周年纪念会”，感到非常荣幸，高兴。唐槐秋先生是我的前辈，如同阳翰老、田老、欧阳老是我的前辈一样。我确实非常敬重唐槐秋先生的一生。大家都知道，他是中国第一个组织职业话剧团——中国旅行剧团的人。他出生于一个很富裕的家庭，到过日本、法国，学习航空技术。如果他在那个时候就从事他所学的专业，他一定对中国的航空事业有很大成就。如果要做官，也是高官。可是他都没有做，而是干了那个时候看来无足轻重的工作——话剧。因此，对于这么一位大人物，值得我们纪念，值得我们好好怀念。刚才阿甲同志说，槐秋

【题注】载《戏剧之家》1998年第5期。文前“编者语：1984年11月21日中国戏剧家协会在北京新侨饭店举行‘中国旅行剧团和戏剧家唐槐秋纪念会’，文艺界人士400多人出席。阳翰笙、曹禺、阿甲、冯亦代、马少波等在会上讲了话，本文是根据曹禺讲话的录音记录的，本刊于本期首发。记录者苏之卉《听曹禺先生的讲话》专文也一并刊载奉于读者，以表对中国话剧艺术先行者的纪念”。

先生有几个特点，一个是非常热忱，一个是非常谦虚，第三个是非常诚实。我还觉得，他非常能够苦干，锲而不舍呀！今天有好几位老前辈在，大家都经过旧的时代。那个黑暗的旧社会，搞戏剧搞话剧是被人轻视的，也是一种苦职业。然而，他坚持一直干下去，以一种绳锯木断、水滴石穿的精神，终于把中国旅行剧团搞了14年。这个14年，是辛辛苦苦、流泪流汗、费尽心血的14年！凡是在座的跟中国旅行剧团有关系的人，都是亲眼看见的。他不受国民党特务的引诱，遭到日本汉奸的迫害，但他决不屈服，一直干下去，一直干到老。而且他带着一家人演戏。我尤其敬佩吴静大姐，就是唐槐秋的夫人，她确确实实是鞠躬尽瘁、死而后已。我常想到吴静大姐，她什么名都没有，就像居家过日子那样办剧团。我每次见到都很感动，有的时候很苦，甚至吃不上饭，我跟着一块儿流眼泪。吴静大姐真是吃尽苦头来帮助唐槐秋先生维持这个了不起的剧团，维持了14年。还有，他们的女儿唐若青、唐湘青都参加了。整个一家人从事当时那样的职业剧团搞话剧，恐怕是空前的，甚至是绝后的。就是今天，全家都搞话剧的也不多。所以我觉得，他对中国话剧的贡献是很大的。我觉得有几点可以提出来。一是他的剧团教育了演员。这个教育很广泛，不单是怎样演戏，还有如何做人。教育他们如何在艰苦的环境中守住这个岗位，演戏。他的剧团产生了不少的话剧先驱者，人数很多，不一一提了。第二，他培养了观众。观众需要培养。我们知道，文明戏也培养观众。有一批老爷太太喜欢看那种质量差的文明戏，而他，演出中国最好剧作家的作品。比如阳翰老、田老、欧阳老、于伶、石凌鹤、吴祖光、马彦祥、丁西林等等，他介绍了许多老作家。可以说，这许多作家帮助了中旅。反过来说，这个职业剧团使这些作家提起兴致来写戏。所以，他不只是拿出好戏来培养观众，同时也鼓励了启发了中国作家继续写戏，写好的戏，写进步的戏，来教育观众、培养观众。中旅的观众很多，遍及各个阶层，什么人都有。今天，我们的话剧观众如此之多，槐秋先生和中国旅行剧团是有贡献的。今天，话剧产生了不少优秀的剧作家，有的是直接地，有的是间接地受了中国旅行剧团这个职业话剧团一种说不出来的影响，历史传统永远不能忘记。确实，这批人辛辛苦苦地为我们铺路，为日后的话剧铺了一条大路。有一件事很奇怪。今天我们的话剧，有党的扶植和指导，并且供给我们各种生活资料，使我们有演出的机会，有好的剧场，有比较好的生活条件。大家想一想，当年那个职业话剧团，有时候真是揭不开锅，我们今天的生活当然并不算很好，但比起那个时候不知好了多少倍，写作条件之好，演出条件之好，是那个时候无法比的。所以我讲，他了不起的地方，在那个艰苦的时代，做了开路先锋。我就是不能明白，我常常不能明白，在那个时候，槐秋同志他能够干下去，爱话剧爱到这种程度，要推广话剧，一生如此，值得我们佩服。我认识他是在1935年，在北平，他演我一个戏。他真是非常热忱，热忱极了，相见如故，尽管他是前辈。我们偶尔在天津见面，在上海见面，在别的地方见面。虽不常见面，但他永远给我一个很深的印象，就是热忱。

我想举一个人跟他比一比，就是莎士比亚。也许大家觉得奇怪，我为什么拿莎士比亚跟他来比呢？确实可以比一比，比较比较嘛。莎士比亚是16世纪的人，他是20世纪的人，相差400年。莎士比亚跟他有共同之点，是演员，是组织者，他组织了很多剧团，也是导演，在那个时代演戏也不大容易。这是相同之处。不同的是莎士比亚写了很多戏，他没有写。16世纪英国的观众非常热情，非常爱看戏。而在旧社会，我们的话剧跟戏曲差的很远，不是那么受欢迎。话剧只有一批非职业剧团在搞，再加上槐秋先生的职业剧团，这和莎士比亚不一样。也有一样的地方，莎士比亚的戏，是从上到下的观众都欣赏，而槐秋先生的剧团演的戏，也是从上到下都欣赏。还有一点不一样，莎士比亚一生很顺利，晚年很好，置了大批产业，死的比较早，而槐秋先生对自己的东西没有什么要求，这一点和莎士比亚不一样。还有，莎士比亚靠皇家的许多帮助，如果没有皇家的帮助，没有当时的统治阶级的帮助，莎士比亚不会有那么大的成功。而唐槐秋先生确实没有得到任何统治阶级的帮助。这一点又是不同的地方。但是，又有点相同，莎士比亚时代，除了莎士比亚还有许多作家，写出不少的戏，在很多剧团上演，在16世纪的伦敦。而唐槐秋先生也有许多剧作家在支持他，刚才我举出了一些，但遗漏的不少。槐秋先生同时介绍了许多外国有名的剧作家，演英国肖伯纳的戏、法国小仲马的《茶花女》。他把古今中外的剧作拿来演出，在这方面也是非常有贡献的。

唐槐秋先生干过的事很多，如南国社，如电影，等等。我知道的不多，但仅就我知道的一些，已经足够令我赞佩、学习。我看了唐槐秋简介，上面说："唐槐秋是一位毕生从事戏剧工作的爱国的进步的戏剧家，对我国话剧事业做出了显著的贡献。"这句话一点儿也不错。今天，十一届三中全会后，我国正进行城市经济改革，今后我国的文化事业、戏剧事业必然会有大发展。我们缅怀多少年前的中国旅行剧团和唐槐秋先生，他们的功劳是不可埋没的。我们要学习他们那种锲而不舍的精神，来干今天的新的有中国特色的社会主义戏剧。我们想想，他们当初开辟这一条路，这不容易的。所高兴的是，我们今天正处于一个黄金时代。这个黄金时代得来不易呀！处在黄金时代的我们，不能忘记在过去那穷困的黑暗时代里苦干的同志们，他们的事业，他们的精神，足足可以推动我们为祖国为社会主义为党的事业向前迈进。我的话完了。

作莎士比亚的知音

——中国莎士比亚研究会开幕词

“凡是闪光的，不都是黄金。”

这句话千真万确。反过来，是黄金，它就会发出光亮。知识是黄金，然而它的光亮一般人常常看不见。独具慧眼的伟人，在昏昏不明处，却看穿知识的根苗；知识，如暗夜的萤虫，飞闪射出萤光，向他招手；他追寻星星光明，扑上前去，豁出整个生命，一点一滴地探索、思考、实践、积累，终于献给人类以智慧与文化。

数千年来，我们的祖先就是这样用超人的精力，不断发现、创始“人”的各种知识与文化，建立一个赋有悠久、深远文化历史的古国。子孙承袭，发展他们的宝贵遗产，丰富了生活。

从来知识不能故步自封的，它要发展，它要更新，它要交流。历

【题注】载《戏剧界》1985年第2期。文前“按：本文是曹禺同志在‘中国莎士比亚研究会’成立大会上的开幕词，当时他委请著名电影演员孙道临代他朗诵。这是一篇优美而抒情的散文，特奉献之，以飨大家”。“中国莎士比亚研究会”成立大会于1984年12月3日在上海开幕。

史记载了，我们“输出”我们的文化，但也不断“输入”各国异域的文化。大家共同享受人类创造的溢满甘汁的文化与精神的果实。

莎士比亚就是一颗硕大无朋的、无比甘甜的果实。不，他是一棵果实累累的大树。莎士比亚是数千年人类进程中的巨人之一。我们热爱他，尊敬他，研究他，演出他的剧本。中国无数的人为他的舞台上的伟大成就和他神妙的诗句，拍手叫绝。我们被他吸引着，紧紧地吸引着。

仿佛他是宇宙中的一颗星球，在太空中永久地运行。我们仰望他，探求他，用哲学的、艺术的、文学的和科学的能力来了解他，解释他。到今天，似乎还没有把他完全弄清楚。

现在，世界各国研究莎士比亚的书籍，可说是“汗牛充栋”了。用今天的话说，研究莎翁的著作，排起队来，一本接着一本，究竟会围绕地球几周呢？简直算不清。

中国的学者研究莎士比亚的著作排起来，占多少路程，我们无需估量了。我们“输入”莎士比亚很晚，仅在二十世纪初。但中国学者付出的功力不小，他们的论文做出了赋有中国特色的贡献。他们自小受中国数千年文化的陶冶，他们以东方的目光注视，凝望着这位生在四百年前，远在几万里外的英国斯特拉福镇上的巨人。他们是他的深情的赞美者、诚挚的解释者，和今天的中国一样，不哗众取宠，却实事求是。

这些位中国的莎士比亚学者，出版了他们的心得《莎士比亚研究》。今天，他们又在上海会聚一堂，召开首次“中国莎士比亚研究会”。这是一个请学者与演出者们聚在一起的热烈的讨论会，也是国外的莎士比亚学者共同参加的交流会，它将影响今后中国的莎士比亚的研究与演出，这是前无古人的盛会。

我们欢迎你们，你们是来自遥远地方的朋友。我们有一个共同的目的，使全世界的人，更多、更广泛、更深刻地理解莎士比亚，继续开拓我们这个世界的文明和对于“人”的认识，推进今天的文化与和平事业。而文化与和平是分不开的兄弟。

天才从来是受文化传统和历史影响最多的人。他和人民生活在一起，他从民间传统中获取了最丰美的灵感。天才又是独创天地的人，在荒谬与庸俗的世界中，思想最解放的人。天才代表他们的时代，是时代巨人，因而便成为真正的历史的巨人。

莎士比亚逝世之后，世上又出现许多文化的巨匠、大师。如果我把“莎士比亚”当作文艺高峰的代词，那么每个国家都有自己的“莎士比亚”。自己的“莎士比亚”，比那位生在英国埃文河畔的大师，对本国的人民与民族要更亲切，更受到喜爱。但民族的深情无损于属于全世界的莎士比亚的伟大。我们赞美莎士比亚，同时也敬爱本国的巨匠。不同时代、不同国家的文艺大师，都对人类有不可磨灭的贡献，我们不需要，也不可能把他们的丰功伟绩比个高低。

中国有一位关汉卿，他大约活动在1210年—1300年，恰在元朝忽必烈的统治时代。他揭露了封建社会的黑暗与残酷，他对妇女赋予无穷的同情。他一生写了六十五种杂剧，他是中国辉煌的杂剧的奠基者。他的结构精心锤炼，精练中力求丰富。他的语言来自民间，自然、真切、质朴。他是现实主义者，又是笔下生风、神思奇绝的崇高的浪漫主义者。他是我们最敬爱的伟大剧作家，是世界上的文化名人。然而，实在可惜，他没有莎士比亚那样的幸运。与莎士比亚同台演戏的朋友，海明思（Heminges）和康代尔（Condell），为莎士比亚的全部剧本，印出第一个“对开本”，而不幸的关汉卿却只留下十八本戏曲，其中还有残缺不全的部分。

多少年来，我们用最高级的形容词来表达我们对巨人的崇敬。这些词汇用在莎士比亚和其他巨人的身上都是有理由的，是恰当的。但我们从来不应顶礼膜拜，盲目地赞颂。那会使我们变成崇拜偶像的妄人，丧失了认识天才之所以为天才的智慧之处。一个人，纵然是天才的巨人，他需要的也只是“知音”，而不是膜拜者。

我们尊重一切对莎士比亚有研究的学者与演出者，学者与演出者相互见面交谈，会对莎士比亚有更多角度的认识，有利于更广泛地、更深透地宣扬、普及莎士比亚——这位戏剧艺术的巨人。

戏剧的世界是多么广阔、辽远而悠久啊！可交流的知识与文化，尤其是对于“人”的认识，表现得多么美丽、多么翔实，又多么透彻啊！如果从古希腊到现在，把这几千年的戏剧大师们从坟墓中唤醒，请这些对“人”有深沉见解的人们，无论是哪个国家、哪个民族的戏剧大家，请到中国的上海，饮几盅龙井，喝几杯茅台，让他们互相认识“中外古今”的同行，谈谈梦一般的思想、诗一般的感情，把心中还没有说尽的话对面讲讲，沟通沟通，那会是多么伟大而又不可想象的盛会啊！

确实，这比《仲夏夜之梦》更神妙，但也更离奇、更荒诞。我们只好回到地上，回到今天。到会的学者是博学的君子、有名的专家，你们用美丽的文字写出的富有内容的论文在这里宣读，听者将会像饮着醇酒一般，把你们各具风格的研究的果实，吸收进去。

而我却在这儿唠唠叨叨，说出的话，不过是Hamlet所说的“Words，words，words”。

只有一句，决不是废话。

我们热烈地祝贺第一次“中国莎士比亚研究会”现在开幕！

洪深先生是话剧界功绩极大，卓有成就的老前辈

我非常敬重洪深先生，他是我国话剧界功绩极大，卓有成就的老前辈之一。

洪深先生是反帝反封建的英勇斗士。三十年代初，他的代表作《农村三部曲》问世，他是左联极其出色的戏剧家。洪深先生在上海因抗议放映侮华电影而大闹大光明影戏院事件曾轰动一时，我是在报上看到这个消息的，我深深为洪先生的爱国主义精神所感动，在我的心目中，他是个学者，又是个英雄。

洪深先生是全才，他既是剧作家，又是导演和演员。在洪深先生领导的复旦剧社，他曾亲自在《西哈诺》中扮演西哈诺，这个角色要求演员有灵活的形体，在戏中，要会跳舞，会击剑，足见洪先生真是

【题注】载《戏剧界》1984年第12期。总题《马彦祥、曹禺、葛一虹谈洪深》。文前编者说明："今年十二月三十一日，是我国著名戏剧活动家、导演艺术家、剧作家洪深90周年诞辰，为了表示我们对洪老的深切怀念，本刊记者日前访问了著名戏剧家马彦祥、曹禺、葛一虹。三位前辈怀着对洪老的敬意讲述了洪深同志的战斗经历、渊博的学识以及他为建立和发展我国的话剧艺术所做的卓越贡献。"

了不起。他为人平易，性格开朗，但导起戏来很严肃，对演员的进度有严格的要求。

洪深先生对我国的戏剧教育事业贡献也很大。在我国，戏剧作为一门课程，在复旦这样著名的高等学府讲授，是从洪先生开始的。他在复旦大学教出了很多学生，其中最杰出的是著名戏剧家马彦祥、著名导演艺术家朱端钧。抗战期间，洪先生和我都在江安国立戏剧专科学校教书，他备课极认真，没有一堂课不做充分准备的，他英文非常好，习惯用英文打字机备课，学生们都非常喜欢听他的课。

我在南开中学演戏时，就知道洪深先生对戏剧很有研究。当时非常想看到他写的东西，但苦于北方不容易见到南方的出版物，所以只找到一本《少奶奶的扇子》。这是他根据英国剧作家王尔德的《温德米尔夫人的扇子》改编的。此前，我曾看过该剧其他译本，感到翻译得诘屈聱牙，读着很费劲。洪深先生改编得极成功，不仅台词便于演员上口，而且地名人名、风俗、心理、习惯等都充分中国化了。他改得那样入情入理，完全是中国味道。我读了很多遍，从中学到了不少写戏的方法（当然这不是唯一的方法），如何使戏剧吸引观众的方法。印象尤深的是一把扇子反复运用七次，使整出戏活了起来。《少奶奶的扇子》一九二三年由戏剧协社演出，洪深先生亲自导演，演出轰动了上海。西洋话剧在中国第一次正规演出，是一九二一年春汪仲贤和夏氏兄弟等演出的《华伦夫人的职业》（萧伯纳早期的社会问题剧）。戏很好，演出也严肃，但是在上海演了几天就演不下去了，这对当时介绍西洋戏剧无疑是个很沉重的打击。洪深先生通过《少奶奶的扇子》演出的成功实践，生动地（不是纯理论的，也不是仅仅翻译几部作品）把现代话剧介绍到中国来，初步奠定了中国话剧艺术的基础，功劳非常之大。洪深先生对中外文化交流起了很大作用，他第一个把西方导表演艺术引进中国，他第一个在中国舞台上介绍了法国大戏剧家罗斯丹的《西哈诺》，他是中国介绍西方戏剧的重要桥梁之一。

希望大批优秀人才茁壮成长

今天我们要建设四个现代化，需要成千上万优秀人才；我们要繁荣文学艺术，需要大批文学家、艺术家。发现人才、爱护人才、培养人才，是我们的当务之急。我们的戏剧创作要发展、繁荣，首先要有大批优秀的剧作者。建国三十五年来，我们已经培养了一批受广大群众欢迎的中青年剧作家，这是不够的。我们需要有更多的在国内、在世界上有影响的卓越的剧作家和巨匠。

"长江后浪推前浪，一代新人胜旧人。"这两句俗话符合唯物辩证法的基本原理。后来者超过他们的前辈，是毫无疑问的。我们要做大量工作。我们要为剧作家的培养提供条件，开拓新路。

现在学校里、社会上，通过各种方式办学，在培养大批人才。我们现有的高等戏剧艺术院校还满足不了大批青年求学的愿望。因此，创办电视大学、夜大学、函授大学十分必要。最近中国戏剧家协会《剧本》月刊社创办中国戏剧、电视剧创作函授中心，请有经验的专

【题注】载《剧本》1984年第12期。

家、教授，担任函授教学工作，目的是为了发现和培养更多的负得起这样重大任务的戏剧、电视剧创作人员，借此进一步繁荣戏剧、电视剧创作，提高创作水平。我赞成这样的做法，希望大批有志于戏剧、电视剧创作的爱好者，业余和专业的青年作者，能通过学习，提高水平，写出大批好的作品来。

过去，《剧本》月刊在培养和发现青年剧作者方面有一些经验，多次办过读书会。许多参加过历届读书会的青年作家都感到收获不少。这次创办函授中心，组织更多的学员学习，应当创出和总结新经验，真正把函授中心办好。

我希望把函授中心作为戏剧教育事业来办，出人才、出作品。我们国家富有大批聪明、才智的年轻人。只要我们能为他们提供学习条件，他们就能自学成才。如果我们引导得法，他们就能写出好作品。函授教材，要针对不同水平的学员，深入浅出，既要帮助学员学习戏剧、电视剧的基础业务知识和技能，又要结合实际，做到学以致用。针对学员业余时间少的特点，教材既要精选，又要提供学员进一步博览群书和了解最新信息的机会和条件，做到点面结合。我们要学习外国重要的古典和当代剧作家的名作，更需要学习我国古代和现代有代表性剧作家的作品。特别是现在我们许多优秀剧作的成功经验，也应当介绍给学员们，让他们从中吸取丰富的营养。

我希望广大参加学习的青年作者和学员们能多读，多思，多写。要多读优秀作品，提供给你们的教材和书目一定要读，而且要自己找好书来读。开卷有益，不要浪费大好时光。“心之用在思”，对提供给你们的思考题目要开动脑筋想，而且要自己提出问题来想。“学而不思则罔”。只是学，却不把事理用心去思索，就要昏昧。

你们还要多写。包括写作品，记笔记，写心得体会。总之要多动笔，苦用心。熟能生巧，但“巧”是从“拙”中来的。

参加函授中心学习的青年作者和学员们，我希望你们通过学习，提高思想水平和艺术修养。杰出的作者和胜任愉快的干才都可能出现。青出于蓝，而胜于蓝，我们热烈地期待着。

中国文化名人声音资料——曹禺

刚才，我这位朋友说我是一个什么杰出的剧作家，“杰出”这两个字啊是根本用得不恰当的，说我是个剧作家么也只能说一半，我确实在小的时候不曾想过当什么剧作家。我读了书，想当个教书匠，甚至想当个大学教授，研究点学问，我一生啊就希望这样过。但是不知道为什么，也许因为这个环境的关系吧，也许因为一种喜爱的关系吧，不知怎么样的就变成了一个写剧本的人了。

我生在一九一〇年，是宣统二年，还算是满清朝代的人呢。今年是一九八四年，我恰恰是七十四岁。回头一顾，我怎么会走上一条话剧的道路呢？我记得很小，我的母亲就带着我去看戏，不过是七八岁，看过很多很多台上只讲话的戏。那个时候啊不叫话剧，叫“文明戏”，又叫“新戏”。内容多半是讲旧家庭的悲剧，例如不许寡妇再

【题注】收录李玉茹编、钱亦蕉整理《没有说完的话》，山东友谊出版社1998年第1版。题下附注“根据录音整理”。另，文中“今年是一九八四年”，故当为1984年所讲。

嫁，不许青年男女讲恋爱，逼得一对爱人自杀，要么各自分离，凄凄惨惨地过了一阵，谁也没有得到自己真心爱着的人；再就是讲旧官吏的腐败，用钱买官，对内欺压老百姓，见着洋人就磕头作揖哟，洋人要什么就给什么。那时候的舞台啊就是讲台，台上常常有个爱国青年的角色，宣讲救国爱国的道理，讲得慷慨激昂、淋漓尽致，台下的观众鼓掌叫好，动人得很。后来，这种戏就被取缔了，衰落了，文明戏的内容跟形式也变得庸俗了，文明戏的舞台终于让给话剧了。

此外，我看了不少的京剧、河北梆子、平戏，甚至于文明戏夹唱之类的戏。我很爱看京戏，看了无数的京戏的老前辈的拿手好戏，譬如说杨小楼、尚和玉、刘鸿声、余叔岩、陈德霖、王瑶卿、龚云甫、王长林，还有个程继仙，这些人，都是大艺术家。在我岁数比较大，也许是在二十一二岁或者以前吧，在北京跟天津，我看过很多很多他们的戏，尤其是杨小楼、余叔岩的戏。那个时候，京戏艺术家马连良，大约还没有露头呢。他们的戏，从思想内容上说，封建的东西可不少，但是艺术上的成就那是无人可比的。有句中国古话说，叫做“废寝忘食”，我睡觉的时候想，吃饭的时候也想，有些剧词甚至自己也能哼两句。

我甚至于演过京戏，我在天津南开中学的时候，我就演过《走雪山》。《走雪山》大家不晓得吧，这个剧就叫《南天门》。我装那个义仆，义仆就是非常忠心于主人的老仆人。他的主人家，遭受了奸臣迫害，于是乎一家都被杀死了，就剩下一位小姐，他就带着这位千金小姐过了雪山，投奔她的婆家去了。我呢，扮演这个义仆，这个义仆叫曹福，巧得很，恰恰我现在叫曹禺。那个曹福，要唱，要做派，哎，还是个重头戏呢！我就带着我的这个千金小姐，一块儿过了雪山，见到她的婆家。那个扮演小姐的呢，是个小胖子，很重，我又瘦又弱，我扶她的时候，几乎把我绊倒了，台下一哄地就笑起来了。可我母亲看了，她说："哎呀，你真不错呀！"甚至于我的校长——南开中学的张伯苓先生，他说："哎呀，好得很，余派！"我高兴极了，那个时候我大约十七八岁，可是余派啊就是余叔岩的这一派，我母亲说："你呀，我看还是学戏吧，学京戏吧。"很可惜，那个时候我不想去学京戏，不然的话，也许我至少是个马连良吧。因为大家都说我的扮相不错，还很有个音乐感，唉，那当然是瞎胡扯喽。

此外，我很喜欢曲艺，尤其是京韵大鼓，譬如我听过那个时候的京韵大鼓之王刘宝全先生。有一段时间在天津，我差不多一两个月，每天晚上都去听。我还听过许多地方曲调，天津的时调、河南的坠子、北京的八角鼓等等吧。相声，我非常喜欢，这些都给我影响。

但是更重要的，是我在小的时候，就喜欢读小说。小说，给了我很大的影响。我们家里头，藏了不少的小说，譬如说中国的古典小说，像《红楼梦》《水浒》《三国演义》《西游记》《儒林外史》《镜花缘》等等，太多了。同时，我还买了很多侠义小说，鲁迅先生所说的各种谴责小说，例如《官场现形记》《二十年目睹之怪现状》，还有许多鸳鸯蝴蝶派的小说，我都看。这些小说，教给我知道种种人情世故，教我知道中国的封建社会是个什么样子。当然喽，我也读了元朝的杂剧、明代的传奇等等。有的时候，也读了不少的外国小说。当然，我们小的时候都是父亲请老师教我们古文，"四书"、"五经"、《古文观止》、《史记》、《汉书》、唐宋诗词之类的。这些东西有的是非背不可的，背不好要打手心，因此呢，古文的诗词就跟着学了一点点。但是，老实说，这些东西对我影响尽管深，那个时候确实不得进门呢。我觉得有兴趣的多读一点儿，没有兴趣的就少读一点儿，老师也不怎么指点，因此到现在才知道过去读的那些东西，没有真正把它的深刻的意思完全感受、完全体会出来。直到以后，差不多二十多岁了，再回顾我在私塾的时候读的这些个旧文章——唐宋八大家的文章吧，甚至于再古些，春秋战国时候的文学——《诗经》《左传》《战国策》《楚辞》等等，今天才明白，才知道。小的时候懵懵懂懂地读并没有真正领会到什么，再读的时候才觉出一点点味道出来。这就是我一般的文化吧。

那么，我怎么会搞话剧呢？大约十四岁的时候，那就是一九二四年，我考进天津的南开中学，从这个学校我首先学到话剧。我们这个学校有个“南开新剧团”，这个“南开新剧团”那是南开中学的一个宝贝[1]。它是从一九〇六年就开始有新剧，新剧的意思是对于旧剧而言，用“话”来演戏，没有锣鼓，没有歌唱。但是它所演的都是传达当时的进步思想，譬如说，反包办婚姻哪，反庸俗的乡绅旧习惯、坏风气，反许多要钱不要命的官僚……这类的戏无论如何在当时是比较进步的东西。我十五岁的时候，就参加这个剧团，以后几乎有时间就演戏，一直演到我二十岁，二十岁还不止，离开南开大学以后，我还在演戏。我演的戏可以说不算太少，譬如说演过易卜生的《国民公敌》《娜拉》，演过高尔斯华绥的《斗争》，那个戏是讲工人跟资本家

---

1 “宝贝”底本作“定贝”，当作“宝贝”。

斗争的戏，这个戏现在看来，恰恰是从阶级调和这个路子来写的。除此以外，我演过德国的霍普特曼的《织工》，这个剧本，可以说比较彻底地为工人说话，讲在德国的西内西亚的一个地方十九世纪末叶纺织工人的罢工，这个戏当时确确实实对我的思想有了一点点启发。除此之外也演过中国戏——中国的话剧，“南开新剧团”本身就常常地自编、自导、自演。这个新剧团有自己的老剧目，也可以说是保留剧目吧，到我这个时候都要经过一番改变。我呢，恰巧被我的一位老师——张彭春先生看中了，张彭春先生觉得我仿佛像能写点什么似的，一方面让我演，一方面也叫我改编。就是那些个旧的词句，或者结构不够好的地方，就叫我改，改成好一些、新一些的。原来一些老剧目，譬如说有个剧目叫《新村正》，我知道大概的意思，材料并不知道多少，几乎等于写了一遍。那么，也改编外国戏，莫里哀的《悭吝人》，我就改编成适合中国社会情况的戏。譬如说剧中主角阿巴贡，就改成韩伯康，整个事情都变成是中国的事情。那个时候改编当然比较粗糙，但是无论如何是中国味了，是穿袍子、马褂的了，不是洋人了。这样，观众就比较容易接受一点，自然，我也力所能及地改动了一些。我们还演过中国剧作家的戏，丁西林的戏，还有陈大悲的戏。此外，我还导演戏，当然是话剧。我读了许多剧本，很多外国的剧本，从中学一直到大学。我上过两个大学，一个是南开大学，一个是清华大学，在清华大学我读的是西洋文学系。我呀，总在图书馆呆着，那个图书馆的管理员对我非常好，他许可我进书库。因此，我这个人啊，就在书库里头成天地呆着，等于四周围都是书，我可以随便地翻，翻了很多很多的外国的剧本。我有时看得好，就看下去，看得不好，就放下搁在原来的地方。有这么一段时候，可以说早早晚晚都把时间放在读西洋剧本里头。还有，在中学的时候，我的老师张彭春先生出国了，他留给我一套英文版的《易卜生全集》，我读得也不算太少。

我写戏，大概走的是现实主义的道路。这个现实主义的道路啊，也并不是经过我选择的，而是自从中国有了话剧以来，话剧基本都是走现实主义道路。中国的话剧，是跟政治、跟社会革命发生比较密切的关系。一方面话剧是一种娱乐，但是，话剧是跟政治、跟教育人民有一种千丝万缕的关系。那个时候的剧团，多半是业余剧团，职业话剧团比较少，这些业余话剧团和职业话剧团体的演出都是和当时时代精神紧紧联系的。

为什么我要写话剧呢？倒不是我确实负着革命的使命去写的，我当时也没有这么高的觉悟，我只是觉得我所见到的事情、我所看见的人使我有一种感想，有许多事情我看不惯，有的不只是看不惯，简直是厌恶，也许不只是厌恶，是愤恨。所以呢，我不知不觉地就非想写出来不可。从我的生活当中，从我的家庭，从我的朋友、亲戚当中，我知道了许多事情，也见到了许多事情，这类人物、事情叫我有这么一种冲动，要把它写出来。写，是我的愿望，我确实想把这些东西告诉大家。为什么呢？为了推翻它，但是推翻的意思，不像现在这样的明确。不过，有一点我是明确的，我当时所处的那种社会环境，那种随时使得人透不过气来的环境，必须要砸碎，必须要重新地改造过。这个想法，你要说它革命，也许可以这样讲，但是确确实实这是出自我衷心的感情，一个作者衷心的感情哪！旧中国的社会，如果那么坏下去，中国就没有前途。我有的，就是爱国的思想，有的，就是对旧社会的反感。总之，是我所见到的丑恶的现象，不能再允许存在，或者不能再发展下去。

因此，我写的第一个叫做《雷雨》的剧本，可以说把旧家庭，也可以说把半封建半殖民地的这么一个社会的家庭，把它的罪恶，把我所感到的一种丑恶表现出来。我当时在我这个家庭里头，又看到一些父亲所交的朋友，他们家庭的种种事情，我知道得不少，亲戚当中，我知道得不少。差不多十几年了，打我知道事情的时候，就感觉得有个什么问题，真正变成个戏呀，那还是二十三岁把它写出来的。大概十九岁开始，我就酝酿这个戏，很早很早，迷迷蒙蒙地有这么个意思。这个戏说起来，差不多写了五年，哦，实际上，中间不是天天地在写，断断续续地有这么个萌芽，有这么个企图，一直到人物出来了，结构出来了，这就不知道反复搞了多少遍了。真正把它写出来啊，我费的时间并不长，也不过半年。大约，不到半年，甚至于五个月吧。我记得就在一九三三年，我就在清华大学的图书馆，那个旧图书馆，在那个旧图书馆一个专门搁许多外国杂志的书桌上，我占了一个位子，占了一把椅子。我在那里闷头日夜地写，我甚至于感觉到写得快得要命，因为这个戏的大纲，都写得差不太多了。这就叫我想到，为什么那个时候写戏并不感到这么困难，因为大约写戏确实必须有你真正从个人经历当中感觉出来的东西，没有亲身经历就不可能有这种欲望想写。

譬如说，大家很注意这个蘩漪。蘩漪，我确实见过，我看过许多的蘩漪。蘩漪所遭受的痛苦，她所遭受的说不出来的被压迫的感情——想翻身、想挣脱出来的，可是就像是坐在铁笼子里面憋久了挣脱不出来的情感，差不多我所见到的种种蘩漪，每一个人都有一些。但是事实上，她们确实不像我所写的那么有勇气，我写的，就是我所希望出现的那么一种人，就是蘩漪那种人。当然啰，这个蘩漪，在旧社会是要碰壁的，所以写到最后，蘩漪的一生是个悲剧，她想的种种路子都行不通，她逃不出来，最后是疯掉了。当时，我没有这么很理智地想，可是这个结果是很自然的。那么，还有其他的七个人物。她的丈夫周朴园，这个周朴园哪，我也是见过的，当然都不是我现在所写出的那个样子。反过来，这个角色在年轻的时候，也许不会那么凶狠、恶毒，他有他的历史原因的一面，在他年轻的时候也不是生来就是个坏蛋。我也见过某些个跟我同时代的青年是什么样子的，因此，我想到周朴园在他年轻的时候是什么样子。

总之吧，从这个戏中，我发现了一个问题。今天才觉悟到的一个问题。譬如伟大的高尔基，高尔基写了多少伟大的小说和戏剧，他本身是工人，做过各式各样的事情，各种职业都干过。他的文字的驾驭能力，当然都是由于他的自己的勤奋，自学搞成的。但是他的感情，他的生活积累，他在生活当中感受的情感、感受出来的思想，那是他作品中最高的东西，他是用最高的思想和情感写作的，他的东西深深地打动人。古往今来，所有的大作家，都有极丰富、极饱满的生活经历。他们的作品来自他们的生活经历当中，在生活当中锻炼，在生活当中思想，在生活当中苦闷，在生活当中斗争，在生活当中终于想出个道理，而又终于磨炼出来一支好笔杆写成的。写出他自己所要写出的人物和思想，这里头的道理是很明白的。莎士比亚、英国十九世纪的狄更斯，还有我们所崇拜的哈代，帝俄时代的托尔斯泰、屠格涅夫、契诃夫，沙俄时代的高尔基，他们写东西没有一本不是反映他们自己的生活经历。《红楼梦》，当然是我们的伟大的曹雪芹的生活经历。更重要的，就是真正要有一个会表现、善于表现的本领，这就是艺术的功夫。所以，好的作家必须是要从自己的真感受，或者说深刻的感受，从生活当中深刻地感受锻炼出来的。你说，这个伟大的托尔斯泰，他，能够写贵族的生活写得那么好，同时写农民的生活也写得非常好。为什么？因为他自个儿确实感到他不满意他的贵族生活，又确实真正参加了农民生活。当然，他又劳动，又跟农民在一块儿过过，而且真正感觉到农民的痛苦。呃，这个农民应该说是农奴。当然，他的一套思想方法，那是他自个儿的。作为一个伯爵的托尔斯泰，而且作为一个沙俄时期的宗教的叛逆者，他写了伟大的作品。他，始终离不开宗教，他要用宗教来改造社会，这种思想是他的时代的限制。所以我就讲，我们可以写出东西来，而且写得很好，但是在某些部分，就因为它时代的局限性吧，写得不全是完美的，思想上有某些可以讨论的地方。但是，只要你生活经历过的，而又真正在生活经历中思索过的、斗争过的，那种思想感情总是可以多多少少地打动人。当然，伟大的作家，可以震动你的灵魂，使你觉得人生是这样美丽啊，人生是这样的复杂啊，使你感觉有前途、要前进，使你自己的灵魂高尚起来。

《雷雨》这个戏，是一九三三年上半年写好的，隔了一年工夫再发表是什么道理呢？那就是一九三四年，巴金的眼睛看中了这个戏，他介绍给《文学季刊》发表的。发表之后，有许多剧团演，常演出，这确实使人高兴，尤其是对于我，那个时候一个年轻人，刚写作的人。但是，也有感觉不那么愉快的时候，就是说，我常常看到的演出总不觉得是我所想象的——舞台上的人物不是在我脑子里所想象的那个人物。那些个角色，有的演得不够足的，或者说有的演得过火了的，不真实的，尤其是被夸张的角色，使我感觉到就不如我当初写剧本的时候那么愉快。为什么呢？我写剧本，有一个一直到现在丢不下的毛病——我的剧本总是想给读者读的，另一方面，哪有写剧本不希望演出的呢？因此，我写的描写人物的话，写得很多，提示非常之多，舞台指示很多。一方面，那是为了叫演出者可以理解，一方面呢，也是为了读者可以有点兴趣。

第二个戏是《日出》，我曾经说过的，我希望不再写《雷雨》那个样子，要换一个方法写，所以《日出》就用了不同的写法。我受过契诃夫的影响，同时我也可以说，我受过易卜生的影响，虽然，我没有演过契诃夫的戏，我只是读过，从剧本上读过。最近，有人写过我和契诃夫的关系，有一篇文章，大约在《文艺学评论》上，我看过，这篇文章写得不错，因为他理解契诃夫，所以也理解我所写的。尽管我写得不好，可是受契诃夫的一定的影响，但是，我写的是中国的东西，而不是契诃夫所写的沙俄时代，这一点很不相同。

那么，以后写了一些戏，《北京人》这个剧本，那是我认为比较深一点的东西。还有《胆剑篇》《王昭君》，这也是我学习写历史剧的尝试。但是这些东西已经经过它时代的义务，有了当时的一定的作用，这有很多人讨论过，我也用不着多谈了。

我写得并不多，实际上这一生，我也不过写了十个戏。到今天，我常常有种想法，就是为什么我写得这么少，太少，太少了！对我来说，我应该向我的朋友忏悔，或者向我的读者、向我的演员、向我的观众忏悔，忏悔什么呢？忏悔写得少。这也就是说，我浪费的时间太多了，没有好好地利用时光，大好光阴浪费得太多了，从四十岁以后，就没有怎么好好地利用时间，这是一点。我常常见着年轻的同志们，他们或者好写作，或者好演戏，或者好导演，我常告诉他们这一点。我说："你们真是最可羡慕的，这就是这个最宝贵的青春时期，千万不要浪费时间，不要耗费光阴哪！没有一个作家，没有一个艺术家，不是勤奋、不是从苦练中练成的，他的作品也是从艰苦琢磨得来的。所以，我愿望你们勤奋，正如许多作家勤奋一样。"后来，我搞其他的事情太多了，几乎忘记了写作。当然啰，还有许多其他的原因，但是主要的是自己不勤奋，后来偶然写作也不够勤奋。我们的前辈，譬如鲁迅、茅盾、巴金、老舍，一生都是十分勤奋的。我佩服茅盾先生写了许多巨大的作品，我更佩服他的人格，我没有想到，他在年轻的时候就找到了一个自学的道路、自学的方法。他，受母亲的教育，从古典文学当中，从革命的文学当中，外国的文学当中，学了很多的东西；他，在商务印书馆当编辑；他学了不少的外国文字，他学日文、学德文，英文他老早就很好了。他不只是知道方法，他知道方向，这一点，茅盾先生是最了不起的，真可以说是我们的老前辈。他是个共产党员，连他的弟弟和他的夫人，都是受了他的影响参加了共产党。所以我觉得，一个革命作家，必须走过革命的道路，做了革命的人，才会有很深的成就。我很感动，也很后悔，为什么在茅盾先生活着的时候，我不常去访问他，不常跟他接近，向他学习。以后，读了他那本《我走的道路》之后，才想到，我虽然很恭敬他，总感觉到自己跟他差距得很远，无论从写作上、从学识上、从刻苦上，都差得很远，就没有和他多接近。其实，我认识他还算比较早，我在三十年代就认识他了，我写《日出》之后，他还写过文章鼓励了我。我记得正在抗战初期长沙大火之前，茅盾先生给我写信，叫我写文章，那个时候匆匆忙忙连封信也没有回。

我这个不好写信的毛病啊简直糟糕透顶，很多朋友，譬如巴金，过去给我写了不少的信，我很难得回一封，而他给我的信我也丢了，真正可惜呀！巴金可以说是老朋友喽，五十多年的朋友。他真勤奋，他现在有病，已经八十岁啰，几乎每天要写几百字。这样的事情，我看古今中外很多大人物的传记里头都有。勤奋，这是头一条；再一个，就是生活。

我认为过去的生活不丰满，这个不丰满的问题是什么道理呢？中国话，有一句“生于忧患”，我们那个时代绝大多数人是生于忧患的。中国的旧社会，真是光怪陆离啊，奇形怪状啊，真正是人吃人哪！一方面，杜月笙在上海办他那个杜家的祠堂，搞得真是热闹非凡；一方面在陕西，简直是几十万、几十万的人死去，真正是人在吃活人。中国人民所经历的真正的痛苦的最深处，我没有尝到，没跟着人民一块儿过过，因此我所写的，多半是上层社会或者中上层社会，而真正下层老百姓的生活写得很少，除了一个《原野》。

我写《原野》，不是没有根据的，我看过当时遭了兵灾、旱灾的北方的农民，见过农民逃到天津住窝棚、卖儿女的事情，见过天津附近农民的生活。我的一位保姆段妈，她是河北的农民妇女，她的老人、孩子、丈夫都死了，她给我讲了许多农村的事情和人。那些残酷、惨痛的事情，给我的印象很深，给我很大的震动。我也听过东北的同学们讲东北农民如何受压迫、受残杀，就是这种惊心动魄的事，使我写了《原野》。

我并不是说我过去写的戏都好，都正确，这个我不承认，因为在旧社会，只要是有一点正义感的人，就会有许多话要讲、要喊，尤其是我所看到的上层社会，都是非打倒不可。中国有一句古话叫“画地为牢”，这是司马迁《报任少卿书》谈到的这个话，那个意思就是说，在地上画一个圆圈，自己就不敢出去[1]。我觉得我过去大约有时候把自个儿画个圈圈，没有怎么跳出来，没有参加过多种多样的生活。这当然有许多历史的原因，其中也有我家庭的原因，我的家庭是个军阀官僚家庭，更适当地说是个旧官僚家庭。但是这些都不对，把一切原因都说出来，都不足以自解，都是推托，种种推托。我是一个少爷出身，那个时候比较富裕，到我十七岁的时候父亲死了，家也破产了，这样倒是可以有各种各样的经历的。但是，大学毕业以后，我教书去了，后来没有过过很多的艰苦生活。当然，生活也是可以自己主动去经历的，我经常感到我没有主动地去经历、理解各种生活。但是，作家的路子还是不同的。比如说，法国作家司汤达，他的《红与黑》这本小说能说不深刻吗？这是了不起的经典著作，但是司汤达过的，绝不是高尔基那种，也不是狄更斯那样的一种非常丰富的生活。

一个作者到了老年，回顾一下，看看自己走过的道路狭窄，窄

1 “出去”底本作“进去”，当作“出去”。

呀，道路狭窄，这是痛苦的，很痛苦的。因此，我自己正想写点东西的时候，就感觉到生活贫乏，自己真正感到的东西、需要的资料没有多少，就悔恨，就难过。中国有句话，“江郎才尽”，我不说“才尽”，我有没有才，真是个问题。一拿起笔来写现在，就感觉到自己空空，肚子里空空，一无所有，不像从前那时候，拿起笔来顺溜极了。

对我来说，写作过程，大约是想出点故事和人物来。一开头，并不是每样事、每个人物都完全想通了的。我见过一些，见过这个，见过那个，凑起来，先有个轮廓，再逐渐找资料、多思索，以后又反复修改写出来的。我过去写东西，那些人物有的不只是见过，而是很熟悉的，现在就不像以前那么样，有那个所谓的冲劲吧。并不是因为我老了，我一点也不感觉我精神老，我一点也不感觉，就是有时候很苦闷。我的苦闷就是想出东西，但是觉得人物、思想、生活积累都不够，因此一脑子的东西，总在反复地琢磨、反复地想，最后我自个儿还是不满意。到现在为止，就是这个状况。

还有一个问题，就是读书问题，我常跟年轻人讲，如何读书啊，确实是有道理的。一个是读得广，可是世界的好著作太多太多喽，就是站得住的东西，读一辈子，给你四个辈子，就算一个人活八十岁，给你四八三百二十年，也读不完。但是主要的经典著作要读，而且最好找那么几本确确实实地读透了它。这一点我现在回顾一下没有做到，这就成问题喽，老是找着有兴趣的读，读的时候不狠狠地思索。当然，我也不是完全那个样子，有的书我也是下了功夫，读，一读再读，甚至于写笔记也有过。实际上，基本上是大著作，应该翻它一翻，而且好好地看，读完之后反复地想，记一点儿心得，为什么它成为那么伟大的东西，这样做大有好处。尤其是，我们这些搞写作的人，古往今来的大小说、大剧本、大哲学家的著作，都要读一读。当然，更要学习、认真学习马克思主义毛泽东思想和其他作品。我们写的东西，总要给人民一点希望、一点力量，那么，我们就必得有点儿清醒的政治头脑，有点儿辩证法，有点儿历史唯物主义的观点，那么，我们可以少犯点儿错误，少走点儿弯路。假如说应该忏悔，我忏悔我几十年来没有真正读过书，这个窍门啊，要早早地知道，应该在十几岁的时候就打下这种基础，应该十四五岁就懂得了读书的要领。如果十四五岁的人干到现在，常常地手不释卷——一个是手不释卷，一个是各种生活经历你都经历过，一个是用头脑写，就这么三条。当然，更重要的就是思想——常常思索。

我们走哪个方向？革命的方向。当然，我不能不感激党给我的力量。记得我小的时候读《晨报》，看到大标题，就是张作霖把李大钊同志逮捕后给绞死了，他和他的同志从容就义，为真理牺牲，我真是感到共产党人确实跟一般人不一样。我的家里的人在干什么呢？三个人在抽鸦片烟——我的父亲、我的母亲、我的哥哥，大清早不起来抽鸦片烟，到了晚上半夜四点钟才睡觉，下午四点钟才起来。所以我想，这叫什么生活哟！这是我的觉悟吗？我猜想也不是。我就是感到有这样了不起的人，为了一种崇高的事业牺牲自己，绝不在意下。现在越看李大钊同志过去所写的东西，真是铁肩担道义，是伟大的人。那个时候，我不太懂，仅仅读了报纸，感动得异常。

我在高中一二年级的时候，有个同学叫郭中鉴，他也是共产党员，我当时不知道。郭中鉴同志是四川人，不大说话，当我们的班长，他功课非常好，你有哪一点儿不行，他当面跟你讲，教你。后来，被抓去了，最后据说是被军阀杀死的。他的行为、言谈教育了我。

以后，一九三六年，我在南京国立剧校教书，有个地下工作者叫杨帆，他那个时候不叫杨帆，我觉得这个人很奇怪，他是张道藩的秘书，张道藩是国民党的一个要人吧。杨帆常常找我聊天，他就跟我谈什么叫社会主义，他说："希特勒也自己称他是搞社会主义呢！"他说，"社会主义这四个字，到处乱用，你可得要分清楚"。我记得有一次，我们两个人在一个操场上，像是一个夏天的中午，他跟我第一次唱一个歌，低声地唱。唱完之后，他说："你听，好不好听？"我说[1]："好听啊！"他说："这叫《国际歌》。"那个时候我多大岁数？二十六岁。我真是个后知后觉的，到了二十六岁，才第一次听到《国际歌》，而且已经做人的老师了。

当然，最早教育我的，还是鲁迅先生的著作。我不是说革命大道理完全从鲁迅先生那里学的，但是，一个人为什么活着，从他的小说，从他的《故乡》，从他的《祝福》《狂人日记》《阿Q正传》《呐喊》《彷徨》，还有鲁迅先生的杂文，这些给我打了底子。还有郭沫若的《女神》，也启发了我，还有不少中国和外国进步的文学，给我打了一点儿基础。

也许是一九三八年，或者一九三九年，在重庆，我见到周总理。周总理那个时候叫周先生，周总理叫我去，我当然非常高兴。他平易

---

1 "我说"底本作"他说"，当作"我说"。

近人，他跟我随便地谈话，我们谈着谈着，忽然日本飞机来轰炸，他就说：“咱们一块儿躲一躲吧。”我就坐着他的车，开到山顶上去。瞧见日本的飞机，其实不大，我们看见日本的飞机和炸弹，一个炸下来就是一片火，在山顶上看见城市的火就着起来了。他就告诉我，“抗日！抗日啊！我们现在不抗日，必然亡国，必须抗战到底”，他还告诉我抗日救国的大道理。后来我跟周总理见了好多次面，有的时候也有郭老在那里，有的时候巴金也请去，有的时候老舍也请去，有的时候我单独去过，见了不少的人。有一次，我见过毛主席。一九四五年，在毛主席从延安飞到重庆的时候，我见到了他。他问我：“你多大岁数啦？”我告诉他，我三十五岁。毛主席说了一句话，很有意思，他说：“足下春秋鼎盛，好自为之。”这当然是勉励我的话喽，实际上，看我年富力强，告诉我要好好地为人民服务。

一九四八年年底，解放战争已经到末期了，上海眼看着就要解放，南京已经快要打下来了，我接到地下党的通知，地下党让我们到香港，从香港到北平，那时候不叫北京。一块儿去的，有柳亚子、叶圣陶，还有赵超构、王芸生、马叙伦、马寅初，还有些别的人。到了北平，开第一次政治协商会议，后来就跟着郭老参加第一次世界和平会议。开国之后，又参加了中苏友好代表团，参加苏联的十月革命节，我那会儿老远老远地可见着斯大林同志，这个也是不容易忘记的。

有时候我想，我真是个最幸福的人，幸福在哪里呢？就是当代的几个最伟大的人，我都见着了，而且有的我还比较熟悉。我也觉得很遗憾的是，就是我始终没有常跟他们多呆一起，能够多学习学习。这话怎么讲呢？就是在听他们讲话的时候我应该多思索，而没有这样做，这一点我感觉后悔。

还有陈毅同志，陈毅同志很容易接近人。我记得我在北京颐和园养病，陈毅同志专门来找我一趟，谈什么呢？就是谈“你要出去呀！你要看看十三陵水库正在搞得热火朝天”，他跟我讲，外面搞得怎么热闹，“你应该参加这些个火热的斗争”。我曾经看见过这么多的革命的领导者，但是没有深深地体会到，从接触当中真正得到他们的教育，这是我深深认为遗憾的事。

我今天仿佛讲了不少似的，应该谈点今后的问题了。我确实想写点东西，党所希望于我的呢，也是希望再写点东西。但是现在有个问题，对我来说，真正要写工农兵，是写不出来了，因为我没有这些生活。这么大年纪了，去深入工农兵的生活是不可能的喽，所以呢，还是从我所熟悉的生活中写。我很想写，但是反复搞了好多次，总觉得不满意。看吧，总之，应该再写点东西。作为一个剧作者，当他的生命不是太长的时候，再发出点热，时间不要浪费掉，不要再像我过去那样子浪费，我觉得还来得及。正如我在写《家》这个剧本的时候，这个《家》基本上是根据巴金同志小说《家》写的，但是我写觉慧这个人劝过他的哥哥，他说：“任何事情总没有太晚的时候，需要的是勇气。”我觉得我现在已经有所觉悟的时候，感觉到我不太晚，而我还有点勇气，这就是我现在的想法。

祝贺《新剧本》的诞生

北京市办了个戏剧刊物，叫《新剧本》，我很高兴，我衷心祝贺这个刊物的诞生！

这个刊物的名字起得也好，古往今来，剧本很多，但“新”都很难。新的人物，新的思想，新的形式，可以说任何剧作都离不开一个新字。我觉得我们这个《新剧本》如果真的能在“新”字上下一点功夫，下一点力量，当然更需要多一点勇气，那么是可以在众多的戏剧刊物中打开新局面的。

我国的戏剧历史很长，在漫长的戏剧长河里，曾出现过不少光照千古的戏剧作家作品。今天，我们处在一个伟大变革的时代，我们的国家，我们的人民，我们的各项事业，其中也包括我们的文艺事业，在经历了各种艰难曲折以后，正在面临一个新的伟大的突破。我们的文艺事业，我们的戏剧事业，一定要繁荣，空前昌盛的局面，是注定要出现的。我们会有我们今天的汤显祖、关汉卿，也应该有我们中国

【题注】载《剧本》1985年第1期。

的易卜生、莎士比亚。伟大的时代，呼唤着伟大的艺术！

我相信《新剧本》会在促进北京市，乃至全国的戏剧事业发展方面，起到积极的作用。我希望不断地有新的剧作家、新的戏剧作品，在这块新的花圃上出现。我也希望社会各界，特别是戏剧界的同志们，不管是老一辈的戏剧家，还是中年戏剧家，当然也包括年轻的专业和业余戏剧工作者，大家都来关心和爱护这朵小花、这朵新花；都来施肥，都来浇灌，使她很快地长大起来，成熟起来，健壮起来，结出丰硕的果实。

我祝贺我们的戏剧工作者，祝贺他们又有了一个新的属于他们的园地；我祝贺《新剧本》，祝贺她的诞生和她光明的未来。

中国剧协主席曹禺同志的讲话

各位同志，今天我特意刮刮脸，穿上新衣服，打扮打扮才来的。道理就是庆贺中国评剧院建院三十周年纪念。我想起大约在三十年前——一九五五年一月，开办中国评剧院。从那以后，正像彭真同志所讲的，吸取各种剧目的特长是头一点，第二点就是要创作群众喜闻乐见的、健康的剧目，这两点无疑你们都做到了。

我特别感觉到，在中国评剧院的不简单的历史进程中，你们创作了许多新剧目。还有很多老的艺术家，如过去的小白玉霜、魏荣元，还有现在的新凤霞、喜彩莲、马泰等等同志，都是北京市一带和许多省市的群众喜欢听的、喜欢见的大演员。你们毫不吝啬精力来创造各种各样的人物。第二点，你们有一个共同的美学观点，用戏剧这个体裁来演近代、当代的题材。这是你们最成功的最大的特点。刚才听胡斌大姐讲，我才知道评剧是全国第二大剧种。第一是京剧，第二是评剧，我原来以为是越剧呢。评剧这个剧在云南、贵阳都有。因此，评

【题注】载《中国评剧》1986年第1卷。

剧是全国人民真正喜闻乐见的大剧种。你们有这样轰轰烈烈的成就，是因为有一个团结精神，就是作家、导演、音乐家、美术家和表演艺术家有这样好的一个共同的美学观点，就是为当代的现代的健康的剧目，创造出最美丽的演出，表现时代精神。这个就是你们团结的目标。因此，你们紧紧地团结起来，创造出无数的好的剧目。这些剧目用不着我说了，你们都看过了，还有，就是你们有一个发展的观点。这个发展的观点，是我们最佩服的了。我觉得每一个剧种要是不发展，必然是倒退的，甚至叫人忘掉。在所有的剧种中大约最会发展的可能是评剧，也许我夸张了，我个人觉得是发展的。很多东西过去所没有的，你们有了，如花脸、老生唱腔。我看过魏荣元的《秦香莲》，那真是了不起。他演的包公，真是活包公似的，唱的味道好听。还有各种腔调也发展了，音乐也丰富了，根据彭真同志所讲的，“吸取各种剧目所长”。而你们把这些所长给丰富起来了。你们把大家过去瞧不起的一个剧种，创造成为一个最光荣、最能表现中国人民愿望的，最能表现时代精神的、高尚的、最为人民喜闻乐见的一个剧种。这是我们最引为光荣的。

作为中国戏剧家协会的一个干部，作为中国的一个戏剧工作者，我觉得参加这样一个盛会，不仅感到光荣，而且感到自豪。我为有这么一批很可爱的戏剧家们在一起造成这么好的一个剧种，特意写了一句话：“一曲能令万古传。”我希望你们这个剧种能万古传下去。如我们的关汉卿、王实甫，外国的莎士比亚都是万古传。现在我们正处在黄金时代。我们必须有黄金一般贵重的剧目、黄金一般贵重的演员以及其他种种。因此，真正“一曲能令万古传”，必须要做到表现今天的精神。

我觉得我们戏是演人的、演人情的、演人的感情与思想的。如果做到了这一点，而且真正表现出来，用真正的内心感情表现出来，那就要有充足的文化修养。现在的评剧演员，比从前不知高了多少倍。将来的人，那就是说，十年、二十年、一百年、二百年以后的人，还是会欣赏那时候的评剧。当然，他们会记得你们，曾经为评剧下了大功的大艺术家们，他们要向你们表示感谢。我代表中国戏剧家协会向你们表示感谢！

我所知道的奥尼尔

——为《奥尼尔剧作选》写的序

许多剧作家离不开早年困苦艰难的生活，接触各色各种人物，经过不断的职业的变迁，一生在对生命的追索中沉思默想，用自己独特的戏剧表现方法，传达自己的思想与感情。

尤金·奥尼尔就是这样一位杰出的美国剧作家。他当过职员、水手、新闻记者，到过南美和南非，甚至于当过无业游民，在码头上荡来荡去，又在哈佛大学学习过编剧艺术。他的剧本有些是传世的创作，为美国文学开拓了无边的戏剧王国。他是美国话剧的光荣，是美国多少年来罕见的天才。

他少年时跟随他当演员的父亲，过了一段舞台生活。他具有敏锐的舞台感。他一生试验过各种不同的戏剧形式表现他对人生的认识。他受斯特林堡的影响；他博览经典作品；他苦闷，资本主义的社会使他感到非常烦恼，他看到了美国社会严重的矛盾。

【题注】载《外国戏剧》1985年第1期。

从下层社会以至到上层社会，他的剧本可以说包罗万象。他的饱满的生活和理智分析使他深究不同的人性。在他笔下，任何题目都吸引你，使你思索，使你惊叹他善于表现的才能和他所赋有的异常的戏剧感。他试过象征主义的手法，也用过表现主义的手法，但他又似乎不属于哪种流派。我以为他基本上是个写实主义者，深刻的写实主义者。

他写出难以言传的美国社会中的悲哀与痛苦。他挖掘揭示人物的性格、心理，那样沉厚深透，以至于使我们惊叹人原来是这样的复杂，彼此之间又多么隔阂，难于互相理解。他表现了极端的爱与恨，他写了多面的生活和社会。他的舞台像是一片望不到头的海洋，汹涌澎湃，风起云涌，暴风旋来，它的怒潮腾起多么高的浪花。有时又风平浪静，月光照着波纹，海鸥水鸟，夜光云彩；但又使人默默感到海下蕴藏着无穷的思想与情感的暗流。

他的剧本，有些我是很爱读的，我在中学，读过他的《天边外》，那一对兄弟的悲惨遭遇使我深受感动。天之外究竟是什么呢？幸福是不可及的，只有幻灭、虚无。事实上，追求的结果是痛苦。这些美国人中的雄心勃勃者、追求理想生活的人，仅仅是普通农场中的两兄弟，也不曾得到他们追求的目的。两兄弟罗伯特和安德鲁，以及他们共同爱着的露丝写得真实动人。《天边外》显示了奥尼尔的结构本领是无可比拟的。

至于他早年写的海上水手的几个独幕剧，虽然都是短短的一段，在他的剧作中却是使人难忘的作品。

后来，我教书了，我对学生们讲过他的《安娜·克里斯蒂》。安娜小时，被当水手的父亲托与人家抚养，被强奸后又沦为妓女。在一个码头的小酒店里，终于和当年失散的父亲相认。她放弃旧生活，同父亲住在一艘运煤的驳船上。他们救出落海的青年水手布克。布克与安娜相爱了。老水手一生离不开海而又恨海；海是神秘、凶恶、残酷的，海使他漂泊了一生，永无定居。他和布克多么渴望着土地、家庭、朋友，过一种陆地上的常人的生活，而不再是一个个的码头、酒店，与他们鬼混的妓女，可怕的酗酒和酒醒来后的腐烂的世界。强悍、可喜的布克一直盼望找到一个白璧无瑕的姑娘，同她在陆地上建立自己的家。有了安娜，一切都像是可以实现了。然而安娜告诉他，她当过妓女。快乐的憧憬破灭了。但是，布克是善良的人，他也离不开安娜，他们终于又言归于好。但这老少两个水手都是穷困潦倒，都没有一点积蓄。为了给安娜一个陆地上的家庭，为了又一次幸福的憧憬，他们不约而同地签了当水手的合同，到遥远的非洲去。老父亲与心爱的情人又要与安娜分离了。海成为他们的敌人，他们恨这充满了风险的海，但他们又登上船去了，不知何时才能重见。安娜留了下来，她将长久地翘首等待。

一九八〇年，我曾在英国斯特拉福——世界闻名的莎士比亚诞生的小城——看这个戏的演出，是莎士比亚剧院的演员朋友们邀我们在一个小剧场看的。这个小剧场很像一个存放汽车的棚子改建的。大约只能容七八十个座位。事先得到通知，要带着棉被去，因为正是冬天，铁棚似的剧场很冷。我们拥着厚棉被，观看了英国第一流演员们演出的《安娜·克里斯蒂》。那真是出人意外的精彩。我们忘却了一切，沉浸在无比的兴奋与感动之中。一个个出色的人物在表演，把奥尼尔原作的精神表现得那样有力。海员内心的痛苦，妓女的追悔，对旧生活的憎恶，对爱情的渴望，以及结尾时三个善良的人那渺渺茫茫的希望，是那样淋漓尽致，惊心动魄，使人感到作者的心怦怦地在我们耳旁跳动。

奥尼尔对人物的描写是十分精细准确的。即便是那些无关紧要的小人物：酒店主、小伙计、老妓女，都几句话便把他们一个个活生生地勾勒出来。

我们被《榆树下的欲望》的深刻性感动过。资产阶级家庭争夺财产是一个普通的主题。在奥尼尔笔下，真实的爱与对财产的贪婪成了难以调解的矛盾。最终，年轻的继母艾比为了表明她对丈夫前妻之子埃本的爱情，把两个人私生的孩子掐死。爱情似乎胜利了，但埃本和她都遭受了罪恶的惩罚。希腊悲剧曾经有过类似的故事。然而奥尼尔却在美国一个农场里铺叙起这个故事。剧中每个人物的性格都充溢着鲜明的美国乡土味。他刻画人物是既深又狠的。两种欲望激烈的争斗，那种残酷性使人战栗，使人觉得奥尼尔对人生探索得多么深透。

在大学时我读过他的三部曲《哀悼》(或名《只因素服最相宜》)。他受古希腊悲剧诗人埃斯库罗斯的《奥瑞斯忒斯》三部曲的影响，写了这样一个长剧本。他写美国内战时期曼农将军被其妻谋害，经过许多曲折，其女拉维尼亚串通弟弟杀死了母亲的情人，逼死了母亲，最后与她有关系的人都死了，她掩门独居，黑窗帘罩严所有的窗户，穿着哀悼的丧服，独自负担这个名门家族的罪孽。爱情、情欲主宰了一切。弗洛伊德的学说是一个幽灵，缠住了戏中的人物。读了这本长戏，我惊叹奥尼尔善用人物的变态心理和相互的爱与恨的关系。这部结构十分紧密的三部曲，它使我不能不一直读下去。我料到在舞台上它也会叫人喘不出气来地看下去的。

一九四六年我在纽约看过《送冰的人来了》的首演。这个戏讲纽约西部的小旅店的酒吧间，一群失业者终日昏天黑地地喝酒瞎聊，足不出户，各自漫天扯地谈他们的幻想。大家都等希克曼，一个五金推销员，到小旅店跟他们讲他的妻子如何不贞，背着他与送冰人鬼混的粗鄙的笑话来解闷。他来了，却不再谈从前的这个老笑话，只劝他们正视现实，才能得到安宁平静。在店主霍普庆祝生日的举座欢腾中，大家哪顾得希克曼的忠告。只有一个人，斯莱德相信他的说教，不愿在人生的看台上看下去，只希望早早死去。终于听到从太平梯那边扑通一声，原来另外一个人自杀了。斯莱德向前默视，四周是酒鬼们昏闹的叫声。这个剧本反映三十年代美国经济恐慌中看不见任何出路的严重问题。更动人的是奥尼尔戏中的各色各样可笑却可悲的人物，他们的语言无比地真实感人。

奥尼尔死后留下《进入黑夜的漫长旅程》，这是根据他自己的家庭人物与事件写的，获得极大的成功。

奥尼尔一生反对商业性戏剧。他严肃地致力于对戏剧的探索与创造，他深深地感到美国社会的各种问题，但又寻不到任何解决问题的方法。他失望、烦闷、痛苦，如同易卜生，他只提出了病态的社会现状，却开不出药方。有人说他是悲观的，有人说他有神秘色彩。我以为他确实是一个正视人生的勇士，一个正直、有理想的大艺术家。

奥尼尔的著作闻名于全世界，在中国已有不少奥尼尔剧作的译本。我十分高兴龙文佩同志，一位对奥尼尔有研究的学者，以及她的同事们力图把奥尼尔的剧本介绍给我们，使我们能更多更深地认识这位剧作家。我们需要把奥尼尔的剧本在中国舞台上演出，这会使我们了解美国的文化与人物。当然，今天美国的人物又和奥尼尔所写的，不大相同了，但不朽作品中的人物，总是能让人理解，使人感动，催人思想的。

奥尼尔的剧本应该全部译出来。我期望《奥尼尔剧作选》的编者龙文佩同志与和她有同样志趣的译者做到这件大事。

中国戏剧家协会第四次会员代表大会开幕词

同志们、朋友们！

今天同志们从全国各地来到首都，举行中国戏剧家协会第四次会员代表大会，回顾过去，展望将来，讨论许多有关今天与明天的中国的社会主义戏剧事业的问题，这是有重大意义的大会。尤其是今天，全国物质文明与精神文明空前提高，各种改革正像万马奔腾，迅猛地开展，文学艺术出现前所未有的繁荣局面。今天，全国人民伸出手来，要我们供献出有中国特色的社会主义戏剧成就。今天，党和国家要我们在各个剧种，在各种戏剧艺术上，表现出伟大的时代精神。今天，我们举行这样一个大会，这个大会就是一个有历史性的有远大意义的大会。

在座的同志们，以及没有到会的同志们，都肩负着时代交付给我们的重大责任，都为担负着这个重大责任感到光荣。

【题注】载《剧本》1985年5月号。开幕词时间为1985年4月18日。另，删节版以《肩负起时代的重托》为题载1985年4月29日《人民日报》。

前些天，我从朝鲜回来，就参加全国人民代表大会。这些天连犯心脏病。我没有参加剧代会的筹备工作，也不能参加这一段时期的工作。但是我和大家一样，不断思考党给予我们这样重大的责任与光荣。我在全国代表会议期间，受到很大的鼓舞与教育。这个会议充分发挥了民主精神，充分发挥了团结的精神。代表们奔放出一股不可抑制的智慧和力量，提出许多积极建议，更好地推动"四化"建设和各种经济体制改革。代表们深信，在党中央的领导下，祖国在不久的将来会富强起来，人民在不久的将来会富裕起来。我受到一种充满信心的爱国主义与社会主义的团结精神的感召。我相信，我们这个大会也一定开成一个充满信心、发扬民主精神的团结的大会。

我们党历来十分重视、关心戏剧工作。三中全会以来，全国的戏剧事业，呈现一片繁荣。各种戏曲以及话剧，都有很好的剧本，很好的演出。涌现出一批好剧作家、好导演、好演员、好舞美工作者。老年、中年、青年戏剧工作者，响应党的三中全会号召，写出了和演出了反映时代精神的剧目，受到广大观众的欢迎。邓小平同志在中国第四次文代大会的"祝词"上说："人民是文艺工作者的母亲。""人民需要艺术，艺术需要人民。"他为我们文艺工作者，指出了广阔的天地，他说："雄伟和细腻，严肃和诙谐，抒情和哲理，只要能够使人们得到教育和启发，得到娱乐和美的享受，都应在我们的文艺园地里，占有自己的位置。英雄人物的业绩和普通人们的劳动，斗争及悲欢离合，现代人的生活和古代人的生活，都应当在文艺中得到反映。我国古代的和外国的文艺作品、表演艺术中，一切进步的和优秀的东西，都应当借鉴和学习。"小平同志着重提到"要塑造四个现代化建设的创业者，表现他们那种有革命理想和科学态度、有高尚情操和创造能力、有广阔眼界和求实精神的崭新面貌”。此外，小平同志还说了许多有指导意义的话。

邓小平同志的祝词，是有深远意义的。到今天我们回顾，仍然感到十分亲切。他为我们戏剧工作者，在四项基本原则下，指出一条宽阔而又十分正确的道路。因此，沿着他指出的道路前进，我们就获得成绩；离开了它，我们就遭到挫折或失误。

有些同志们认为目前戏剧事业，有点不景气。也有人不同意这种看法，这是正常的。

我个人认为除了有些剧种、有些演出团体外，戏剧事业是有不大景气的现象。造成这种不大景气状况的原因很多。应该承认戏剧面临着来自各方面的挑战。电影、电视、轻歌曼舞以及各种吸引观众的活动，层出不穷的娱乐形式，是会使舞台剧受到些影响。

是不是因为这些艺术形式多了，我们的戏剧舞台，就一定会受冷落呢?

我想不是的，因为戏剧，有它特殊的魅力，它和观众息息相连。台上台下感情交融，打成一片。这种形式，不是其他任何艺术形式所能代替的。

当然，我们应该承认，戏剧有些不景气，有其他种种原因，有自身的，也有客观的干扰。但是，只要我们团结一致，排除各种干扰，一定使目前戏剧事业振兴起来，大大繁荣起来。我们正面临着世界的和国内的各种艺术的竞赛，这种竞赛不是坏事，我们必须拿出党所期望的好戏出来，拿出真正高质的作品出来，这是时代的要求，是人民对我们戏剧工作者的要求。

如果我们看不到戏剧界这点不景气，那是盲目。我们看到了，而不敢正视，就是懦弱。我们看见了，而又不去探讨、研究，解决它，那是不负责任。看见了，敢讲了，但又拿不出办法改变这种局面，那么，就是对不起人民，对不起这个时代。

应该肯定，我们的队伍中，涌现出一批十分优秀的，有理想、有干劲的中、青年剧作家，中、青年表演艺术家和中、青年舞美工作者。你们写出了不少好作品，演出了许多观众喜闻乐见的好戏。我们的中、青年戏剧工作者是挑大梁的。你们是我们队伍中的骨干力量，我们感谢这些大有作为的中、青年戏剧工作者。但是，这些好作品、好演出，无论从质量到数量，还没有达到时代的要求，还没有达到十亿人民对我们的要求。但有了中、青年，还有许多老同志，我们才能共同肩负起时代的重任。找出阻止我们前进的问题核心，排除各种各样的干扰，用自己的头脑来思考和对真实生活的深刻认识和理解，用自己的感情、激情，技巧、才能，来创造出有时代气息的好剧本、好演出，才能搞好我们的戏剧事业，这就是我们的重大责任。

最近胡启立同志，代表党中央讲了话，党中央为我们提供了创作自由的保障与条件。我们感到十分兴奋，十分鼓舞的。

我们的戏剧，是有长期革命传统的。同志们都在思考着，探讨着。从老一辈戏剧工作者开始，直到今天、将来，我们都为我们的戏剧事业，不断开拓、发展，也为我们戏剧事业的成就，感到欢乐，其中有困难，也有挫折。

我们必须继承发扬这种革命传统。

参加这次大会的同志们当中，我见到许多老朋友、老同志，许多熟悉、亲切的面孔。更使我高兴的、感奋的，是有许多中、青年的朋友和同志。这些中、青年的朋友和同志是发展繁荣社会主义戏剧事业的中坚力量。你们敏锐，有理想，有活力，有干劲。你们的涌现，和祖国“四化”建设中一代新人的涌现，同样令人鼓舞。这种振奋人心的场面，是党的三中全会以来，正确路线的结果。

像奋斗在各条战线的社会主义开拓者一样，我们的戏剧战线上的中、青年，一定能用你们的大好年华，创造出无愧于我们这个伟大时代的好作品、好演出，实现伟大的社会主义戏剧事业。

我们希望这次剧代会开得好，正如胡耀邦同志号召的，真正开成一个大鼓劲、大团结、大繁荣的大会。坐下来，探讨一些实际问题，解决一些实际问题。我相信，我们社会主义戏剧舞台上，必然出现一批精品。那就是，思想深刻的、艺术性强的、健康的、格调高的，能够反映时代精神，推动时代前进的好作品、好演出。

我衷心祝愿大会圆满成功！

伯钊同志，你永远在我们中间

最近我心脏病经常发作，又忙于开会，只听说伯钊同志正处抢救之际。厚生同志怕我过分激动，告诉我，医院不许探望，要等医生通知，才能去。两天过去了。4月17日晚间才告我伯钊同志已经逝世了。我被这突然消息惊呆了，我怎么也不相信，她会离开我们。我要奔赴医院，因为正开着剧代会，被阻止了。我在开会，但伯钊同志的音容笑貌浮现在我的眼前：雪白的头发，红通通的面庞，精神抖擞，就像她依然同我们坐在一起讨论。

我不相信她会去世。伯钊同志讲一口浓重的四川话。她腰杆笔挺，从不知疲倦。年龄对她，好像永远不留下痕迹。她总是朝气蓬勃，保存着一颗对党、对人民的赤子之心。她的心扉永远敞亮着，毫无隐讳。不管别人爱听不爱听，她从来不说一句违心的话。她是非分明，勇于说出自己的意见。伯钊同志性格顽强，为党的利益、为党的正确路线，坚持不懈地与错误路线斗争。

【题注】载1985年4月28日《人民日报》。

这样一个好同志是不会死的。她是一个久经考验的共产主义战士，她为我们树立一个如何为革命与文艺工作的光辉榜样。她是不会死去的。

1948年底，我和许多文艺界的朋友，由上海绕香港、烟台转到北平。我首先接触的老红军，老战士，解放区的老文艺工作者，就是李伯钊同志。那时候，她还很年轻，穿着一件旧的棉军装，束着皮腰带，戴着军帽，笑容满面地和我握手，谈起工作，滔滔不绝，洋溢着满腔热情。她身穿那身洗得褪了颜色的旧军装，十分干净。人不高，但挺拔、矫健。我心里说，她就是三过草地的革命战士啊！

我比伯钊同志只大一岁，但在革命征途上，她是我的大姐。在政治上、生活上，她对我关心备至。她在任何人面前，从不摆老革命家的架子。尤其是正当她写从来没有人写过的歌剧《长征》时，她多次找我讨论，要我提意见，我说："我没有革命经验。"她却说："你有写作经验！"她不停地问我剧本结构，歌词的准确性等等。我很难为情，她十分严肃地说："你在剧本结构上，词句上，是有办法的！"她简直不像在瑞金当过高尔基戏剧学校校长，曾经留学苏联，又写过很多剧本、革命歌曲，又是中央苏维埃政府教育部艺术局局长。她真是虚怀若谷，博大谦逊啊！

北京人民艺术剧院，原是伯钊同志创建的，是综合性的剧院，有歌剧、舞剧、话剧、舞蹈、创作，还有许多其他传统戏曲剧种。后来党调我兼人民艺术剧院工作，专搞话剧；伯钊同志就任中央戏剧学院党委书记和副院长。我记得专事话剧的北京人艺再次建院的时候，吴晗、廖沫沙同志都来了，伯钊同志特地赶来祝贺，谆谆教导，抑制不住地流下惜别的眼泪。她是从心里深深爱着这些从事革命话剧的艺术家啊。回顾这段历史，我们决不能忘记北京人民艺术剧院的成长，有伯钊同志的心血，不能忘记北京人艺的奠基者李伯钊同志。今天在悼念伯钊同志的时刻，抚今追昔，我怎么也不相信伯钊同志竟会离开我们。她没有离开我们。她的正直、热情，她对党的事业的忠诚，永远温暖着我们，激励着我们。

在十年内乱时期，伯钊同志受尽了摧残。有一次我们一起被批斗，她跪在那里，足足有三个小时。我颤巍巍地弯腰低首，但心里却想着身边跪着的她。她仍然直挺挺的。我的心在颤抖，我为她受的种种折磨与摧残痛苦地颤抖。她的共产主义信念，毫不动摇，她仍在坚持锻炼身体，满怀信心地度过那一段令人难以忍受的苦难岁月。

终于，“四人帮”被粉碎了，乌云过去了。十一届三中全会召开了，我们重新见到阳光。我们都被折磨得患了这样或者那样的疾病。伯钊同志在枪林弹雨的岁月中闯过来了，在与张国焘残酷斗争中斗争过来了，在十年浩劫中挺过来了。她为了今天和明天，仍在奋斗着。她又与病魔搏斗着。虽然她患了脑血栓，偏瘫了，凭着她顽强的意志，她又站起来了。她在争分夺秒地工作着，并写出了革命史剧《北上》，为我们后代子孙留下了伟大的革命史诗。

多少人劝阻她要节劳，保重身体，她听不进去，在她头脑里，只有“时间！时间啊！”对她来说，时间比生命更重要。她拼命想把失去的时间和积压的工作抢回来，她多想再有一些工作的时间！然而……

我一直相信她会比我活得更长些，因为她坚强、乐观，没有想到，伯钊同志走在我前面了。

在悼念伯钊同志的时刻，我更要以伯钊同志为榜样，争分夺秒，尽自己所能，再多为党、为人民做一些有益的工作。哪怕明天死去，今天也应做一点一滴的工作。

我永远不相信伯钊同志离开了我们，伯钊同志永远在我们中间。

天然生出的花枝

陈若曦是我认识的一位台湾的著名女作家。她是地道的土生土长的台湾人。祖父三代都是木工，母亲这一边世世是农民。说是劳动人民的女儿，是名符其实的。我不是为她写传记，说明她是“红五类”“出身好”。现在祖国上下正彻底否定“文化大革命”，那些张口闭口是“一个阶级推翻一个阶段”“打倒一切”“炮轰、火烧”的显赫人物早已销声匿迹，有的且高呼“推进四化是终生理想”了。

我这样提起陈若曦，因为她也曾经受过祖国那一段灾难的日子，在这方面她和我的情感是相通的；同时，也因为我偶然读了一些记载，说到她出身贫困，仅由于艰苦奋斗，成为台大英文系的高材生，又得到美国约翰·霍布金大学的硕士学位。这使我对她更多了一层亲切与钦佩。她研究美国三位文学大师：福克纳、斯坦贝克与海明威；深探他们的全部著作。其实，尽管她自称“无聊才读书”，她却是非常用功，在浩莽的欧美经典文学与现代文学的烟海中潜心游览过。她

【题注】载《收获》1985年第5期。

还是国外的华裔作家的知心人，有许多熟稔的文学挚友，而且是他们著作的热心钻研的读者。

如今陈若曦写了不少的好小说。地方、风情、人物，只要她见过，用心观察过的，在她笔下便是一幅朴实、真切、生动的图画。她的语言简练，主张“言之有物”，在简练中赋有深厚的情感。在她的散文中流泻出一片嬉笑甚至嘲弄，但也不时露出字里行间的无声的悲痛。看得出来，陈若曦是个豁达的人，乐观、聪慧的人。文字在她笔下仿佛是一群奔马，驰骋在人生的草原上，不可自止。这似乎又与她小说中那朴厚、沉着的风格大不相同。我想到，人是多么复杂，多么丰富，有什么能束缚住一颗有才能、有生活感触的秀美的心灵呢！

很早，我就听到陈若曦的名字。

1980年，应周文中先生主持的美中文化交流组织之约，我与英若诚同志赴美国访问。由纽约出发，经过许多大城市，见到了许多台湾作家，与他们交谈甚欢，但又总因时间仓促，不得畅叙。然而终于见到了他们，这些我海外的同行，在我是十分值得纪念的事情。

最使我高兴的，是在旧金山见到陈若曦。她是柏克莱大学中国研究中心的研究员。她遵嘱来接我，当时她的汽车恰恰撞坏了，真不知她是如何来到飞机场的。我看见一位圆圆脸，衣着朴素，一双眼睛透着热情与明慧的中年妇女，和我中学时的老同学、好朋友林登，站在那里迎接我。林登已经两鬓斑白了，身材仍像当年那样比我高出一头，戴着一副黄色的眼镜，简直是一个气宇不凡的绅士。而陈若曦梳着北京人所说的娃娃头，额发整整齐齐，看上去像是个中学的学生。

一见面她话不多，只管提着我们的行李。我真是担心，因为她不像有力气的人，却提着我那装满各地赠送的书籍的沉重的箱子上了车。林登算得上是富有的人，他与Eva，他的夫人请我们，还有陈若曦在半岛的海湾边一座高入云霄的华人大饭店吃饭。我确实有些吓住了，这顿晚宴实在太讲究，席间还有许多的新朋友。碧澄澄的夜晚，天海一色。世界像是浮动在一望无边的穹苍中；灯火如星斗般在海水中闪烁着，不断有飞机蓝闪闪的灯光从眼前掠过去，我感到自己已成了天上的宾客。我发现陈若曦是一个谈笑自若的人，她引我说出了许多往事，甚至许多过去在台上演戏出丑的事，我也讲得十分得意。

后来，我的日程大都是陈若曦在安排。我每到一个地方讲话，都是她开车送我。等我出来时，她已在等候，然后又开车送我到另一个地方。她车开得很熟练，用北京话说叫作“开得溜”，但她的车我不敢恭维。那是一辆小小的黑色的甲虫车。在热闹的街道，在一片崭新的车队中，她真是落落大方地如同开着一辆豪华的“卡的拉克”。我并不是想坐Cadillac，可我总怕在美国那车飞如箭的大道上，这只可爱的“甲壳虫”会突然不听主人的驾驭，向左或向右闯去，或是停住不动了，那该怎么办呢？事实证明这实在是杞人之忧。我总是安安稳稳地从这里到那里，由陈若曦陪伴着会见了许多朋友。特别是有一次，在一个华文书店，她介绍我认识了许芥昱先生。与这位头发斑白，蓄着山羊胡子，和蔼、学识十分丰富的老先生交谈，我十分快乐。听说他能写一手好字，做很抒情的文章，而且旧诗词也作得好。当他为我的讲话做翻译时，听着他娓娓动听的语音，选字用词的精彩生动，我由不得地赞美他。其实赞美是很俗气的，而且显得虚假，但我这个人有话就存不住，而说得不妥当之后又十分难受。还是许芥昱先生一两句谦逊、平和的话，使我安下心来。

有一天下午，陈若曦告诉我说约好几位台湾作家在她家夜谈。我去了。她的家抑或是她的书房不算大，摆设简单，跟她的人一样，一眼就看见她的心，朴朴实实，毫不装饰，却令人十分喜爱。书桌上摆满了吃的东西，丰富极了。客人们自由地在沙发上、椅子上、地上坐着；那顿饭吃得痛快，谈得也痛快。白先勇、水晶、李欧梵，还有许多朋友，我们一起谈到深夜。英若诚至少喝了一瓶威士忌。别人也不含糊。那一晚是我在美国最愉快舒适的时光，就像在家里一样。告别时我真替陈若曦为难，那一大堆杯盏，谁帮她洗呢？她的两个宝贝儿子都在大学里，她的丈夫段教授，远在几千里外的Miami。想到陈若曦要看稿子，写文章，又要洗盘子，不由感到做一个女作家的不容易。

陈若曦又是一个十分好客的女主人，多少从国内到Berkeley来的人，都到她家中做过客。萧乾、毕朔望，以及在她家打过尖、住过的朋友，都说在她的家中最能体会到“他乡遇故知”的情怀。

1966年，陈若曦与她的丈夫段教授因思念祖国，回到乡土。恰值“文化大革命”开始。他们时而北京，时而南京，时而西北，跑了许多城市。她目睹了那时横行于中国土地上的“法西斯”。多少知识分子、贤人义士、革命前辈，以至无辜百姓，或遭残害，或株连家小；他们夫妇怀着一腔热望，回来报效祖国，而碰上了“文化大革命”！他们的痛苦与失望是可想而知的。

后来他们回到加拿大；又定居在旧金山的柏克莱。

今年六月间的一天，和我相识多年的吕正操同志突然来到我家里。一推门就大声叫道：“曹禺，你知道陈若曦又来了么？她现在正在福建探亲，你打个电报，快请她到北京来。”我并不知陈若曦已在福建，但听说她来了，很是高兴。吕正操畅谈陈若曦最近写的一本妙书《无聊才读书》。他说：“写得好极了，尤其是她描写你，真是活灵活现，就是你这个人，一点不错。”他哈哈大笑起来。走的时候他把《无聊才读书》留给了我，并且告诉我：“陈若曦到北京来了，我要请她。”

巧得很，吕正操同志刚走，电话铃响，是陈若曦的声音，她从北京饭店打来的，说要见我，不是我去就是她来。我告诉了她吕正操要请她吃饭，不知她是否晓得这位大名鼎鼎的将军。她说：“请他到我这里吃饭，一块儿聊聊，不好么？他的电话号是什么？”我告诉了她。

不久，陈若曦又来了电话：“和他定了，他约我们、你、你的夫人，与英若诚明天在钓鱼台午餐。”

翌日，我们到了钓鱼台，老实话说我从来没有在这个高贵的国宾馆吃过饭。果然，进门便风光非凡，不尽的山石、游廊、涓涓清溪，鱼在水中荡漾，小桥流水，琼花碧草，真是人间天堂。一座精致的小楼藏在密密的林荫中。我们被引到一所宽阔的大厅里。正在谈天的时候，钓鱼台的经理请我们参观这个地方。

乘一辆小巧玲珑、如同轿子似的车子，我们大转了一番。这里有着太多太多的古董、珍品，中国传统艺术、工艺的精粹，令人目不暇接。在元首下榻的小客厅里，绣缎沙发的靠背和扶手上，都铺了一块块白色的纱罩，直来直去的陈若曦忽然说：“这样美丽讲究的沙发为什么要放这些东西，我们接待元首，难道还怕客人弄脏了我们的沙发么?”这个意见自有她的道理。后来我想，她大约不了解，这些细纱的白色织物，在中国人的眼里已成了一种装饰品了。但我喜欢陈若曦想到就说出来，说心里话的品质。

我请陈若曦到我家吃饺子。还请了老朋友吴祖光和《文艺报》的吴泰昌。他们都是说笑话的能手，所以回想起那一顿饭，真是笑声不绝。陈若曦吃的有滋有味，对我家的各种素菜也很欣赏。我不由想到在美国，在柏克莱她家的那一晚，想起我的那些朋友们。后来，陈若曦告诉了我，许芥昱老先生已经逝去了。我听了很难过，他是因为暴雨冲倒了房屋，而埋在了泥沙里。哲人不寿，可爱的人也不会常存。

在陈若曦走后，我读了她的小说《尹县长》。为什么如此晚才读到这篇小说呢。一则因为《尹县长》在海外早已轰动，所以我知道这是一本写“文化大革命”中残害与被残害的人和事，这样的事、这样的人我听过，也见过太多了，我已无心再找来这本书，去温这一场噩梦。再则十一届三中全会之后，祖国真是日新月异地在变，各种新鲜的事和人挤满了我的脑子，又顾不上读《尹县长》这篇小说了。

我翻开这本书，不长，也就是个短篇吧。我读了两遍，并且让我的女儿也读，因为在看了这篇小说之后，我很想和人谈谈它。果然，我们的感受那么相同。这篇小说写得真实、深沉，读后叫人悲从中来，又叫人思索。寥寥几笔，便画出西北的六六年，那悲哀、沉闷的小城景色。尹县长是一个国民党军官，由于地下党所做的工作，他起义了，使陕南三个县不费一枪一弹地插上了红旗。他是个行伍中人，解放以后让他当了一个县长，但大约只是个不大管事的县长，似乎只是挂名，为体现党的政策。“文化大革命”来了，他被说成是潜藏的阶级敌人，他不能理解，最后，造反派为了树立威风，扩大影响，为了“革命需要”就把他枪毙了。临死前他只知喊着两句话：“毛主席万岁！共产党万岁！”小说是从“我”的视角写的，一个外乡人，一个与尹县长毫无关系，而只见过那么几面的人；然而，恰恰是他对尹县长那无声的、难言的同情与悲痛，才更加真切、深刻。我自然是经受了这场“革命”，我的女儿也是当年的“狗崽子”，我至今记得她每天从学校回家的那副神情。我诅咒这场“革命”带来的那种难以理解的残酷的人性。那种世道不能再来了。

陈若曦的作品使我悟得她对中国古典文学的修养很深。她的著作似乎是中国土地上植根，又灌溉了西洋文学的养料的一棵棵茁壮的绿树。毕竟是中国作家笔下的风土人情，她写得深切、细致，遣字用词严谨，但又运用了许多闻得出中国土香的生动的文字。她不摆作家架子，是天然生出的花枝，被风吹动着，不求绚丽夺目，却自然地引人入胜；引人感叹、惆怅与思索。她确是代表台湾文学，应该说中国文学的优秀的作家。

《收获》登载了《尹县长》，要我写篇东西，谈谈作者和作品。我可以自称是陈若曦作品的热爱者。我始终认为《尹县长》是她无数作品中成熟、完美的一篇。

现在“伤痕文学”已经写得不多了。我读过不少这类的小说和戏剧。有的写得很出色，很感人。《尹县长》似是“伤痕文学”中最早的一篇。其中有悲痛，有愤慨，有嘲讽，但我以为最重要的是作者那一腔忧国忧民的热忱。有不少“伤痕文学”我读后不久便忘记了。但是《尹县长》我想我是永远不会忘记的。

1985.7.31

又记：她的散文集《无聊才读书》，我一气读完了。这是一本有性情的好文章。有的使我流眼泪，有的使我不禁笑出声来。其中的两篇特别吸引我。《我的儿子的妈妈》这一篇充满了自我嘲弄的诙谐；《许芥昱的麻婆豆腐》，乍一读，她似用笔欢欢喜喜地描出来一幅许老先生的图画，然而末尾几句，当陈若曦惊慌地跑去，在被暴雨冲塌半边的楼房中，寻找埋在石堆中的许老先生夫妇，那深沉的哀伤与友情使我难过异常。我像是和她一同去到那里，要再望望这样可爱、可敬的老人。

陈若曦来信，说她不久又来北京。到时候我要请她送我这本集子。因为，真是怪事，我正拿着《无聊才读书》，到书房中站了站，找另一本书，一转眼，像是什么神秘的力把这本散文集突然摄去了。这种事我以前也常常发生，正在读着的书不见了，过了两天，却在意想不到的地方冒出来。但这次全家为我上上下下寻觅了三天，终于不翼而飞，大约是什么神仙拿去读，再也不还了。

一部极其出色的电视剧

《四世同堂》是我国电视剧中极成功的一部，它包括了老舍先生长篇小说《四世同堂》里最精彩、最感人的部分。一开头，小彩舞（骆玉笙）的演唱，感情饱满，技巧纯熟，把整个故事主题都唱出来了。

北京电视制片厂的领导、编剧、导演和演员花了两年时间进行了严肃认真的创作，是很有韧性和下了功夫的，全戏故事情节紧凑，节奏十分流畅，足见导演和其他艺术家的功力。随着电视画面的推移，一幅幅旧北京的生活画面真实地再现于观众面前：旧城里曲里拐弯的小胡同，龙福寺市街上摊贩的吆喝叫卖声，北海公园的湖光塔影。这些十足的北京风情，都是我当年亲眼见过的。

《四世同堂》剧组的演员配备整齐，表演都很出色、称职，无一不好。最使我满意的是邵华、李维康和演白巡长的黄少泉。

这三位，邵华从头至尾表演都很精彩、含蓄、地道。戏一开始，

【题注】载《瞭望》1985年第31期。文末附注“本刊记者记录整理”。

祁老人无忧无愁、安安泰泰地过日子，是个典型的老北京；剧中的白巡长，是个特殊角色，表演很成功；京剧演员李维康扮演“大嫂”韵梅，那么恰到好处，得体。我真想象不到她竟有那么大的本事。

其余如小崔、长顺、四大爷、四大妈、祁瑞宣（这位肩负四世同堂的重任，又满怀爱国热忱、矛盾重重的知识分子）都真实可信，十分动人！那些反面人物也刻画得极其可憎、可恨。

北京是具有千年文化的古都，体现着我们民族传统的文化美，但只能欣赏却无力自卫的文化，就容易受摧残。正如老舍先生讲的，玫瑰花，色香都好，但最好的地方是它有刺；有刺，才能保卫自己，比喻得多么好哇！没有自卫的文化，等于没文化。

在日本帝国主义的侵略压迫下，那些老实、忠厚、和平处世的北平人，由仇恨—觉醒—反抗；四世同堂的祁家分化出爱国者、汉奸和又爱国又不忍舍弃家庭的祁老大。从这个意义上讲，《四世同堂》是个悲剧，又是个喜剧，它表现了中华民族从衰亡到觉醒，就连祁老人也觉醒了。

老舍先生素以“北京风俗画大师”“语言艺术大师”被世人称道，老舍更是一位伟大的爱国主义者。《四世同堂》的故事贯穿了反法西斯主义思想，揭露了日本军国主义的罪恶；通过日本一位老妇人告诉人们，中国人民和日本人民同是战争的受害者，揭示了侵略者必死于侵略！这正是作者的远见卓识之处。

中日友好，正在蓬勃发展，子子孙孙要友好下去。但不要忘记，世界上还有少数的军国主义者，他们依然想靠侵略、扩张发家。所以《四世同堂》不仅要在中国长演，还应当到日本去演，到世界去演！

永远珍美的玫瑰

——看电视连续剧《四世同堂》

每到星期日的晚上，我和家里的人都记挂着一件事：今晚有《四世同堂》。我一个星期又一个星期地看下去，又这样一个星期又一星期被思索缠绕。我想到很多，中国，中国人，我们民族的苦难，那些过去了的而我又终生难忘的一幕幕……我找到了《老舍文集》第四卷，开始细细地读起来。

一面读小说，一面看电视剧，《四世同堂》令我激愤，痛心，又令我感动，思索。

老舍先生笔下的人物是一些生活在旧北平胡同中的各色小人物，他们的生活是普通的、琐碎的，甚至是庸碌的。他们挣着自己的饭，过着自己习惯了的平安日子。小小的一户连着一户的胡同，胡同中遮阳的树荫，护国寺的庙会，漂亮的兔儿爷，拉洋车的小伙子雪白的背心，虽然没有油水但也香喷喷的棒子面粥……北平处处可以闻到它

【题注】载《红旗》1985年第16期。

古老的别有韵味的幽芳。“七七”事变之后，日本帝国主义这些强盗、侵略者踏进了北平。一切都变了。北平成了一个被踩在野兽脚下的流着血的生命。北平人也变化了，这变化不只是他们受到了困苦，受到了欺侮；最深的变化是在他们的心中。在他们那原来只知挣饭，只知安分守己，只知孝顺，只知享受四世同堂的天伦之乐的心里，生出了仇恨，生出了对国家的爱与责任，生出了反抗的火。他们不是英雄，他们也许不会成为英雄；然而在侵略者面前，他们从内心最深处感到自己是中国人！他们想的，他们做的，他们忍受的，他们仇恨的，都在说这一句话。

老舍先生是那么地了解他笔下的人们，他对这些劳动人民寄予了深刻的同情与赞美。小崔之死，以及他死后街坊邻居们为小崔太太所做的事，这些场景都给我留下了极深的印象。这些普普通通的北平百姓，用团结、用互相之间的支持来反抗侵略者的残暴，他们做了他们所能做到的。

有受屈辱然而保持着那美好光彩的心，也有以屈辱别人为乐的卑微龌龊的灵魂。有时我甚至惊讶这些灵魂的丑恶。对于这些不知亡国之耻的畜生般的人，对于他们的没有心肝，他们的可悲，老舍先生的刻画、揭露是那样痛快淋漓，那样透彻。

《四世同堂》所描述的是一段北京人永远不会忘记的日子，也是中国人要永远铭刻在心的日子。日本军国主义带给我们中华民族的是苦难、屈辱、斗争的勇气与持久的警惕。同样，侵略战争也带给了日本人民深重的灾难。《四世同堂》中那位日本老妇人，她的亲人的遭遇正诉说了这一点。中国人民与日本人民都饱尝了侵略战争的苦，痛恨侵略战争。一切侵略者必死于侵略。这一切都是我们今天的人们要牢记的，要警告那些至今仍怀着军国主义思想的人的。

《四世同堂》是一部很好的电视连续剧。它忠实地体现了老舍先生作品的风格。浓郁而亲切的风土人情的气息弥漫始终。它记述了历史，同时又记述了北平的风情，北平的人，及他们特有的思绪、情感和生活。这种深沉、朴实的格调，与导演对作品的理解是分不开的。理解了作品，并且把它变成电视艺术，这是一门学问，是值得当今众多的电视剧创作者研究的。这是一项认真严肃的工作，而《四世同堂》的创作集体在这一点上做出了非常好的榜样。无论导演、演员、布景、灯光，还是化妆、服装、道具，都为这个艺术作品的完成做出了适如其分的贡献。正是这些想象力与求实相结合的创造，才使这部作品那样完整、精美。

尤其要提到这部电视剧中的演员们。他们的可贵在于他们牢牢地保持了这部作品的风格，把自己溶化在其中，把各自的才华凝聚在每一个角色的身躯心灵之中，我相信他们正是祁老人，正是韵梅，正是瑞宣、瑞丰，正是四大妈、小崔、小崔太太、白巡长，正是大赤包、冠晓荷……这些演员在他们所扮演的人物身上表现了他们值得赞扬的理解力和演技。每当我坐在电视机前，作为一名观众，我不由得要感谢他们。感谢这些艺术创造者，他们用自己的劳动献给了我们这么好的一部电视剧。我希望有更多的中国、日本及世界各国的人民能够看到它，了解我们的人民，了解我们的历史，了解我们的艺术。

当我看到剧中天佑老人之死的时候，我心里十分难过，不由想到了老舍先生，想到他的死。他也是不甘忍受屈辱而死去的，竟死得那么像他笔下的天佑老人，也是跳了河，北京的一条河。看到天佑老人，我的心里就浮现出老舍先生，那时的他虽然我没有看见，但我想我是知道他的。我流下了眼泪，为了天佑老人，更为了老舍先生。

1946年，老舍先生和我接受美国国务院的邀请，访问美国。在美国，东西南北远游之后，我们俩就定居在纽约一个安静的街道上的客舍里。朝夕相处，但少聊闲天，他完全浸沉在创作的气氛中。上午，他绝对关在自己的书房里；有时，看他用心读美国大小说家福克纳的长篇作品。福克纳的文字是很晦涩的，但老舍却读得津津有味。我知道他每日闭门创作，像是写一部大作品。他不讲，我也不问。后来，才知道他正续写《四世同堂》的第三部《饥荒》。原来他身在异乡，眷念祖国的一切，沉思忧虑祖国的种种苦难，终于写完这样一部充溢爱国感情和盼望祖国日后兴旺、繁荣的大作品。

人们说老舍先生是伟大的文学家，是北平风情的伟大画家，是中国语言与人物描写的大师，还有许许多多使中国人民为他而自豪的称号。我想，老舍先生首先是一位伟大的爱国主义者。

他在《四世同堂》的小说中有这样一段话："对了！你温柔，美丽，像一朵花。你的美丽是由你自己吸取水分，日光，而提供给世界的。可是，你缺乏着保卫自己的能力；你越美好，便越会招来那无情的手指，把你折断，使你死灭。一朵花，一座城，一个文化，恐怕都是如此！玫瑰的智慧不仅在乎它有色有香，而也在乎它有刺！刺与香美的联合才会使玫瑰安全，久远，繁荣！"

老舍先生的作品，他的《四世同堂》，正是一朵永远珍美的玫瑰。

创造我们的舞台美术

在四年多以前的全国舞台美术理论座谈会上，成立了中国舞台美术学会。我记得，在那次会上，很出人意外地看到了不少有学术价值的论文。以后，还出版了学刊，举办了首届全国舞台美术展览会。我们看到了舞台美术学会在进步，在发展。

我感觉到，当前舞台美术的工作越做越细致，越进步；舞台美术家的功力也显得越来越深了。我们还成功地运用了世界上多种新颖的舞台手段，这是有目共睹的。我们的舞台美术的创造，早已打破了“四堵墙”的路子，将有限的舞台时空变成无限的大千世界。我们舞台美术的进步，已被国外同行们所承认，在国际上赢得了声誉。这表明，我们的舞台美术质量正在逐步走向高、精、尖。

但是，有两个问题，我想提出来。一是如何找到我们的“根”，

【题注】载1985年9月23日《人民日报》。文末附注：“本文系根据作者在中国舞台美术学会1985年全国理事代表会上讲话整理。”理事代表会于1985年8月21日至26日在北京举行。

即民族性问题。文学艺术受到西方的影响是不可避免的，但我们是中国人，是中国的舞台美术家，必须搞出我们自己的东西，创造出有我们自己民族特色的舞台美术。我个人认为，这个问题至今还没有解决得很好。我这么说，是不是过火了？我总觉得，学习外国的舞台美术，要有选择，不是拿外国的东西去替代自己的东西，更不是哗众取宠，而是要创造性地运用，使之溶化到我们的创造中，成为有中国气派的、有中国民族特色的、为中国人民所喜闻乐见的舞台美术。这是真正从中国的土地上生长出来的一种舞台美术形式。达到这个要求，当然是很不容易，但要努力。因为所有优秀的艺术作品，既要有它的世界性，又应该有它的民族性。我不相信有一种完全超脱于自己民族的世界性艺术。为了发扬我们民族的独创精神，很需要有中国舞台美术史这样一类的书籍。我不相信，我们的舞台美术只是像旧式广和楼那样，只有一块四方形的空舞台。我们的艺术传统决不是那么简单的。从西汉时代的百戏杂技开始，这里面就有很多舞台美术的成分了。我们的舞台美术史，决不是从“春柳社”开始，也不是从向日本学来的东西才开始的。我们应该求教于有关的戏曲专家和考古学者们，把舞台美术资料，从古代的文化遗产中清理出来，总结其中的历史经验，编写成具有民族特色的中国舞台美术史。这将有助于舞台美术的新发展。

另一个问题，是如何普及舞台美术的问题。在大城市，我们有设备较好的剧场，有利于发挥我们的创造能力，体现我们的各种设想、幻想、理想。然而在小城镇，虽然陆续建造了一些剧场，但跟大城市剧场相比，设备还是相差很远的。这就需要我们舞台美术家根据不太好的剧场条件，因地制宜地运用舞台美术的造型艺术手段，把演出搞得更优美，增加它的感人力量。这种普及工作，也应该引起我们大家的重视，不能光注意大城市的演出质量，而忽视了小城镇的演出质量。

上面谈的编写舞台美术史，其所以必要，还有一个原因，就是：它能告诉我们，我们的祖宗如何在当时简陋的物质条件下，创造了感人的艺术，而且表现了戏剧的美。我希望我们的舞台美术家在这方面继续下功夫，进一步发展自己的艺术，并以此去丰富世界的舞台美术。

《曹禺年谱》序

我曾应允为这本书写序，但当时却不曾想到这本书叫《曹禺年谱》。

不赞同好心的朋友们记下我一年一年的琐屑，竟然记到年老，我终于变成一个干枯的老头儿。

我早就感到我的一生是微小、琐碎的一生，不应该下工夫做这样的探索。

我的记忆力自幼便不好。如今，昨天的事，今天便讲不清楚。此书的作者曾问过我一些往事，我简直答不上来。南开大学出版社送来这书的校样，我看了，我惭愧，我烦燥（躁），我说不明白什么道理，我简直没有心思去回忆，去思索，很快就送还了。

【题注】收录田本相、刘一军编著《苦闷的灵魂——曹禺访谈录》，江苏教育出版社2001年第1版，原题《曹禺给田本相的信（二十四）》。文末“注：我和张靖编写的《曹禺年谱》出版时，拟请他题字，并没有请他写序。可能是事情多，记忆有误。当他这篇序寄给我后，我思之再三，以为曹禺先生为自己的年谱写序，似乎不合适。于是，便征得先生的同意，没有发表。这里，我把它作为一封信发表出来，作为纪念”。

然而，不应埋没田本相同志等的努力，他们东奔西跑，走了许多地方，采访了许多人，用了几年工夫，才考订出这本书。

这本书所写的人不值一谈，但认真、严肃去做一件事情的严谨态度，却是可佩的。

曹禺

1985年9月2日

曹禺谈《北京人》

创作总是有现实生活依据的；但是，它又不是简单地按照现实那个样子去写。创作也是复杂的，这其中有着许多似乎说不清楚的因素在起作用。当你写作的时候，真是“寂然凝虑，思接千载；悄焉动容，视通万里”，那些生活的印象，人物、场景、细节等等都汇入你的脑海之中，在化合，在熔铸，在变化，是在创造新的形象、新的场景、新的意境。

我写《北京人》时，记忆不仅把我带到我的青年时代，而且带回到我的孩提时代。那是非常奇怪的，不知怎么回事，那些童年的记忆就闯入我的构思之中。譬如第三幕，愫方和瑞贞谈着知心话，在瑞

【题注】收录《曹禺论创作》，上海文艺出版社1986年第1版。文末附注：“田本相整理”，并“[附记]：一九八〇年五月二十三日、六月二十二日，我曾访问曹禺，把他讲话整理出来，经曹禺同志亲自修改审订发表出来，这就是《我的生活和创作道路》。从那以后，我又多次听到曹禺关于他的生平和创作的谈话。上海文艺出版社要编辑《曹禺论创作》，嘱我把曹禺谈《北京人》的部分先整理出来。此文仍然经曹禺同志审订修改。”

贞说话的时候由远远城墙上断续传来未归营的号手吹着的号声，在凄凉的空气中寂寞地荡漾，一直到闭幕。我为什么这么写，这个印象是有生活根据的。在我六七岁的时候，父亲到宣化任镇守使。我一个人非常寂寞，就常常走到城墙上坐着，经常听到那种单调的却又是非常凄凉的号声。偌大的宣化城，我一个小孩子，知道自己没有了亲生的母亲，心情是十分悲凉的。听到那号声似乎是在呜咽，在哭泣。号声引起的是伤痛，是心灵的寂寞和孤独。我写这一幕时，这种生活的印象和感受便进入形象思维之中，化入这场戏的意境和氛围之中。它当然和我童年的生活有联系，但又不是我那时生活印象和感受的简单重现。

人们总爱问我，你剧中的人物是写的某某人吧？碰到这种发问，我总是不以为然。我常说，我十分熟悉我剧中的人物，但这并不等于说我写的就是生活中熟悉的某个人。《北京人》中的曾皓这个人物，就有我父亲的影子，但曾皓毕竟不是我父亲的再现。我对我的父亲的感情也是很复杂的，我爱他，也恨他，又怜悯他。他是很疼爱我的，他盼着我出国留学。那时，家境逐渐欠佳，他就对我说："为了你留学，我再出去奔一奔，赚点钱！"曾皓的台词也有类似的话，就是从我父亲那里借来的。还有，曾皓发现文清还偷着抽大烟，于是便跪在文清面前，求他不要再抽了。这个细节也取自我的父亲。我父亲这个人总是望子成龙，他看我的大哥不争气，便恨他。我大哥也抽鸦片烟。有一次，我父亲对我说："你哥哥又抽大烟了，我就给他跪下，求他！"像这些，我就说曾皓有我父亲的影子。但是，我的家和曾家不大一样，我的父亲也和曾皓不一样。曾家这个封建官宦的世家，曾经是炫耀几代、气象轩豁的望族，而如今却是家道衰微，内里蛀空，徒有其表了。这个家庭，我是有生活依据的。我认识这样一个家庭，它的老主人就颇有曾皓的遗老之风，原先在北平也是颇有名气的官宦人家，现在败下来了，手中还有点钱，便还摆着阔绰的架势，每天去中山公园吃茶聊天。他家少爷、姑娘不少，外表看上去，都是知书明礼的，一到夜晚，少爷们就把家里的东西偷出去卖。曾家的住宅，小花厅的格局，诸如装饰摆设，都和我认识的这一家有点关联，但是，又不全是这一家的。《北京人》中的北平的秋天景象和生活习俗，我是根据剧情费了些思索的。像白鸽的哨响，还有奶妈送给文清的鸽子，北京胡同里的水车的“孜妞妞”的声音，剃头师傅打着“唤头”的声响，我有的用来作为渲染刻画典型环境，有的就融入人物的创造。

至于思懿、愫方、文彩、瑞贞这些妇女形象，我记得曾经同你谈过，我很熟悉她们。特别是像愫方这样秉性高洁的女性，她们不仅引起我的同情，而且使我打内心里尊敬她们。中国妇女中那种为了他人而牺牲自己的高尚情操，我是愿意用最美好的言词来赞美她们的，我觉得她们的内心世界是太美了。说到这里，还可以插入一段故事。大概是一九五七年，中央广播艺术剧团演《北京人》，周总理去看戏了。散场后，他请剧团把第三场“天塌了”那场戏重演一遍。总理看完后就问导演说，台词中“把好的送给别人，坏的留给自己”这句，是不是新给愫方加的？导演说，原来的本子上就有。总理说，那就好。在那黑暗的年代里，我就是这样理解愫方这些妇女的，我没有夸张。人都说愫方傻，她怎么能爱上文清这个“废物”？她不是傻，是她心地晶莹如玉，是她忘记了自己。只有“天塌了”她才能改变她的看法。

她跟着瑞贞走了，毅然决然地走了，的确是“天塌了”。她总是向往着美好的未来的，离开这个家，也说明她对美好的前途的憧憬和追求。思懿这个人是招人恨的；她的性格虽然奸险，她也有她的难处。她为人惹人嫌恶，但这个“家”是她支撑着。

生活的感受终于化为舞台形象，或者写到剧本里，是要经过许许多多的过滤、透视，经过蒸腾，或是说是发酵才能实现的。这里，既有思想的，也有感情的、心理的因素。在《北京人》中，我不止一次提到耗子。我为什么会写耗子？曾皓老是把儿孙比作耗子：“活着要儿子干甚么哟，要这群像耗子似的儿孙干甚么哟！”我在北方生活，也看到过耗子，印象不深。抗战期间到了四川江安，江安的耗子好大哟，耗子成了灾。我准备写历史剧《三人行》，把搜集来的资料放到抽屉里，想不到资料与一部分稿子被耗子啃啮成了碎片，那是费了不少心思得来的。有一次，耗子竟然钻到我的棉袍子里，吓了我一跳。因之，我就对耗子格外憎恶。吴祖光同志为此曾写过一篇《鼠祟》，他说的是实情。但是，一旦我把耗子写入《北京人》里，就不是我那时对耗子的憎恶所能概括的了，可以说，是那时对耗子的认识，对耗子的厌恶的一种延伸、升华。它含蓄着更多的东西，但又不是直接说出来的。你说耗子是象征什么隐喻什么，说什么都可以，那就任凭群众去联想了，也任凭评论家去分析了。我写的时候，倒没有想得那么多。

我总觉得现实主义的东西，不可能那么现实。在这个戏里，瑞贞觉悟了，愫方也觉醒了，我清楚地懂得她们逃到什么地方去了，那就是延安。但是，我没有点明。她们由袁任敢带到了天津，检查很严，又是在日本占领的地区。这样写，不但要写到日本侵略军，当然把抗战也要连上了。这么一个写法，戏就走了“神”，古老的感觉出不来，非抽掉不可。这个戏的时代背景是抗战时期，但不能那样写，一写出那些具体的东西，这个戏的味道就不同了。这点，我和有些人的主张是不大一样的。现实主义当然要写时代，但不一定把那个时代的事都写进去。写对时代的感觉，我很佩服我的师辈茅盾先生，时代感写得很准确，政治是个什么情况，经济是个什么情况，都写进去了。这个戏是在四川江安写的，写的是北平。要明写，袁任敢带瑞贞走，他是有路子的，他自己可能就是共产党人，或者是靠近党的人士，他装傻就是了。甚至连江泰也知道瑞贞是接近共产党或进步人士的。我不能这样写，我也不愿意这样写，更不能把这些都写个透底。如果这样，我就觉得这样的戏失去了神韵。说得明白些，戏就变了味，就丝毫没有个捉摸劲儿，也就没有“戏”了。说到底，我的体会是，坚持现实主义创作路子，并不是说都按现实的样子去画去抄。我还是那句话，现实主义的东西，不可能那么现实。

《北京人》里的瑞贞去的是延安，我没有指明。但在我的剧本前面，我引了唐朝诗人王勃的两句诗：“海内存知己，天涯若比邻。”这是隐喻共产党的朋友们的。那时，我已经见过周恩来同志了，他不单是作为一个长我一辈的南开学长，更是作为一个革命家来关心一个年轻作者的。从政治上指点着前进的方向，生活上也给予我无微不至的关怀。国立剧专也有党的支部，当然是不公开的。我知道谁是共产党员，我不说，我心中明白。我的学生方琯德、梅朵等都是党员，他们每天都到我家里来。从他们身上我受到启示和鼓舞，他们同我讨论着我的作品，那么坦诚、那么友爱。我总是怀念江安那些十分清苦但却充满令人温暖的师生情谊的生活。我家的房东，他的大儿子和大儿媳，都是共产党人，都是我家里的常客。我就生活在这些共产党人身边。可以说，写《北京人》是党影响着我。

我曾说过，我喜爱契诃夫的戏剧，受过契诃夫的影响。《日出》还不能说有契诃夫的影响，《北京人》是否有点味道呢？不敢说。但我还是我。契诃夫那种寓深邃于平淡之中的戏剧艺术，确曾使我叹服。像他的《三姊妹》，每次读了都使我感动。在苏联莫斯科艺术剧院，我看过演出，更迷恋着他的艺术。但是，只能说是受点影响。我以为学某某艺术家，学是学不像的。契诃夫的戏剧，中国是演不出来的，就是演得出，也没有很多人看，学外国人的好的东西，是不知不觉的，是经过消化的。不是照搬模仿，而是融入，结合。在这种融入结合之中，化出中国自己的风格，化出作家自己的风格，总之，是引出新的创造来。我说《北京人》受点影响，但我还是那句老话，我写作时，也没想到我是在学习那位大师。

（《曹禺论创作》）序

清晨起来，我踱到阳台上，想瞭望一下。淡淡的纱雾似的云彩里透出西边圆月的净影，宁静得仿佛知道自己就要消逝了，东边乌黑的云层，罩着要冲破一切的太阳，此时，它闪射着一道道利剑般的金光。

对面的空地上，正在建造一座新楼，钢锯开始发出刺耳的声音，方才还能听见的那点秋天的虫鸣，也吓得不再出声了。工人们敲打着什么，响声传得很远，一层层楼房的钢架就这样升了起来。更远处是站立的新楼群，昨天还是水泥本身的灰色，今天就已变成了翠翠的绿色，在晨光中分外美丽。工人在创造，为着正在自行车的洪流中奔驰的人们，为着站在路边候着公共汽车的人们，为着地铁车厢里摩肩接踵的人们，他们都在赶着去上班，去建设，去劳动。

我在做什么呢？想什么呢？

回到方桌前，捻开明亮的灯，屋内光线不大足，老眼已经昏花

【题注】据《曹禺论创作》所载排印，上海文艺出版社1986年第1版，原题《序》。

了。我要写一篇序，为着编辑的催促。他编了一本我谈文艺创作的书，已经发稿了。

关于如何创作，我已忘记我过去是怎样写的。眼前只是坐着一个穷于苦思的人，锁着眉，面对一堆乱糟糟的稿纸。大约就是在这种苦、闷、紧张、兴奋的许多日夜中，挤出了那些辞句，表达了一个作者心里想讲的话。

几十年过去了，回想起来，我没有研究过文艺理论，甚至怕读理论，望着密密麻麻的大块文章，脑子便要发木。有时似乎看懂了，过了一天，又把那些词句与思想全然忘记了。我只是我，明知头脑中要装进这些不可一时或无的种种道理，却见着那些厚厚的经典就发怵。文言说“触目惊心”，正是我对于理论书籍及大块文章的心情。

有人说：“你多读两遍，狠下心读三遍四遍，你就逐渐懂了，就有兴味了，就觉得其中自有喷泉、花园、草木、鸣禽，神妙的音乐；有女神轻声说给你听，如何迈上艺术的道路，见着艺术的天堂。”

我说：“我走不了。”

“为什么？”

“我心里怕。”

他启发我说：“你怕吃辣椒么？”

“不，”我说，“我喜欢吃，而且要吃最辣的朝天尖的小红辣椒。”

“对呀，”他引导我，“你难道生下来就爱吃辣，你初次舔到一下辣椒不是哇哇地哭起来么？你不是一点点试着尝，尝到后来越尝越有味，你就变得餐餐都要最过瘾的四川豆瓣辣酱和红油么？”

“我明白了。但高深的文艺理论是高深的理论，辣椒是辣椒。”

朋友笑了:“你是个真正的木头脑袋，孔子说‘不可与之言而与之言，失言’，我不愿再和你谈了。”

其实，他误解了我，我和他一样是崇拜理论的力量的。我也相信，明哲生动的理论，如眼前烁烁的光亮，照我前进，并且获得自信与自知。我懂得理论的重要，如同我热爱那些光辉灿烂、不朽的诗歌。

我也讲过创作的问题，说了不少的废话，因为我缺乏系统的理论性的研究，这是无可如何的事。

我喜欢写人，我爱人，我写出我认为英雄的可喜的人物；我也恨人，我写过卑微、琐碎的小人。我感到人是多么需要理解，又是多么难于理解。没有一个文学家敢讲这句话:“我把人说清楚了。”

但我喜欢读高尔基的《人》那篇散文。他说:

“人啊！我胸中仿佛升起一轮太阳，人就在耀眼的阳光中从容不迫地迈步向前！不断向上！悲剧般完美的人啊！”

我把这篇文章朗朗诵读，我看见“人”在一个伟大的文学家的心中怎样地站起来了。

“他凭借有思想的力量，这思想时而迅如闪电，时而静若宝剑——自由而高傲的人。远远地走在众人的前面，高踞于生活之上，独自置身在生活之谜当中，独自陷入不可胜数的谬误之间……

“他一面前进，一面用心血浇灌他那艰难、孤独而又豪迈的征途……”

这就是“人”的力量，他是万物的精华。而“人”确是因为有了思想，才被赞美，才能创造，才能谱写诗篇。

我不想说我没有思想，但我所想的总是弥漫在剧中的人们万分复杂的活动中。也许这就是如何写作的道理。

我不愿多发议论，这些文章常常是在被迫的情况下逼出来的文字。我只想说，让我们好好地去写人，因而也就自然地反映出社会的各个侧面，一代一代历史与文化的进程。

我不愿承认我是什么作家，更当不了理论家，我只想在短促的一生里，写一点于人类有益的东西。当写不出或无法去写时我是多么地痛苦。

我的腿脚这两年不大灵活了，其实才七十五岁，已经离不开手杖，我见到过不少九十岁以上的老人，还是精神矍铄，步履安详。我却感到，我像秋暮中的老树上的一片树叶，秋风阵阵时将被吹落，干枯，归于大地。我有时想，生命仅系于一发。

但是我依然想写。善良的正直的勇敢的人，使我欢喜，我想写。卑鄙的凶恶的猥琐的人，我深恶痛绝，我要写。我唯愿我的笔能这样地写下去。

曹　禺

一九八五年九月三日北京

从夏衍那里学到了什么

——在纪念夏衍同志从事文学创作六十五周年暨戏剧与电影创作五十五周年座谈会上的发言

刚才我听了许多同志谈起夏衍同志各方面的情况、他的许多了不起的地方。大家都是直接受夏衍同志的引导、教诲的，我也受到夏衍同志的教诲。但比起其他一些同志，我与夏衍同志接触不多，应该说是间接地受到他的教诲。作为一个文学工作者、戏剧工作者，作为一个学生，我从他那里学到什么、得到什么影响呢？

我最早读过他早期的作品，就是《包身工》。我出身于旧军阀、旧官僚家庭，对劳动人民知道得很少。这个作品，可以说是最早的报告文学，也可以说是经典性的报告文学。它启发了我对劳动人民的真实认识。从这个作品中，我看出了作者的热情、作者的悲愤、作者的反抗精神。我这才比较明白半殖民地最底层劳动者真正的痛苦；我这

【题注】载《剧本》1985年9月号，据以排印。另，删节版以《应该重新认识〈赛金花〉》为题载《戏剧界》1986年第1期。

才明白，我们应该如何向帝国主义、资本主义反抗和斗争。从《包身工》中，我才知道要写一部东西，必须经过自己周密的调查、研究。它的每一个字都是不能动的，因为那都是事实。

第二个就是他那部了不起的戏剧作品《上海屋檐下》。我第一次看，是在重庆国泰电影院，是应云卫先生导演的。第二次看是解放后，在中国青年艺术剧院，由金山同志导演的。在国泰电影院看《上海屋檐下》，我看了三遍，我觉得这是一部充满了思想与艺术魅力的大作品。第一遍看时，我总想起了高尔基的《底层》。这是一个很表面的印象，说明我那时候的认识很不成熟，现在看来这是不恰当的。因为夏衍同志在《上海屋檐下》里写了一个真正的革命者的形象，而《底层》里只写了一群社会渣滓。这个戏刻画的是革命者，革命者热情、诚恳、无私。他把妻子女儿放下，走上了革命的道路。他在个人生活中的品格也是高尚的。当我看完了第三遍以后，我从心底里感到这个戏是一曲多么悲壮的革命颂歌。看完戏，人们的心在颤抖着，那个"李陵碑"，那个在"小天津"横暴下被迫卖身的妓女，那个小学教员家庭的描写，作者把黑暗的旧社会揭露得极其深刻。那是一个黑暗笼罩一切、乌云遮满了的世界。然而在乌云的空隙当中，透出一线阳光，叫人振作起来。这个戏是催人前进的号角，它告诉人民，这个黑暗的社会必然被打倒。所以说这是个悲壮的颂歌，它在黑暗中歌颂无限光明的前途。这是《上海屋檐下》给我，我想，也是给大多数人的感觉。革命者肩负着个人的种种灾难，也为中国人民的将来奋斗，为共产主义的使命奋斗。他入了狱，妻子以为他死了，嫁给了革命者的友人。这像旧社会的一些文人描写妇女的薄情吗？不是的。它触及了一个深刻的社会问题——妇女问题。这正是几千年来旧社会妇女没有经济地位、不能独立的悲哀和痛苦。即使是嫁给革命者的妇女，她身上所受的压迫也在所难免。正是在这种无可奈何中，她才改嫁的。因为她必须改嫁，才能维持生活，来抚养革命者留下的孩子。因此它更深刻、更显示出中国妇女身上背负的重担。旧社会说“一女不事二男”，这是封建道德。作者通过革命的角度来看她，这个女人始终忠于革命者，没有忘记当革命者的前夫。当革命者出狱后，见到她和孩子的那一段戏，是多么富有人性，多么动人的描写！它刻画出革命者最崇高的内心。父亲与女儿见面了，那个小孩不认识生父，她的简单、可爱、天真的话动人极了。这个初次见着自己的女儿的人，既是慈爱的父亲，又是充满父女深情的革命者。他不能毁灭已经存在的，可以说“团圆”“美好”的家庭。他对前妻是眷恋的，前妻对他也有无限的旧情。但他们中间隔着一堵墙：一个无辜的革命者的好朋友，还有一个极可爱的革命者的孩子。就在这个地方，我看出这才叫作“矛盾”，这才叫作“戏剧性”；在这样平淡的生活中写出强烈的戏剧性来。革命者最后毅然地离开了他们，走上了自己的革命道路。这是何等的壮美呀！这是一场所谓“悲剧”，但是这是令人灵魂升华的悲剧，它洗干净人的自私、人的狭窄。它是叫人心胸突然宽阔起来的人生喜剧。只有为人民、为革命而抛弃自己的一切个人苦恼的人才会这样写，他的主角才会这样的结束：他走上革命道路，奔向更需要勇敢、毅力、对革命效忠的前途。这个前途是一条充满荆棘的道路，是火与血的道路。他会再入狱，他会为革命，为社会主义、共产主义的前途死去。

这样的革命者会在生死关头上犹豫吗？他会背叛自己对真理的信念吗？不，不会的。他是钢铁炼成的人，他充满了对人的理解、对人的感情，他是无所畏惧的。但是偏偏有这样一种谬论，说出狱的革命者必然背叛革命。这是污蔑！不能因为革命队伍中有少数懦夫，由于他们背叛，而糟蹋了大多数有脊梁骨的革命者！这是为许多事实所证明的。

有人说夏衍同志是“中国的契诃夫”，我觉得这话不准确。我不习惯听那种喜用外国某某名人来恭维中国的作者，称他为“中国的契诃夫”或“中国的奥尼尔”等等的提法。如果要比较，夏衍比契诃夫更接近人生，更接近人性的描写，因为他有革命的现实主义的精神，他更真实，同时也确信共产主义的将来，他要引起他的观众走上这条理想的光辉照耀着的道路。因为夏衍同志自己本身就是一个坚定的、勇敢的革命者。而契诃夫不过是沙俄时代一个有正义感的作家，他看到那个社会要衰亡，他憧憬未来，希望光明，但他不知道光明怎么到来，他也不知道需要多少革命者怎样勇敢地、无私地牺牲自己，才能获得人民的时代。

夏衍同志写这个戏，不写革命者如何在特务的刑讯室里怎样被酷刑折磨还坚强不屈。他抛弃这类写法。他把革命者内心感情写得更深。一个革命者奔向革命时，也并不是一块没有性情、没有个性的“钢铁”，他自己不可能毫无准备，没有对革命的思索与信念就能跳进革命的熔炉里去的。革命者是最有感情的人，他对亿万受压迫的劳动人民有感情。在夏衍同志的剧作里，我没有见一句口号，没有一点概念的东西，我没有看见一个“革命者”挥动着红旗，对人群叫喊：

“你们跟我前进吧！前面是希望，是光明，你们跟我跳出旧社会的火坑吧！”夏衍就是夏衍。他是在黑暗的人生中，从社会科学的真理中取得真理的火焰，走上革命道路的。因此，他是无产阶级的革命剧作家。他的心里充满了圣洁的情感。他在冷静中饱含着热情，在热情中保持必须正视人生的冷静。因此，他的戏总是深刻的含蓄，是现实提炼出来的精华，是催促人民觉醒的呐喊。但是他决不做出一丝为革命“呐喊”的样子，决不做虚张声势的文学家。他有洞察革命道路和各种人生世态的犀利的目光。他的戏为我们开辟了一条崭新的道路，就是真实地、简练地、有力地为革命而写戏，为争取光明而写戏。正如他写过的《包身工》，他的戏剧都像《包身工》那样富有感情，那样激动人心，那样深刻地告诉我们要打倒黑暗的统治者，争取人民成为世界的主人。他的戏启发人走向革命，他一生的道路是我们这些后辈文艺工作者应该深刻认识、深刻理解的革命道路。

我们崇敬这样一位有卓越成就的文学家、戏剧家、电影剧作家、文艺界的领导！我们应该学习他一生没有浪费一寸光阴，学习他为人民而活着、为革命斗争着。他经常说出自己心里话，他是敢于讲真话的人。他爱护后代，抚养过无数后生，帮助他们走上正确的人生道路、艺术道路。他的年龄不能限制他无限的生命力，他举着火把为着我们这一代——老年的、中年的、青年的文艺工作者照路。

我想再谈两点。一点就是他对朋友的热爱。我只想举一点说明，他曾经写过《于伶小论》，他怎样评论于伶呢？他引了一段于伶同志的话作为结论：“为了戏剧，为了自己爱定了的演剧艺术，我愿意而且决定了出生入死出死入生地把生命赌在这受难的尤其是孤岛受难的戏剧运动里面，我将无计毁誉，无论成败，但求尽我心、竭我力，对得起自己，对得起合作的志同道合者，对得起戏剧家的本分与良心。”这些话放在我们夏衍同志的身上，也是十分恰当的。

此外，我想谈一件小事情，就是关于《赛金花》。大家对《赛金花》的各种看法，不提了。但我很不平。我曾经看过夏衍同志写的《〈赛金花〉余谈》，他反对对于《赛金花》剧本的各种不尽事实的污蔑。说：“她虽则有可咎的理由，可是在和她同一时代、同一事件里面不去责备读书明理、执掌国柄的人物，而一味的要求一个市井妓女去维持民族的尊严，也不能不说是一桩可笑的举动。”这话说得太对了！怎么能说赛金花能代表中华民族呢？再糊涂的人，不应该也不能这样看夏衍同志写的《赛金花》！我忽然想起莫泊桑的一个很有名的小说《羊脂球》，“羊脂球”也是一个妓女的绰号。当许多贵族老爷、太太、商人没东西吃的时候，羊脂球带了一大包东西让给大家吃。大家吃得高兴，直说羊脂球怎么怎么好。到了一个关卡，普鲁士的军官不准他们通过。这些贵族老爷们力劝羊脂球去跟这个普鲁士军官睡觉，而羊脂球是绝对不愿意的。但是为了大家，她听了大家的话。等到第二天，这个普鲁士军官放行了，大家突然绷着脸，瞧不起她这个妓女。大家想想，这些过去骂赛金花的人比那些贵族老爷又相差多少呢？我是看过《赛金花》在南京演出的。在那一场有一个读书人在公堂之上摇头晃脑跪着念古文的时候，忽然张道藩拿起痰盂扔到台上，大发雷霆说：“怎么这样演呢？”他这样一闹剧场就乱了，戏没法演下去了。但是第二天，人民还是要求继续演。我认为《赛金花》这部作品的重要性，就是在于讽刺、责骂那些不抵抗主义者，那些对外国人、对日本帝国主义的叩头主义者，不抵抗的掌握国柄的人物。《赛金花》被一些人咒骂过，但我觉得今天是我们重新认识《赛金花》的时候了。

我讲得太多了，用了太多时间。我非常感谢我的老前辈八十五岁的夏衍同志，感谢您给我许多教导，直接的、间接的教导。尤其是我从您的剧本里，您的为人里，学了不少东西。非常感谢。

我与大家一样祝您健康长寿！祝您活到一百岁时，还有无限的生命力量！

1985.9.18　于北京

（《一个演员的自白》）序

一九七九年，我在伦敦一个小剧场和一大群十二岁左右的小学生看话剧。孩子们四周坐着，剧场中心立起一根古代海船上那种又粗又高的桅杆，无数绳索像埃及女皇的头发似地从桅杆顶上披撒下来，扯向四面八方。许多古代装束的海员在甲板上、绳索上爬上爬下。突然间，他们向天空望去，嘶喊着，啊，看哪，看那云天巨变中飞来的神鸟。只有一个老海员搭起弓箭，一箭射出去，神鸟落了下来。顿时，大家惊惧万分，咒骂那糊涂的射箭者，说，他会为所有海员招来大祸。果然，到了夜晚，海员们一个个痛苦地死去，横七竖八地倒在绞盘上、舷梯上、甲板上、舱口里，到处都是死尸，死尸；这是复仇的"神鸟"，给了他们应得的天刑。

独有那射箭的老水手没有死，他孤独地坐在这艘像是被魔鬼推动着的船上。四周全是死去的同伴。他悔恨，他诅咒，他多希望他没有

【题注】据劳伦斯·奥利维尔著，李晓棠、晓明译《一个演员的自白》所载排印，漓江出版社1986年第1版，原题《序》。

射出那一箭啊！船飞驶着，穿过风暴，又进入死寂的海。没有浪，没有水纹的波动，没有海岛的影子，没有一丝声音，只有空气像火一样在燃烧。水手绝望地仰视着酷热而又湛蓝的夜空，他哭泣，屋光在他的泪眼中闪烁。他喃喃地乞求“神鸟”的饶恕，他沉重视虔诚地追悔，他的心在流血；奇迹发生了。一个水手睁开了眼睛，又一个水手苏醒过来，他们一个个重新站起身，惊异着去而复还的生命；人声渐渐地充满了刚刚还如坟墓般沉默的大船；水手们像饮了仙露，他们精神抖擞地又爬上绳索，爬上桅杆，忽然所有的人都欢呼起来：海岸！看见海岸了！码头就在前面，家就在前面。

这时，屏气凝望的小观众也一起欢呼了，向这些历尽千难万险，从死亡中走回来的水手们欢呼，他们站起来，用力地鼓掌，把小小的手掌拍得通红。而那些扮演水手的演员们，一个个站在小观众面前，一再地向他们鞠躬致意，脸上露出满足的笑容。正是他们逼真的、热情的、神奇的演技，给孩子们带来了无穷的幻想，认真的思索，欣喜若狂的享受。

我回身对后面的一个小女孩说：“这演的是什么戏呀？”她响亮地回答我：“这是柯勒律治（Samuel Coleridge）的诗《古舟子咏》。”立刻她朗朗地背出这首流传了多代人的诗歌。我真是惊喜，握住她胖胖的小手。

这时，身边围着的小学生们都在插嘴：不只是这首诗，这不算什么，我们还看过比这个还好的戏！莎士比亚，那才真是戏呢！他们争着为我朗诵莎士比亚的“人的七场戏”，还唱起了莎士比亚喜剧与悲剧中的民歌。

不用说，在这些孩子们心中洋溢着对莎士比亚戏剧的衷心的喜爱与赞美。这是让我非常感动的情景。

劳伦斯·奥立维尔（Lawrence Olivier）——这位天才的演员，就生长在这样一块从童年起就热爱莎士比亚的土地上。

我是中国人，但不知是因为小时候喜爱戏剧，还是因为年轻时我听过莎士比亚剧的几个大演员朗诵的唱片，那种无法言传的美的享受便在我心中扎了根。有时在忧闷中，我会听见他们的声音；在梦寐中，居然看见他们的形象。

我听过约翰·吉尔古德（John Gilgud）的莎士比亚剧的朗诵。当然，这算不上稀奇。他现在还活着。我现在还清楚地记得《罗密欧与朱丽叶》的影片里，他扮演的罗连斯神父的样子。然而，使我现在想起来也觉得惊异的是，中学时，我曾听过肖伯纳的好友、大艺术家戈登·克雷（Gordon Craig）的母亲——艾伦·特丽（Ellen Terry）演“朱丽叶”时的一段独白的唱片。就是在她要喝下那种能使生命暂时停止的神药之前的那段独白。而艾伦·特丽，仅仅用她的声音，便把朱丽叶的猜疑、怯惧、热望、突来的勇敢与决心、喜悦，直到极度的欢乐都送到你的心中，层次分明而又和谐畅快，如一片神奇的音乐，这是我永不能忘记的爱情的颂歌，永不能忘记的可以通神灵的人间的声音。

一九四六年，我在纽约，又一次感受到这种巨大的震动。那是老维克剧团到纽约演出，劳伦斯·奥立维尔扮演《亨利第四》中的“太子”和契诃夫的“万尼亚舅舅”。

劳伦斯·奥立维尔演的“太子”，是如何轻快而又持重；欢闹、聪明与太子的尊贵，揉和一体。他的“万尼亚舅舅”，演得如何忠厚、诚恳；觉悟自己被骗后，他的心碎了。台下的人们的心也碎了。然而万尼亚又被他演得多么有节制，多么含蓄。奥立维尔道出了万尼亚在白白浪费了一生之后，那说不清道不明白的悲痛。我哭了，他让我认识了万尼亚，这个沙俄时代可怜的知识分子，忍着悔恨还要活下去，度过余生的人。

当我七十岁时，我又看了奥立维尔的《哈姆雷特》。我只是看的电影，而这也是他在舞台上创造的一个动人心魄的人物。我不想多讲了，这出戏在演剧史上有多少大演员演过，在评论史上又有多少大评论家评论过这些演出。我是莎士比亚的一个无知的崇拜者，一个对奥立维尔有深厚感情的观众。我只想说，他是优雅、隽永而深刻的。他把人性的内容，一句句告诉我们，怀着火一样的愤恨和藐视，也怀着正直的爱。

几年前，我曾到英国访问。而且去了莎翁的出生地，埃文河畔的斯特拉特福镇。在那儿的莎士比亚剧院里看了两个戏，《奥赛罗》与《第十二夜》，都演得很好，非常精彩。在其他城市，我也看了不少好戏，和导演、演员们在前廊与后台化妆室谈话，举起香槟酒，庆贺他们的成功。但是，我没有看到我所盼望看到的劳伦斯·奥立维尔。中国有句俗话，“有缘千里来相会”。我与奥立维尔先生大约是无缘了，也许终生无缘了，因为我已七十五岁，他大约和我也差不多年纪了吧。

然而，我想错了，回国后我很快就在电影里又看见了他。他演的“理查三世”，使我看到人的另一面，那最可怕的、但丁也将为之战栗的一面。他演得不仅仅使人恨，他演得使人震惊，使人恐惧，人原来是这样一个连地狱都不愿意接受的东西。当理查三世在走投无路时，声嘶力竭地狂喊出：“一匹马！一匹马！一个王国换一匹马！”奥立维尔获得了全场中国观众的欢呼、鼓掌。这时，我忽然明白，我和奥立维尔先生是有缘的，这缘分已很久很长，不光是我，他和多少多少人，和他的每一个观众都有着这源远流长的缘分。

他是明星，是一颗在观众的心中永远闪耀的明星。他在莎士比亚剧中创造的人物，使人们心中升腾起对莎士比亚的热爱之火，对戏剧艺术的热爱之火。

当然，我还有许多话可说，然而收住吧。我要坐下来，细细地读一本书，那就是两位青年同志用心翻译的劳伦斯·奥立维尔的《一个演员的自白》。

这是一本值得推荐的译文，你会看见劳伦斯·奥立维尔通过他们生动流畅的译文，又那么杰出不群地活生生地在我们面前重新生活一次。

一九八五.九.一九于北京

寄语少年朋友

——1985年10月6日在南开中学的讲话

首先，感谢我的母校——南开中学的各位师长，各位同学，各位学友，给我这样热诚的欢迎。

刚才这位同学叫我爷爷，我确实惶恐。是啊，我的确是个爷爷，我有孙子，但是从我的思想看，我不是爷爷，还是很幼稚的。这是第一点。

第二点，从我的愿望来说，我希望我是刚入学的那个样子。我很小，13岁就进了南开中学，15岁加入南开新剧团。所以我希望你们叫我一声同学，我就更高兴一点。但我们是唯物主义者，这是没有法子挽回的。我永远忘记不了南开中学，怎么这样讲呢？在我中学时代，它使我真正睁开了眼睛看世界，并且知道什么叫好人，什么叫坏人。这很难，这是一件很难的事情。一个人能看清楚哪个是好人，哪

【题注】收录田本相、刘一军选编《曹禺读本》，上海教育出版社1989年第1版。另，这篇讲话时间当为1985年10月6日。

个是坏人，哪件事情是是的，哪件事情是非的，很不容易。我的感觉，在小的时候就打了基础，而不是到了大学，到了研究院才打基础，就是说在中小学就打基础。而我是在南开中学打的基础。那时是六年制，我先上的是初二，病了一年，也是读了六年，我毫不后悔。在病中，许多很好的同学、老师来看我，来教育我，帮助我。南开中学的生活十分丰富，不只是在课堂上，还有许许多多的课余活动。我学的是理科，我喜欢化学，那时很想在化学上学点东西。甚至我也很喜欢数学，那时高中已经有了近代的几何教学了。恰恰有位好老师，张彭春先生，他是张伯苓校长的弟弟，对我有很深很深的教育。每年都叫我演戏，他告诉我如何演戏，告诉我戏有如何的好处，告诉我从戏里你知道人究竟是怎么回事情。我一生都有这样的感觉，是非常复杂的，又是非常宝贵的。人啊，又是极应该把他搞清楚的。无论是做学问，或做什么事情，如果把人搞不清楚，也看不明白，这终究是一个很大的遗憾。老师们就是这样教的，告诉你如何懂得人，如何做一个好人。

还有，张伯苓老校长经常讲两个字，一个字是“公”啊！当然他不是讲马列主义，但是他的意思，无非是叫我们为人民服务。一个人活在这个世界上，就像陶铸讲的“心底无私天自宽”！一个人没有私心，世界都变得更宽广了，人也勇敢了，有智慧了，这一点是十分重要的。尽管我们批判了种种“左”的东西，但是“全心全意为人民服务”，还要永远放在心里。老校长讲的第二个字是“能”啊！“能”就是能力、知识啊。如何得到知识，如何获得能力，有了知识，有了能力，就能促进社会，就能使国家又富又强，使整个社会文明起来。在座的同学，责任是很重的，你们生活在一个最伟大最幸福的时代，前面是宽广的道路，我希望大家都沿着这条大道前进！

最后，我想起两首诗，曹操的一首诗讲“山不厌高，水不厌深”。怎么讲？山越高越好，水越深越好。这个意思用今天的话来说，无论是求学、做事、搞发明、搞研究，是越好越好！再有，就是还要看得远一点。唐朝的诗人有两句诗：“欲穷千里目，更上一层楼。”我们南开中学是个非常好的学校，也可以说是首屈一指的学校。刚才这位小的女学友对我说，“我们要成为一个更好的南开人”。南开人这三个字，我听了是很骄傲很自豪的。自豪倒不仅仅因为这里出了周总理，是因为你们这些年轻的小学友都将成为为社会主义服务的英才。你们必然一个比一个更好地出现在祖国的各条战线上。我将因为你们使伟大的祖国立足世界强国之林而感到自豪和骄傲！

感谢小学友的讲话，非常感谢校长给我的这样一个勋章。我是不配的。但是我觉得是我的母校给的，母校给的东西是永远不能辞掉的。

大家相信我，相信我一颗赤诚的心。我75岁了，我还要活下去！不是糊糊涂涂活下去，而是要坚强地活下去！要做一些工作，要做一些有益于人民的工作，永远做一个很好的南开人！

谢谢！

能开天地春

首先我要为重庆雾季艺术节祝贺，同时我感谢这个盛会的召开。因为它给我们带来了多少激动人心的回忆，让我们这些白发的老人重又感受到青春的热血在流动。这是一个年轻的盛会，是过去的年轻人与现在的年轻人的盛会。

我清楚地记得，那时候在重庆，到了暮秋、早冬，以及以后整个的冬天，早晨，眼前总是迷迷蒙蒙的一片雾，街道上看不见人，田野里那顶天的黄桷树也在白色的迷雾中隐藏起来。然而，我们都知道，不久太阳就要升起来的，那亮晶晶的，破雾而出的太阳，放射出万道光芒，照透我们的心。我们每个人，都感到温暖，因为我们知道我们的生活，正像这雾季的早晨一样，有过雾，也有太阳。那照透人心的阳光，是从曾家岩，从八路军办事处，从《新华日报》那朝气勃勃的文章中放射出来的。那时，我们称呼周恩来同志，还是周先生呢，有

【题注】载《戏剧与电影》1986年第1期。文末附注“本文是曹禺在重庆雾季艺术节开幕式上的讲话”。另，开幕式于1985年10月22日在重庆举行。

时还亲密地称他为“胡公”呢。他给了我们深厚的关怀，为我们指路，用他的思想与人格的光辉，引我们走上抗战文艺的大道。当然，还有张颖等同志们给我们的帮助。

我们没有在雾中迷失方向，为了爱国，为了抗战，为了驱逐侵略我们的敌人，为了祖国最美好的明天，多少同志写出了多少文艺作品，演出了多少戏剧，谱出了多少乐章、诗歌，作出了多少书画、文章。那时的我们真是年轻啊！夜以继日地工作，赶文章，赶排练，赶演出，忘了饥寒，也忘了疲劳。为我们最心爱的祖国的前途，奉献出我们的智慧、才干与体魄，奉献出我们美丽的有意义的青春。

郭沫若同志写出《屈原》《棠棣之花》《虎符》这些不朽的戏剧。夏衍同志写的《心防》《法西斯细菌》，动人心魄的爱国抗日的杰出的剧目。阳翰笙同志写出《天国春秋》《草莽英雄》和许多出色的大文章。田汉同志写了《秋色赋》《丽人行》，代表时代精神的好戏。于伶同志在“孤岛”，写出《长夜行》《夜光杯》和《杏花春雨江南》，树人民正气的好剧目。还有陈白尘同志的《魔窟》《结婚进行曲》和《升官图》。还有宋之的同志的《雾重庆》和《春寒》。老舍先生，除了写作《骆驼祥子》《四世同堂》，又拿起了话剧这个武器。吴祖光同志写出他的第一个剧本《凤凰城》，紧接着又写了《正气歌》《风雪夜归人》。多少作品，多少好戏啊！提起来，一下子是说不完的，我知道我们大家都在拼命地干，都在奋斗。

多少导演，像洪深、应云卫、黄佐临、焦菊隐、张骏祥、马彦祥、贺孟斧、杨村彬、沈浮、史东山，他们为着国家和人民，一夜一夜地快乐地工作，他们的艺术创作，像黎明那样亮起来，亮起来……演员就更多了，他们像天上的星星，照透了重庆的雾，疯狂了重庆的观众。

我可以举出成千上万的名字：美术工作者，组织工作者，宣传工作者，等等，但是我想不用一一地说出来了，因为我们有一个共同的名字：抗战的战士。我们是一个家，一门大炮，一支野战军。那时的我们，就像是四川的红辣椒，又尖又红又辣，吃到心里，浑身发热。重庆有多少人认识我们，喜欢我们，欢迎我们，把我们当作知心的朋友，我们也就是重庆的一部分！

虽然那时候生活上不富裕，甚至可以说很艰苦，可是我们的精神食粮是丰富的，我们的创作灵感与创作的欢乐是丰富的。我们有信心，有领导，我们相信祖国必将从浓重的迷蒙的雾中，站起来，迎接光照世界的太阳。

今天，不就是昨天的答案了么？在今天这个日子，我们由衷地感到喜悦，因为我们看见了，知道了我们没有白干！美好的向上的中国不是代替了不明不白的中国了么？我们不是从落后、穷困，走上先进、富裕的道路了么？日后，用上几十年工夫，我们还要使中国成为一个最先进、最强大的国家。

雾重庆终于不是雾重庆了。现在，我想说的是，如果这个“雾”对重庆的人民有害处，那么，待我们掌握了最新的最有效的科学技术，我们就可以呼风唤雨，就可以扫去对重庆有害的“雾”。当然，如果科学告诉我们，“雾”实际上对人、对城市，还是有一定用处的，那么，我们就得留它，该留多少就留多少，多余的，一概不要。

这些话，都是因为今天我忽然又感到年轻了，才能说出来。

确实，我对重庆有无限的怀念之情。因为它代表了我的青年到中年的时光，它锻炼过我。在这里，我知道了光明在什么地方，明白了许多做人的道理。我来到重庆时是二十八岁；离开它，已经三十六岁了。在四川这块“天府之国”的好地方，我一住就是八年。一直到抗战胜利，我才向重庆，向重庆的乡亲们告别。我从心里觉得，重庆是我的第二故乡。今天，我是远方游子又回来探亲了。

要说起重庆的好处，真是说不完的。我喜爱重庆人，爽快、聪明，会说俏皮话，爱说痛快话，常说知心话；和重庆人，和四川老乡在一起，使人感到亲切，心里热热的。重庆的天气，也让人忘不了。一到三伏天，那真叫热呀！热得可以把人烤成芝麻饼。这天气就像重庆人的脾气。我也记得重庆的冬天，不冻冰，却冷得要死，没有炉子烤火，只有一个烘笼，放在袍子下面。那时我只有一件薄的棉袍子，在朋友家中，我吃过无数次温饱的饭，但是一出朋友的家门，就又冷起来。我也不好意思拿烘笼放在棉袍里面，一则不好看，二则走不了路！冷呀，真冷！但这一冷、一热，不是锻炼了我么！我吃过重庆的粮，喝过嘉陵江的水，一草一木，都引起我无尽怀念与感激之情。

今天，重庆市与重庆人民举办了这个“重庆雾季艺术节”，这真是件大喜事。我们回顾往昔，又展望将来。我们感到心中的火没有熄，也不会熄。我们要像当年那样，把自己还有的一切，奉献出来，为了使祖国强盛。

中国已经是举足轻重的国家，世界的眼睛在望着我们。我们，过去的年轻人与今天的年轻人，要接力，要苦干。我想到两句诗，那就是“霜雪磨练后，能开天地春”。

这是重庆雾季艺术节给予我的启发！

让我们永远年轻，开出一个天上地下的春天。

话剧的新时代就要到来了

——在中国话剧文学学术讨论会开幕式上的发言

现在，大家都在说戏剧不景气。的确，全国各地不少剧场都出现了“门前冷落车马稀”的现象，而此景尤以话剧为甚。那么，为什么我们的话剧会突然没有观众了呢？

怎样才能“门庭若市”

在现代戏剧发展史中，话剧是取得了成就的，是有贡献的。但是我们也应该承认，现在有些话剧的确质量不高，不足以吸引人。究竟怎样才能使话剧“门庭若市”呢？当然，首先要提高演出质量，要写出好本子，拿出好戏来。同时，我们还要重视话剧的普及工作，要花大气力，下苦功夫，扶持各类学校中的业余话剧活动。与我同辈的

【题注】载《戏剧报》1985年第11期。

戏剧家中，多数都是票友——搞业余话剧出身的。现在也应多培养票友。这一点，京戏的情况要比话剧好。我觉得，在学校开展业余话剧活动是很好的辅助教育。

我们不妨尝试一下“开门话剧”的做法，即无偿请人看戏。美国有位戏剧家叫约瑟夫·帕勃（Joseph Papp），他曾在纽约中央公园组织过多次莎士比亚戏剧节，参加演出的都是大导演、名演员。他先在空场子组织演出，不卖票，进去便看，连续数天。市政府被他感动，允许他在公园、教堂举办演剧活动。我曾在纽约见过这个人，他有志气、热情高，理想远大，酷爱话剧事业。他把从事职业话剧赚来的钱都赔在这里，他获得了成功。我们如果也如此诚恳而热情地请人看戏，我们话剧的观众只会日益增多。中国至今仍有相当一部分人不知话剧为何物，我们要做好这个工作，想办法请他们进剧场，调动其热情，使其上瘾。这要有个潜移默化的过程，就像四川人到上海卖榨菜一样，先是没人买，他们就白送，吃多了自然上瘾，他就不得不狠心掏腰包买了。话剧似乎也可以如此办一下。

切莫图解政策

几十年来，图解政策、台上“训”台下的现象，在我们的话剧舞台上时有出现，这种风气非改不可！话剧绝非只是宣传政治的工具。虽然我们生活在社会主义国家里，但话剧却不单纯是某种政策的“传声筒”。生活中有些英雄模范的事迹，报刊、电视和广播中都已做过大量的宣传介绍，又硬要写成话剧，还发票组织大家一定要看。这种做法会促使观众对话剧产生反感。“文革”中的一些做法就更是令人啼笑皆非了。听说，有一出写反对走后门的戏，戏并不好看，硬要组织观众来看。观众不愿看，便反锁剧场大门不让走。这种搞法，在最低限度上丧失了戏剧的品格。战争年代出现了歌剧《白毛女》，其影响之大，遍及全国，成为中国戏剧的经典之作。我们的作品要以感人、陶冶人为宗旨，让观众在欣赏中受到教育。周总理说的“寓教育于娱乐之中”便是这个道理。戏剧要给人以高尚的享受。那些拼凑几个形象的“主题先行”的作品，伤害了观众对话剧的感情，这都是对话剧不关心的人做的。“文革”前也有类似作品，将剧中人物分为两大阵营，非好即坏，两派进行斗争。话剧如若只是单纯地宣传政治的话，观众不如去读报纸，戏剧也就失去了存在的意义。

要丰富和发展戏剧观念

是否允许多种戏剧观念存在？我个人表示赞成。观众是真正的鉴定人，他们喜欢看就演下去，没人看自然就被淘汰了。问题的关键在于不能搞“一窝蜂”。现实主义是我们的一贯传统，老舍的《茶馆》《四世同堂》，西德话剧《屠夫》，都是现实主义传统的好戏；苏联剧作家阿尔布卓夫的《老式喜剧》最近由中央戏剧学院演出，此剧并非完全现实主义的写法，但我觉得也是一出难得的好戏。戏剧观念需要不断更新，否则戏剧发展便会遇到障碍。但是，也不能把过去的戏剧观都贬得一无是处。要提倡“百花齐放，百家争鸣”，不断地丰富和发展戏剧观念。谁是谁非，“观众”与“时间”是最好的裁判。记得那是1956年，在北京举办全国话剧汇演，有十来个国家的代表前来观摩。看后他们向我提出疑问，说这些戏像是出自一个人的手笔。这都是公式化、概念化的结果。现在，党中央体察到文艺界的甘苦，提倡创作自由。我们要深入生活，用自己的理解去反映时代。戏剧与国家的前途和命运密切相关，我们要在四项基本原则的基础上，多出人，多出戏，飞速发展的时代需要更多开拓型的戏剧人才。

话剧虽然暂时不景气，但是，危机中会孕育出更加强盛的生机。我感到生机充满了宇宙，豪气充满了人间。话剧艺术又一新时代就要到来了！

这次中国话剧文学学术讨论会很有必要，全国许多专家都来了。我想，这次会议一定会开得十分成功。

台湾，我心往神追的地方

今年十月二十五日，是光复台湾四十周年的好日子。这一天，我们都记在心里，都在纪念它。因为四十年前的这一天，我们经过长期的奋战，把日本侵略者赶出了中国的这片领土，台湾回到了祖国的怀抱中。从一八九五年《马关条约》之后，我们的台湾同胞在日本军国主义的统治下，过了五十年的痛苦和屈辱的日日夜夜。因此，十月二十五日这一天，对于我们是这样地珍贵。在这个不能忘怀的日子里，我有一个心愿，我愿有一天，海峡两岸的同胞能一起纪念这个好日子，庆祝我们共同的胜利，把我们的欢喜和泪水献给我们唯一的母亲——中华祖国。

让我借这个机会，作为一个大陆的知识分子，一个文艺工作者，向我在台湾的同胞、同乡、同学讲几句话。我们分别得太久了，我们之间的想念一天比一天悠长，也一天比一天迫切。这想念不是一个人对另一个人的想念，而是分离的同胞手足的油然而生的怀恋，也是儿

【题注】载1985年11月8日《人民政协报》。

女对母亲，母亲对儿女的深情。

哺育了我们祖先的土地，正在哺育着我们。中国伟大而悠久的文化长河，正在我们的心上流着。我们是一块土地上的世代子孙，我们是一个源头的文化的继承人。我们都是黑眼睛、黑头发、黄皮肤。多么美丽的人哪!

台湾，是我没有去过的地方，也是我最想去的地方。那里有我的故旧，有我儿时的南开同学和清华大学的许多老同学、老学长，还有我的多少同行。在图书馆里，在新华书店，我看到了你们的作品。我拿来细细地读过，我喜爱那浓郁的乡土气息，喜爱那细致的动情的对生活的描绘，喜爱那一个个活生生的人物，从中我学到了很多，也牵动了多少思念与感叹。多么想把心里想到的和你们说一说，就像是朋友和邻居那样随意地交谈，谈谈我们对艺术创作的心得体会，谈谈我们各自的文章，也谈谈我们的生活。我真希望有一天我们能自由来往了，我们就可以经常见面了。我还在想，如果时机还不成熟，那么，至少我们艺术同行们可以往来，可以交流。我们是在同一条文化长河中向前的人，我们应当一起划桨，一起领略河上无限美好的风光。我愿意去台湾探望你们，也在这里等着你们的到来。在北京、在上海、在西湖、在黄山、在大江南北、长城内外都有无数的人在等待欢迎你们。这是我们都在期待着的日子。

据说我写的那些很不成样子的东西，在台湾也有读者。那么，就请你们，我的台湾的作家朋友，代我谢谢这些读者。那个时候，我年纪还轻，写的东西有些不成熟。现在我盼望有一天能亲耳听到台湾读者的意见。如果有夸赞，我会非常高兴；如果是批评，我会认真思索。

最后，我祝愿我的大陆与台湾的同行们创作出更多优秀的文艺作品，为维护和平与美好的生活，为我们祖国灿烂的文化增添新的光彩。

我为什么把《日出》改编成电影？

《日出》是我在三十年代为揭露当时社会的腐败而创作的一台话剧。时隔五十年，我又和我的女儿万方一起，把它改编成电影。我之所以这样做，是因为我想通过电影这个拥有广大观众的艺术形式，让更多的人，特别是让生活在今天的中年人和青年人，对我们祖国的昨天有所了解。如果现在的年轻人看了这部电影，对于旧中国的黑暗和腐败本质的认识能有所加深，那么，我改编这部电影的目的就达到了。

关于旧中国，现在的中青年是不大熟悉的。那个社会仅仅用几个黑暗和腐败的词句是不可能概括得全的。在那个社会里，洋人横行，中国人在自己的国土上也要受欺侮。金八是洋人的走狗，仅仅是一条走狗，其作威作福之可怕，是今天的中青年所不可想象的。生活在那个社会底层的人，如黄省三、小东西、翠喜、小顺子等，则是广大劳动人民的缩影，他们的痛苦是亿万劳苦群众的痛苦，他们的命运也是

【题注】载1985年12月8日《解放军报》。

亿万劳苦群众的命运。陈白露作为一个高级交际花，也是一个弱者。尽管她聪颖美貌，能歌善舞，精通文墨，巧于应酬，甚至还具有某些同情心。但是，到头来，终不免做了一个可怜的牺牲品。

在这部影片中，我对半封建、半殖民地的旧中国内部潜在的危机也做了一些表现，如金八与潘月亭、与“小东西”，潘月亭与李石清、与黄省三，等等关系的尖锐的对立。这是旧中国必然灭亡的内在因素，是旧中国的不治之症。

解放以后，特别是党的十一届三中全会以来，我们国家发生了根本的变化。外国人再也不敢小看我们了，人民的生活也一天比一天好起来了，就连外国的资本家也开始说我们的好话了。这是为什么？因为这是事实。他们之所以说好话，是因为他们没有别的办法了，可是并不意味着他们的本质就改变了。因此，对于资本主义，我们还应该有一个基本的认识。现在，我们国内追求资本主义腐朽生活方式的人尚非绝无仅有，这是应当引起重视的。

中国今天的富强，不是靠资本主义恩赐的，而是靠革命斗争从敌人手里夺取的，是靠人民解放军用枪杆子打出来的。今后祖国要更加富强，还是要靠奋斗，要靠改革，要靠严肃的法制，要靠广泛的民主，要靠献身的精神。我们不能忘记过去，那就应该知道祖国的昨天！

中国需要这样的普及

世界文学，浩若烟海，即使能读一生的书，也仅是沧海一粟。

常盼得一良师，开一书目，指导我读书，使我读了书能明白人性是如何复杂，人生是如何奇妙。不论在哪个时代，都有伟大的人在注视，用他们的心灵在感受，用他们的那支笔在写……因此，读书是件幸福的事。

然而，书目并没有开出，只好遇书就读。有时激动得放不下手，但有时也因太长、太深，终于没有读完。小时一些书草草读过，后来连故事都记不清了。倒是记得有一本《龙文鞭影》，四字一句，就是一桩小事，引我追逐下去，探个究竟。后偶见《山海经》，其中图画，

【题注】载1986年6月5日《文学报》，据以排印。文末附注："作者欣闻浙江人民美术出版社将出版一套大型《世界文学名著连环画丛书》，特撰此文推荐。"又载《中国连环画》1986年第8期，题名《〈世界文学名著〉连环画丛书序言》，兹以通校（校注称"中国连环画本"）。中国连环画本文前"编者按:《世界文学名著》(欧美部分）连环画丛书，即将由浙江人民美术出版社出版，它精选了三十八位作家的五十二部文学名著，全书约八十万字，画面近一万幅，以大三十二开本分十册成套出版，下面是曹禺同志为该书写的序言"。

教我想象，觉得那神话传说，既是有趣儿，又令人神往。

求知总是从简易，从形象，从兴趣起。“看图识字”是个好方法，看图认识世界文学，也是一条途径。

《世界文学名著连环画丛书》，正是这样一部由引人兴趣，到引人深读原著的好书。

这部书以世界文学发展史为线索，精选了各国享有世界声誉作家的代表著作，生动的图画，精练的文字[1]，把世界名著的文学性、艺术性、知识性融合在一起。在它的内容介绍中有两句话：“你想在短时间内博览世界文学名著吗？你想尽快提高自己的外国文学修养吗？”我想，这套连环画丛书，是可以满足人们这样美好的愿望的。

中国需要普及世界文学名著[2]，在这部书的编辑计划中，也包括中国的文学名著。我想，我可以代表孩子们，青年人，所有的人们，为这部书的出版由衷地高兴，并且说，我们会一本一本地读下去。[3]

---

1 “文字”中国连环画本作“文章”。

2 “普及世界文学名著”中国连环画本作“这样普及的世界文学的介绍”。

3 中国连环画本文末署“1985.12.8 于北京”。

这样的戏剧艺术家

——纪念焦菊隐诞辰八十周年、逝世十周年

焦菊隐同志离开我们已经十年了。今天，纪念他诞辰八十周年、逝世十周年，真是感慨万端，简直不知从何说起。

这些年，我每到北京人民艺术剧院，见着数十年来的艺术同行和同事，便不由地怀念这位博学多能、才气纵横的朋友。我常想，如果现在他活在我们中间，活在排练场和舞台上，我们会多么高兴，看到他那令人景仰的、不可替代的光彩，心中一定会为我们能从事的戏剧事业感到自豪。

菊隐先生使我十分想念的缘故是多方面的。

首先，他是我真正感受到彼此心灵相通的戏剧艺术家，一位杰出的导演。他说过“写戏，就是写人。写人，就是写性格”。而“表现性格，就是表现思想”。

【题注】载1985年12月14日《北京日报》，据以排印。又载1985年12月19日《解放军报》，题《怀念焦菊隐》，兹以通校（校注称“解放军报本”）。

这两句话多么简练，包含了多么丰富的内容。应该说，他道透了戏剧艺术的精髓。

因此，无论郭沫若的《蔡文姬》、田汉的《关汉卿》、夏衍的《一年间》与老舍的《茶馆》，经过他深刻的挖掘，艺术的洗练，以他独到的导演构思，把作者的心灵，思想与情感，天然般地展现在人们面前。一个个血肉丰满的人物，活了起来，使我们真的认识了他们，理解了他们，被这个人的世界深深吸引，沉思默想，不能忘怀。

我们常说，没有好剧本和好演员，就没有好戏。现在，我愈发明白了，没有一位才能与思想都攀上高峰的导演，好剧本与好演员的本领也是枉然。焦菊隐先生是剧本与演员的桥梁，他既是一座美轮美奂、精心建造的大桥，又是一条天然与清新的河流。

舞台仿佛是一汪水塘，剧本仿佛是水，而演员又像是水中的鱼，他的劳动使这一切交溶在一起。

有许多演员、舞台美术工作者，他们也像我一样地怀念焦先生。因为，二十多年来他们与焦先生共同创造了多少部好戏。正是在这种创造中，他们成熟了。有些已经成为出色的戏剧艺术家。他们从焦先生那里得到的启发，得到的教益与灵感，就像火种被点燃，一星星、一点点，已经燃成了美丽的火焰。

焦先生一直主张“启发演员的主动性”，他的办法很多。我有时想起来就感到后悔，没有好好地、细心地看他排戏。我相信，那是一种艺术、修养与作风的陶冶，人们可以从中体会到再创作的艰辛与享受。值得欣慰的是，有多少人看他排戏已经数不清了，他们每一个人的心里都会留下焦先生天才的火花。

听说排《关汉卿》的时候，有一个演员用了鼻烟壶做道具，焦先生看到了。据他所知，鼻烟壶是明朝才传到中国来的，元朝不会有。然而他还怕不准确，一直问到历史研究所的专家。他们回答说："现在的资料还不能证明元朝已经有了鼻烟壶。"于是焦先生说："那就不用这个道具吧。"

这只是一个小小的道具，由此可以想到焦先生对艺术认真严格的态度。这实在值得我们学习。

焦先生年轻时办了中华戏曲专科学校，培育出许多著名的京剧表演艺术家。为了更透彻地了解民族戏曲的内容与形式，他不但研究"唐、宋、金的大曲"，还向各位京剧界老先生请教。而且拜了一位当时大家都十分推崇的老前辈、精通昆曲的曹心家先生和专工小生的冯蕙林先生做老师。使全校师生惊讶的是，他每日也和学生一样压腿、吊嗓。他并不是想成一位名演员，而是在用身心去琢磨祖国的民族艺术传统。

因此，他很早就主张话剧要继承我国民族的表演形式。在郭沫若的《虎符》的演出中，他实践了他的设想，同时也显示出他卓越的才能。但在《虎符》上演之后，他却这样谦虚地说："如果说，过去的戏都没有传统的表演风格，那就太武断了。我个人以为，我国话剧演出，有的戏在民族形式上更突出些，有的戏虽已具有了民族风格而不易使人察觉。"经过多少年的追求、体验、创造，他写了《关于话剧吸取戏曲表演手法问题》的论文。文章的价值与作用已经越来越被今天的人们所理解了。

我在谈焦菊隐先生，然而我对导演艺术却是外行，对于他所创造的导演艺术流派，也是耳濡目染，讲不出个道道。但是我相信一句话：“心有灵犀一点通。”这样说，我并不是指我自己，而是指每一个致力于戏剧艺术创作的人，每一个热爱戏剧艺术的观众。焦先生的影响在人们的心里，他的声誉已经传遍了国内外。

昨夜醒来，想到焦先生，是那个沉默的，几乎不说话的上了年纪的人。那时他和我都在“牛棚”，铺挨着铺。现在，他已经离去十年了。但是我知道，我不会忘记他。我还知道，大家都会记住他。他的生命不会完结，永远被戏剧艺术的熠熠光辉照亮。

在夏衍的目光里

今天，大家在这里纪念夏衍同志从事革命文艺工作五十五周年，这对夏衍同志来说是一个喜庆的日子。参加今天这个活动，对于我们大家来说，也有不同寻常的意义。夏衍同志的生命中，有五十五年是和革命文艺工作联系在一起的，他的成就代表了一代知识分子在党的领导下走过的艰苦历程，开创的光辉业绩。半个多世纪以来，夏衍同志和我们的国家、我们的党同呼吸、共患难，他是老一代知识分子的代表人物，又是新一代文艺工作者的榜样。因此，今天也是我们在座每一个同志的喜庆的日子。

夏衍同志博学多才，能力是多方面的。他在文艺领域中涉猎很广，是一位创作的实践家，同时又是革命文艺事业的组织者，他一直担负着许多社会工作。我不能一一列举他都是哪些方面的专家，一时

【题注】载《戏剧报》1986年第1期。文前编者说明："1985年12月16日，首都文艺界四百多人在人民大会堂二楼大厅，为夏衍同志从事革命文艺工作五十五周年举行集会。中国戏剧家协会主席、著名剧作家曹禺在会上做了发言，现全文发表如下："

也说不清他有哪些职务。因为在我心里，这一切都不那么重要。但是，有一点我是再清楚不过的——夏衍同志是一个真正的人，是中国当代一位了不起的革命文化人。这一点，不是加在他身上众多的职务和头衔告诉我的，而是从我年轻的时候开始，直到如今耄耋之年，认识了他近半个世纪以来得出的认识，这是经过漫长的岁月积累起来的认识，因此是一个可靠的认识。

夏衍同志一生坎坷，艰苦卓绝。在青年时代，他走过的路是崎岖、曲折的。起初他是一个进步的知识分子，他崇信过富国强兵、个人奋斗的主张。但是，当他接触了马克思主义，参加了共产党领导的进步团体之后，即勇敢地进行自我解剖，他解剖得那样深刻、彻底，他说：“我是以‘启蒙者’自居，而不知道‘蒙’着的正是自己。”从此他走上更彻底的革命的路，在一九二七年大革命失败，许多人离开了革命的时刻，毅然入了党。从那时起，他用他的笔，用他的生命，呼喊、战斗，直到今天，从来没有停歇过。

最初，我是从《包身工》这篇报告文学上认识夏衍同志的。是《包身工》使我了解了半殖民地最底层劳动者的苦难。《包身工》不仅对我，而且对我这一辈中的许多人，是最初的阶级压迫教育。而现在，我又从我的孩子们中学的课本上，看到了这篇文章，这真使我感慨万端。我相信，这篇文章，以及夏衍同志写的许多揭露那个社会的悲愤之作，唤起人们觉醒的革命之作，会一代一代传下去，成为一种历史的教育，使我们的子孙后代都不要忘记，我们中国有过那样一个最黑暗的年代。

抗战时期，我在重庆曾多次接触过夏衍同志。那时，他的共产党员的身份几乎是公开的。他在国民党特务的眼皮下面写戏、办报，和国民党政府的“消极抗日，积极反共”政策，进行面对面的斗争。同时他在周恩来同志的指挥下，四处奔走，团结了一大批进步的文化人，大造抗战舆论。当时，我真为他担心，对他的胆量，对他坦然自若、一往无前的勇气，我们是十分钦佩的。

1948年，全国解放前夕，我从香港返回内地之际[1]，去看望夏衍同志。那时他正在编《华商报》，每日写文章抨击时政。我去看他的时候，他正在一间非常狭小、阴暗、潮湿，又破旧不堪的地下室里埋头写文章。他看上去很憔悴，疲惫不堪，但精神却异常亢奋。为着即将到来的胜利，为着争取时间，向即将倾覆但仍负隅顽抗的反动派，多掷去几只匕首，他没日没夜地工作着，几乎无暇顾及其他。我被他火一样的革命热情深深感动。

五十五年来夏衍同志写了数不清的文章，创作了一大批有持久生命力的好作品。我比较熟悉的是他写的话剧。老实说，我自己是搞话剧的，我看别人的戏就比较生疏一点。但我从年轻时就爱读夏衍同志的剧本。直到现在，还是一拿起就不忍释卷。昨天晚上，我还在读他的《法西斯细菌》。他的许多剧本我读了几十年，愈发读出了味道，悟出了夏公笔下的许多道理。我觉得夏衍同志的戏，很像他的为人。夏衍同志严肃、认真，不说假话。他笔下的人物、情节，朴素、真实，平易中显现出隽永的境界，淡泊中渗透出炽烈的感情。他的戏表面上看去火气不大，但骨子里的劲道很足，这是一种很深的功力。

1 “际”底本作“季”，当作“际”。

在看他的戏时，我总能感觉到他的目光，你是随着他的目光在审视着这个复杂而奇妙的世界。有时，我在这目光里，看见了愤怒的火；有时，在这目光里，看见轻蔑的一瞥；有时，在这目光里，看见同情的泪。当然，他有时也会把他的爱、他的追求，分给他心爱的角色。他的品格的力量照亮他所爱的角色，使他们光彩照人，熠熠生辉。

我常想，以后要是有人让我讲课，我要好好讲一讲夏衍同志的戏；要是让我写有关当代话剧创作的文章，我也要好好谈一谈夏衍同志的剧本。因为夏衍同志的戏剧创作，实在是我们民族话剧的一份十分宝贵的财富。但是，要做这一切之前，先要好好学一学夏衍同志这个人。只有真正能够理解他，真正感受到他的胸怀，才能更深刻地了解他的作品。

我衷心感激五十五年来夏衍同志为我们的国家，为我们的人民，贡献出了他的一切。并且衷心希望来日在庆祝他六十周年，以至七十周年从事文艺工作的活动中，还能和夏衍同志坐在一起，再谈一谈我的感想！

危机里蕴育着生机

今天在这里见到了许多老同志、老朋友，感到非常高兴。也是在广州，一九六二年开了一个全国性的话剧、歌剧、儿童剧的创作会，在座的不少同志都参加了那个会议，那是一个鼓劲的会，一个成功的会，一个实事求是的会。我们敬爱的周总理和陈老总在会上讲了话，二十三年过去了，总理和陈老总都已经离开了我们，但是他们在那次会议上的讲话，他们对文艺创作问题的精辟见解，他们在是非面前表现出的共产党人的磊落胸怀，我是永远不会忘记的。今天，中南五省的同志又聚集到广州参加这个创作座谈会，希望这个会像六二年广州会议那样，开成一个鼓劲的会，一个增强信念的会，为促进我们的戏剧事业做一点切切实实的工作。

令人焦虑的戏剧危机已经闹了好几年了，依我看也算是个好事，因为它从反面帮了我们的忙，帮我们搞了一次总动员。现在大家都动起来了，事情就有了转机。今年全国开了不少戏剧创作会、笔会，有的

【题注】载《剧本》1986年第1期。

省还搞了戏剧节和调演，活动之多、积极性之高是近年来少见的，说明大家对这个危机有正确的认识，有信心去克服它，危机里蕴育着生机。

最近，文化部在北京搞的戏曲调演，气氛热烈，出了不少好戏。我们这个会上的五省拿出的楚剧《狱卒平冤》、花鼓戏《喜脉案》、壮剧《金花银花》都受到好评，有的还得了奖。另外像广东搞的话剧《南方的风》《特区人》，还有湖北的汉剧现代戏《弹吉他的姑娘》，都造成不小的影响，有的还吸引了大量青年观众，改变了一些人对戏曲的看法，这是一大喜事。如果我们的戏都像这几出戏一样受到观众的欢迎，那么戏剧就将度过危机的严冬，走进春暖花开的季节了。所以，最重要的还是要抓创作。剧本是一剧之本，这既是一个现实问题，又是一个长远问题。从现实看，有没有能上演的剧本，演出来好不好看，受不受欢迎，这要靠剧本。从长远看，戏剧文化的积累主要是剧本的积累。因此，我们还肩负着历史的责任，要多出好作品，为我们的民族文化增砖添瓦，为子孙后代留一点东西。

这几年，在戏剧创作上大家谈得比较多的话题是改革。戏曲要改革；话剧要更新戏剧观念；在理论工作方面也有人在讨论如何更新研究方法的问题。我看这些都应该支持，可以改，可以革。改革就是变化，什么事情都一样，没有变化就停滞不前，就不会发展。比如关于现实主义问题，过去我们搞了许多年现实主义，也确实出了不少好戏，像《茶馆》《关汉卿》，现在拿出来看也很了不起，称得上传世之作。当然，过去在现实主义的名义下搞的一些戏，现在看起来有的也不那么“现实”，不是那么好。但不能因此就说现实主义不灵。应该说是图解政策，公式化、概念化不灵。不能把账[1]算在现实主义身上。现在有人想搞一点象征的、表现的，甚至是抽象的东西，可不可以呢？我看可以。搞好了可以丰富我们的表现手法，给我们的舞台注入新的活力。只要能为我所用的，应该允许试验，如果连试都不试一下，怎么知道行不行呢？有些戏排出来让我去看，我看了，有的我喜欢有的不喜欢，那没关系，照样演，大家喜欢就行。如果大家都不喜欢，都不承认你，那你就得考虑一下了。所以个人的好恶是一个问题，能不能搞是另一个问题。但是有一“忌”，就是忌一哄而起，一涌而上，不要看别人搞了一个什么新花样，大家就一起跟着学，艺术的生命在于创造，跟在别人屁股后面学是没有出息的。

最近我注意到一个现象。在话剧方面有人提出是“提纯”还是“杂交”的问题。所谓提纯，就是说突出话剧依靠对话来塑造人物、交代情节的传统艺术手法。所谓杂交，就是说话剧不能光说话，还要融合进其他的表现手段，要创造综合型的新样式。现在有的话剧演出里出现了类似古希腊戏剧里的歌队，还有舞蹈、打击乐、电子琴等等。有的戏甚至像京剧那样，演员上来先自报家门。而同时在戏曲界，有人又感到某些程式的东西太僵化了，趋于凝固，妨碍了内容的表现。因此有些戏曲剧目也学了不少话剧的手法，搞得比较实。话剧和戏曲都觉得别人的东西好，这是个新鲜事。从中可以看出戏曲和话剧各有特点，各有所长，不要“铁板一块”动不得，但也不要妄自菲薄，自己要丢掉的东西，也许别人捡来当宝贝。我想改革是好的，但

1 “账”底本作“帐”，当作“账”。

头脑要清醒，讲求实效，少说空话，要拿出作品来说话。不能把过去一概否定，尤其对我们的老祖宗，对我国丰富的文化遗产，要取慎重态度，可以大胆探索，但一定要切合实际，要实事求是。

总之，我们要支持创新，新生的东西就像一个刚生下来的婴儿，你知道他长大了是什么样子？是好人还是坏人？是好是坏要长起来看。经济改革现在是走一步看一步，戏剧改革也只有这个法子，要允许它经受时间的考验，如果是好的自然会大发展，不好的就会被淘汰。对此要眼光长远些，无论如何不能一生下来就把它掐死，这是非常短见的。如果对一个作品有争议，还是要依靠正常的艺术争鸣、艺术批评来解决，我说正常，就是要在“百花齐放、百家争鸣”的大原则下，在四项基本原则这个大框框里，可以各抒己见，可以见仁见智，可以争得脸红脖子粗，可以动感情，但不能伤感情，更不能打棍子。

当前，我们的戏剧事业仍然不景气，听说有些搞戏的同志转到电影、电视、小说上去了，大家把这叫作“水土流失”。据说有的人搞戏搞不成，但一搞电影、电视、小说都得心应手，出了不少好作品。这说明两个问题，第一是搞戏确实难，成活率低，关卡多，来钱少；但同时也说明我们这支戏剧创作队伍质量还是很高的。我不是说搞电影、电视、小说不好，把这些搞好了也是有贡献，再说日后戏剧有起色了，我相信这些同志还会再“流”回来。但是，我更佩服在逆境中仍然在戏剧战线坚持苦斗的人。有人说：“我这辈子跟戏剧摽上了，我的骨灰就撒在这里了。”这样的决心是让人感动的。我老了，我这把老骨头是不撒在这里也得撒在这里了，但是一大批青年同志有这种志气实在难能可贵，我要向这一批“铁杆”的年轻同事致敬！九月份我接待了苏联戏剧家代表团，通过交谈才知道，实际上他们也存在戏剧不景气的问题，但是人家每年还能增加三个剧院，全国上演三四千个剧目。在日本有些著名话剧演员就是去演电影、演电视，赚来钱贴在话剧上，赔钱也演。当然，我们不是提倡这种做法，但这种精神值得钦佩。我们是吃戏剧这碗饭的，但我们不是白吃饭的，我们要对自己的事业充满热情，要痴情！中国女排的指导袁伟民讲，女排能拿“四连冠”就是靠事业心，靠献身精神，这是真言！如果大家都有这么点精神，不愁戏剧上不去。孟子说：“夫志，气之帅也。”我们要立志，要争气，在困难的时候要挺得住，争取在比较短的时间里，转变不景气的局面。我们开这个会的时候正值年底，很快就要进入新的一年。一九八六年是虎年，我们要借一点虎威，在新的一年里把我们的戏剧事业办得虎虎有生气，取得长足的进步。现在我们在“四化”建设各方面都有极大进展，我们一定不辜负党与人民的殷切期望，用我们的笔，反映欣欣向荣、前途无限的新时代！

祝愿大会圆满成功！

劲可鼓不可泄

今天首都戏剧界在这里欢度1986年元宵佳节，老熟人见面，大家都很高兴。借这个机会，我先给大家拜个晚年，祝同志们在新的一年里万事如意，祝我们的戏剧事业兴旺发达。我这么说，不光是说个吉利话，因为这确确实实是我的心里话。

虽说大家都是老熟人，又都在北京工作，但是平时都很忙，见面的机会也不多。这么多戏剧界老朋友们欢聚一堂，一年也就这么一回，总得说上几句。

今年刚开头，眼下据我知道，已经出现了好苗头，我想今年的成绩留在明年这个时候说。现在，还得说说去年。去年是“牛年”，依我看，在“牛年”里大家确实是使出了牛劲。我们的许多同志是有老黄牛精神的。目前我们国家穷，拿不出那么多的文化事业经费，具体到我们戏剧界，恐怕就更算得上是一个“困难户”了。我们的钱有限，条件不是那么好，但是就像过去说的那样：我们吃的是草，而挤出来

【题注】载《戏剧报》1986年第4期。

的是牛奶。同志们确实像老黄牛那样，为我们心爱的戏剧事业辛勤地耕耘着。

从全国来看，大家是动起来了，就是说大家已经把对戏剧事业现状的焦虑和担忧变成了实际行动。我算了算，去年全国戏剧界召开创作会、笔会、学术研究会，以及举行各种形式的会演、调演、戏剧节等等，是这些年来最多的，成效也是最大的。我本人也参加了两三次活动，通过参加这些活动，我是信心百倍，对戏剧的前途我是非常乐观的。

去年年底，文化部搞了全国戏曲调演，这次调演很成功，是对戏曲改革的一次大检阅。听说有些剧团因为没有选上他们的戏，有点不服气。我看“不服气”这三个字就好，有点“不服气”的精神，才能出好戏，才能有发展。大家都要有点上进心，我们的事办起来就红火了。对去年的有些剧目，大家也有争议。我看有争议是正常的，争一争，议一议，事情就明白了。只要不是违反四项基本原则的毒草，都可以通过文艺批评的办法来解决问题。无论如何，我们还是要按“百花齐放、百家争鸣”的原则去办。这个经，过去念，现在念，将来也还要念下去；不念这个经，文艺的事情就办不好，就会出偏差。

最后，我还想讲的一句话就是去年我们使出了牛劲，今年可千万不要松劲！不要松劲！！我要给这句话多打上几个惊叹号！希望大家在心里也多打几个惊叹号！去年的势头不错，今年要继续下去。下坡容易，上坡难。我们写剧本讲究铺垫，去年铺垫得不错，今年非来个“高潮”不行。要不然，可对不起去年的努力。我衷心希望，明年春节我们再聚会的时候，应该是庆丰收，而不是做检讨。今天请同志们来喝这杯清茶也不是白喝的。喝完茶，过完了节，大家就得像猛虎下山那样干起来，干出点样子来，干出个丰收年来！

再次祝同志们新春愉快。谢谢大家。

人的悲剧

——看《上帝的宠儿》

深刻的、意味无穷的剧本，演出了，未必能唤起众多人的兴趣；引起兴趣的剧本演出了，往往又未必能使人得到深远的意味。北京人民艺术剧院演出的《上帝的宠儿》是兼两者而有之的，既经看，又经得琢磨。

莫扎特，一个神圣的天才，创作了数不尽的不朽的乐章，以美妙的天籁一般的音乐赞美人生，唤醒每个人心头的欢乐，唤醒全世界的欢乐。这样的一个人在三十六岁的时候死去了，因为穷困！因为疾病！有谁能解释这是因为什么吗？谁能站出来解释这天大的不公！

英国作家彼得·谢弗抓住了这个题目，把回答擂鼓一般地一棰棰砸在人们的心上。是庸才扼杀了天才，是那个自命为得到上帝恩宠的宫廷作曲家萨烈瑞，杀死了莫扎特。

在这个戏里，莫扎特被害死了，然而真正的悲剧的主角是那害

【题注】载1986年3月8日《文艺报》。

人的人。他得到的惩罚是深重的、震撼人心的。那就是：你可以毁掉一个天才的生命，但是他的艺术长存。任何人也无法夺去他艺术的生命。被遗忘被抛弃的结局，最终证明了一个事实——一个你逃避不了，一生都逃不脱的事实，你只是一个庸才，地地道道的庸才。萨烈瑞惨败了。

可以说这是挖掘人性中妒忌这一情感的大悲剧。写得华丽、庄严、豪放，充满了慑人的魅力。我甚至感到它可以和《奥赛罗》媲美。它把人那不可捉摸的残酷而又顽劣的“妒嫉”，解剖得如此透彻。当萨烈瑞明了了莫扎特的天才，明了了上帝选中莫扎特当他的代言人，而丢掉了自己；当他喊道：“狡猾的上帝！——你是敌人！我现在就给你命名——你是永生永世的敌人！”这时，每个人都会感受到狂暴的妒嫉，那摧毁一切的力量。这是多么巨大的、强烈的、沉重的人的悲剧。

这是真实的悲剧，它发生在任何地方、任何时间里。我由此想起了中国历史上的一些人物，隋炀帝，一个残暴荒淫的昏君，但同时他又确是一个文人，他的五十五卷文集可以证明他有些文才，但仍属“庸才”一类。他听说他的大臣王胄写了一句诗：“庭草无人随意绿。”仅为了这句入画传神的诗句，王胄便被他杀了头。在他手下还有名诗人薛道衡，有一名句：“空梁落燕泥。”被隋炀帝得知，便把这诗人处死。这些事在闲书上有过记载的。如若确有其事的话，我想隋炀帝比起萨烈瑞来要痛快多了。他用的是刀，砍下的是人头，萨烈瑞用的是阴险的诡计，去折磨、残害天才的莫扎特，却又让人抓不住把柄，查无实据。萨烈瑞算得上是个高明的“庸才”了。

然而，一切都是徒劳的、渺小的、卑鄙的。莫扎特的音乐，谁能压得住呢？世上没有一种力量能够久远地压制住天才的声音。真正的永远的东西，是天才的创造！

我非常喜欢剧的结尾。“风言”“风语”说：“我们可敬的萨烈瑞就是不肯死，他在胡思乱想当中居然控告自己参与使莫扎特夭折的阴谋。这种胡言乱语除了这位神经错乱的老人以外，没有任何人相信。”风言说：我不信！风语说：我不信！两个人一起说：“全世界都不信。”

他们走了，只剩下萨烈瑞一个人。他站起来，扫视着黑压压的剧场，萨烈瑞说：“世界各处的庸才——现在的和未来的庸才——我赦免你们！阿门！”他伸出双手，做出要拥抱全体观众的祝福的姿势——最后双手交叉在胸前，一副神圣不可侵犯的样子。

这是何等意味深长的结局。我不得不思索，每一个人都不得不思索，萨烈瑞在说谁？

几年前，我在伦敦看到过这个戏的演出，令我震动不已。想不到今天在北京的首都剧场又看到了这出才华横溢的戏。剧本的好，毋庸说了，北京人民艺术剧院的演出也是有水平的。我希望有更多的人来看这出戏。名利熏心的人要来看，妒嫉一切的人要来看，作恶不择手段的人要来看，自以为是，自命不凡，颐指气使的人也要来看！而有知识、有理想、有才能、有干劲的那些人们更应来看。

总之，这是好戏，定不会叫你空空落落地走出剧场，它会留给你很多很多。

文章就要收尾了，我忽然想到一点，莫扎特的父亲对莫扎特说：“你应该在嘴上加一道‘锁’。”而莫扎特竟从未听从这个忠告。在众多的原因里，也许这是他夭折的另一个重要的原因吧。

为中国莎士比亚戏剧节而作

在有五千年文化历史的中国，在祖国空前振兴的今天，我们举行第一次莎士比亚戏剧节。这不仅是中国戏剧界的大事，也是使世界戏剧同行们欣喜的大事。

莎士比亚这个名字，一百二十多年前才被介绍到中国来。近几十年中，陆续有莎士比亚全集出版，有诸多的译本，有陆续不断的舞台演出，还有许多学者的出色的研究论文。然而莎士比亚给予人类文明的瑰奇财富，我们还没有充分地吸收。

这一次的莎士比亚戏剧节就是我们新的努力。

在戏剧节上，将有最优秀的戏剧艺术家们的演出，把莎翁的剧目变化成多种多样的形式。有忠于原著的现实主义的演出，有改编成为中国的人物与环境的演出，京剧、越剧、昆曲、黄梅戏，各地方剧种都有了自己的莎士比亚剧目。莎士比亚与中国的戏剧，与中国的人民更加接近了。

【题注】载1986年4月11日《人民日报·海外版》。

有位“黄梅戏”的导演说过，排莎士比亚剧目，改编排练时唯恐其不“黄”，上舞台时又唯恐其不“莎”。这种心情是很有道理的。把莎士比亚艺术的种子，遍植在中国文化的土壤上，就是要靠中国的戏剧工作者们创造性的劳动。

莎士比亚是伟大的天才，落笔便是诗，是哲学，是深刻的思想与人生的光辉；是仁爱，是幽默，是仇恨的深渊，是激情的巅峰。有人读了莎士比亚，几乎不能自已地称他是神，是上帝的宠儿，是无法想象的戏剧的巨人。

但是，“哪里有一座艺术的殿堂，只有脱掉鞋子的人才能进得去呢？哪里有这样的作品，必须先读许多书，举行一次考试，才能看得懂呢？”不是这样的。莎士比亚的戏在当时的演出，舞台两侧固然有坐在包厢的贵族、诗人。台下，不也是有成群的“下等人”，站着，挤着，摩肩接踵，兴味十足地在观看吗？

莎士比亚从来是希望所有的人都能看懂、欣赏他的戏的。莎士比亚的愿望如今已是我们的愿望。普及莎士比亚，使中国更多的人能了解他、热爱他、欣赏他，这不正是莎士比亚戏剧节的目的吗！

莎士比亚属于我们

——首届中国莎士比亚戏剧节闭幕词

首届中国莎士比亚戏剧节就要闭幕了。

经过十四天，在北京、上海，同时举行了二十五台莎士比亚戏剧的演出，得到国内外巨大的反响。我们祖国的学者、戏剧工作者，以他们出色的成就，向莎士比亚表示了他们的尊敬与赞美。

这一天，4月23日，全世界都举行各种各样对莎士比亚的纪念活动。我想，莎士比亚如果能知道十亿人口的中国，有五千年文化历史的中国，又是正在奋发图强的当今的中国，以这样盛大的热情与规模在纪念他，他会怎样的激动啊！因为他，莎士比亚，是热爱生活的巨人，他也是赞美人类的一切进步与发展的巨人。他是开拓者，是爱国者，是深知人性与人的哲学的伟大诗人。一句话，他是永生的，因为他属于要和平、要安定、要幸福、要光明的未来的人民，他属于我们。

【题注】载《戏剧报》1986年第6期。

我们是以各种各样不同的形式来演出莎士比亚剧作的。有话剧，有京剧，有昆曲，有越剧，有黄梅戏，有广大中国人民所喜爱的其他地方戏曲，有少数民族的演出，有许多学生剧团的演出，甚至有按莎士比亚原本用英语的演出，还有按中国的历史与环境，把莎剧改编成更为中国观众理解的改编本的演出。所有这些劳动、创造，都在舞台上发出它们独特的光彩，在莎士比亚与中国人民之间架起一座座美丽的桥。

应该说，世界各国演出莎士比亚戏剧，都有个“服不服水土”的问题。这次我们戏剧节上演出的众多台莎士比亚剧作，都经过学者和演出者共同研究，互相启发，通力协作，努力找出一条最能表达莎士比亚的原意，又能为中国观众理解的道路。当然，高明的批评者们可能还有各种不同的意见。仁者见仁，智者见智，这是世界的通例，是应该欢迎的。

尽管莎士比亚的博大精深使许多人在口头上不得不赞美，但是，三四百年来，莎士比亚戏剧的演出史上，他的剧本屡遭窜改、歪曲，受到各个时代的狭隘的精神的限制，受到统治者的禁止。他们颠倒黑白，把莎士比亚看作是异端邪说，不足为训。一些聪明人把《哈姆雷特》《李尔王》《柔密欧与幽丽叶》都改成为大团圆的喜剧；为了要体现三一律，竟让奥瑟罗在一天的时间里向苔丝德蒙娜求婚、结婚并杀了她。莎士比亚成了一些无知者的装饰品。但是，时代淘汰了这些损害莎士比亚的庸人。有眼光、有远见的莎士比亚的真知者，历史上大导演、大演员、大翻译家们，不愿与这些鄙俗的轻薄人们同流合污。莎士比亚光辉四射的真正面目在全世界的舞台上显现出来。我想，我们今天举办莎士比亚戏剧节正是把这位伟大剧作家的本质的真实，他的思想与感情，更多地传达给中国人民。这是可贵的，也是成功的。

我们不需要过分谦虚，过分的谦虚并不能算是美德。我们的莎士比亚演出历史并不长久。我们以今天这一点成就，获得了中国广大观众的赞赏，这要归功于广大优秀的戏剧工作者和学者，归功于他们严肃的工作和创造。

值得提出，我们的莎士比亚学者，一生受了中国哲学、美学、文学、诗歌、戏剧的影响，同时又是探求并且理解西方文化的寻宝者。在莎士比亚戏剧节中，他们发表了有影响的关于莎士比亚的论文。他们为更多的人搭起了梯子，使人们攀登能欣赏、能研究莎士比亚艺术的更高境界。

从二十世纪初，最早介绍莎士比亚的前人看，我们是后继者；但是从未来的并且越来越多的热爱与研究莎士比亚的人们看来，我们则是开拓者，是对他们有影响的人。因此，我们要实事求是，要总结我们演出的优点、缺点甚至失误。老实说，真把莎士比亚剧作演得尽善尽美，即使在西方有长久莎士比亚演出传统的国家，也是很不容易的。所以，我们的演出尤其需要国内外的专家们的认真的批评、评论，使我们能不断地进步。因为莎士比亚是说不尽的，我们的演出也是没有完结的。

有两个现象值得注意。在这次戏剧节里，中国的地方戏曲已经上演莎士比亚的剧目了。中国的地方戏曲有三百多种。如果这三百多个剧种或多或少地都能演出莎士比亚，那对于在中国普及莎士比亚，引导人们去认识、去欣赏莎士比亚，将是十分有益的。同时，这样做会提高戏曲演员的文化修养，扩大戏曲工作者的视野。中国的戏曲充满无穷的、完美的诗意、思想与感情，它应该是与莎士比亚能够相通的。

另外，在戏剧节上，大学、学院的学生剧团也演出了莎士比亚。我们对大学生的演出给予了多方面的鼓励与帮助。通过这样的实践，大学生们从此对莎士比亚怀有感情，在他们的世界里展开一片新的境界，这是多么可喜的事情。希望这一次莎士比亚戏剧节能推动学生们对戏剧的热情，我相信莎士比亚的魅力有这种神奇的力量。青年的视野将更加广阔，心怀将更加丰富。让屈原、李白、杜甫、关汉卿、汤显祖与莎士比亚都成为他们热爱的朋友、他们心灵的导师。

4月23日莎士比亚诞生了。同样，又是4月23日，莎士比亚离开了人世。"生"与"死"这是莎士比亚说了又说的话题，是他心中想了又想的道理。他的哈姆雷特说过这样意思的话：是忍受残暴的命运的折磨与痛苦而活下去，还是一剑把自己刺死，因而反抗了这说不完的苦难的一生？究竟哪一种行为更高贵？死了，睡着了，一切都完了，那就太好了。但是说不定死了还会做梦，还会和生前一样的痛苦，那就不能不有所顾虑了。[1]

可怕的，是死后的那种不可知的神秘！可怕的是，死了以后，从来没有一个人从那神秘之国回来！

我想到一段中国的小故事，一个大官在冬天的房檐下晒太阳，忽

1　为了容易听懂，哈姆雷特这几句话不是逐字逐句的直译，只是讲个大意，且插入解释。——底本注。

然感到一阵不舒服，害怕起来，他说：“我想我怕是快死了，遗憾的是，不知道死后的境地是好，还是坏？”他门下的客人都瞪了眼，不知该说什么。一个人站起来答道：“那一定挺好！”大官连忙问：“你怎么知道的？”那位客人恭恭敬敬地说：“如果死后的境地不好，很苦、很坏，那死了的人早就都逃回来了。”

这当然只是一个笑话，与莎士比亚对于“生、死”的感想是不能相比的。然而这说明，莎士比亚的思想也正是人类的思索，而莎士比亚戏剧的永存，也正是因为如此。是的，生与死，对于莎士比亚来说，已经不是问题了。他给予我们的答案是，他作为人的生命逝去了，但是他的思想与艺术的生命是永生的；我们永远听得见他的声音、他的语言；他的思想的翅膀在我们头上翱翔，他的激情的火焰在我们心里燃烧。

仿佛该闭幕了。

“我们的狂欢已经终止了。我的这一些演员们，我告诉过你，原来不过是一些精灵。他们都已经化成淡烟而消散了。”[1]

亲爱的朋友们、演员们，参加中国莎士比亚戏剧节的所有的人们，我们真的“化成淡烟消散了”么？

不，不是这样。我们的演出，我们的努力与工作不会消失。我想，它就像长河流水一样，细细地滋润人们的心田，在中国的土壤上生出碧绿与芬芳。我们中华民族有着了不起的文化，有了不起的艺术与戏剧，我们不光要引进，我们还要把我们的种子撒向世界。悠久的

1　引自《暴风雨》第四幕第一场，朱生豪译，方平校本。——底本注。

文明是我们的骄傲，我们的中国对世界文化的贡献将更加巨大。使全世界了解中国，这不只是中国人的责任，也是世界各国有识之士对本国人民应当担负起来的责任。这是中国莎士比亚戏剧节给予我们的重大联想与信念。

今天的会上，我们感到十分荣幸的，是英国文化大臣理查·卢斯先生从莎士比亚的故乡来到中国，参加这个盛会。我想在此地告诉阁下的，是英国派出的大使没有谁比莎士比亚更能干，更有力量与魅力。全世界没有一个国家没有莎士比亚的译本，没有他摄人心魄的演出。他是世界的阳光，永远照耀人的进步。

让我再一次欢迎各位到会的朋友和客人，同时欢迎你们再一次来参加我们的盛会。谢谢。

振奋精神　繁荣戏剧

近年来，我们的戏剧工作有了很大进步。全国各地戏剧工作者为振兴戏剧、建设社会主义精神文明做了许多工作，创造了不少经验。工作中也遇到不少问题。为了使社会主义戏剧事业进一步地繁荣起来，我们需要研究这些问题。

这几年大家对戏剧危机已经谈论得很不少。我们的态度是正视它，我们的行动是要振奋精神，改变它。我去年在广州举行的中南五省戏剧创作会议上谈到，戏剧危机从反面帮我们搞了一次总动员。现在大多数省、市领导对戏剧工作是重视的，大家都动起来了，无论戏剧创作或理论研究都出现了好的势头，剧作家和戏剧理论家都发挥了积极性与创造性，创作上进行大胆的探索和创新，理论上展开对各种新的观点和看法的讨论，出现了一种我们盼望已久的生动活泼的局面。

我们的戏剧创作和其他文艺创作一样，呈现出百花齐放的好局

【题注】载1986年5月5日《人民日报》。

面，出现了一批受观众欢迎的、富有时代精神的、反映“四化”建设的剧本。如反映变革时期农村生活的话剧《田野又是青纱帐》《昨天、今天和明天》《榆树屯风情》《正月十五雪打灯》，反映部队生活的话剧《强台风从这里经过》《天边有群男子汉》《十五的月亮》等。反映改革题材的剧本剧作家也在努力创作，但写得成功的尚少。

放眼一看，引起我们重视的是去年戏曲创作上的成绩。在文化部举办的全国戏曲观摩演出获奖的十四个剧目，无论是题材领域的开拓，艺术风格特色的追求，舞台艺术形象的塑造，都表现出新时期戏曲艺术的特色。从全国来看，优秀的戏曲剧目远远超过这些。去年，各省和自治区都举办了各种类型的汇演，涌现出一批好戏。此外，还应该特别介绍一下少数民族题材戏剧的丰收，如京剧《康熙出政》受到大家称赞，壮剧《金花银花》在去年全国戏曲观摩演出中也获得奖励。

我们戏剧工作者在党的正确的文艺方针、路线指引下，真正调动起了积极性和创造性。在戏剧创作上出现了探索和创新的热潮，开拓了题材领域，发挥了创作个性和艺术特色，运用了多样的艺术手段和技法，满足多层次的观众不同的审美需求。可以说，戏剧风格流派在去年一年中有很大的发展。我们戏剧工作者的劳动、创造的成果，是多么令人欣喜呵！

这里我想就近年来出现一批创新和探索性剧目谈一点看法。这些剧目或者借鉴西方现代派戏剧的一些手法来反映生活，或者是融合其他艺术的表现手段，创造综合型的戏剧新样式。在内容上有的着重揭示当前的社会问题，探索伦理道德的新观念，或者探求人生的哲理，描绘某些青年的心理变化。这类剧目一发表或者演出，常常就伴随着一场争议。应当说这是自然的，是不足以为怪的。关键在于我们要善于引导。戏剧评论不要简单化，更不要采取行政命令的方式去解决艺术问题。对那些大胆探索的剧目，只要在内容上不违背四项基本原则，没有低级趣味和格调，就应当允许试验。有的还应当加以支持和鼓励。即便艺术追求和试验有了失误，也应当通过讨论和争论来解决。当然这些剧目的情况各不相同，有的获得观众欢迎，有成功的经验；有的创作实践未必使人满意，也应当帮助作者总结经验教训。艺术工作者创造的脚步，不应因为出现曲折而停下来。

现在，我们国家新人辈出。一大批青年剧作家显露出艺术的才华，如《秋风辞》《狱卒平冤》的作者都很年轻。我们十分兴奋地看到戏剧创作队伍后继有人。戏剧创作“水土流失”的现象固然还存在，但也要看到大批生力军涌到这个创作队伍中来。人才难得。我们应当爱护这些人才，要千方百计地培养正在成长中的青年剧作家，这是繁荣戏剧创作的关键。

其次，戏剧理论研究方面，和戏剧创作一样也出现了好的势头。戏剧理论的探讨十分活跃，出现一些新的观点和主张。当然，不可避免会出现错误的观点和主张，如“戏曲衰亡论”“夕阳艺术论”，对民族戏曲采取虚无主义的态度。而有的新观点、新概念、新方法的讨论和探讨，对发展戏剧创作是有益的。各地一年来召开各种各样的理论探讨会和戏剧创作座谈会，各抒己见，互相交换看法，畅所欲言，树立了认真讨论学问的好风气。

戏剧创作上的百花齐放和戏剧理论上的百家争鸣，这是令人欣喜的大好局面。应当说，这种局面正在开始逐渐形成。

毋庸讳言，戏剧战线还存在不少问题。应当看到各地戏剧工作的发展并不平衡，有的地方仍然为戏剧不景气而焦虑。北京的歌剧团体一年来没有上演自己创作的新剧目，然而来自福建的晋江地区歌剧团，却在北京庆祝歌剧《台湾舞女》的百场演出。有的话剧团长期不演戏，不得不以商业性的舞会赚钱，但是宁夏话剧团却到农村找到广大的话剧观众，在农村演出话剧《红白喜事》超过一百场。还有，吉林的吉剧、二人转演出团体，从来不感到“戏剧危机”，他们在东北农村广场演出每次都拥有数千观众。因此研究一下这种不平衡的现状，分析它的原因和存在的问题是十分必要的。

当前真正在思想和艺术上结合得很好的精美剧目还为数不多。戏曲创作在历史题材领域里，成绩比较突出，而反映今天“四化”建设和改革的戏曲剧目较少。一些作者还没有真正投身到时代的火热生活中去，有的戏剧工作者还没有从一些不良风气中解放出来，没有把主要的时间和精力用在正常的艺术创作上。在借鉴西方现代戏剧流派时，有的作者还不能对西方戏剧流派进行正确的分析，在不同程度上受到一定的消极影响，过于脱离了我国观众的欣赏习惯。在个别的戏剧创作和演出中，也还存在趣味和格调不高的现象。而在戏剧工作的指导思想上，有的地方以行政命令去处理艺术问题的粗暴做法，并未完全肃清，还在一定程度上束缚了戏剧工作者的创造性和积极性。

如何才能进一步繁荣和发展我们的社会主义戏剧？

胡耀邦同志曾号召文艺界要大鼓劲、大团结、大繁荣。我觉得，我们戏剧界当前特别需要大鼓劲。气可鼓，不可泄。越是遇到困难，遇到挫折，越需要鼓劲。要有锲而不舍、坚持不懈的精神。要从危机中看到生机，看到转机。物极必反，这是辩证法。

要大鼓劲就应当进一步肃清“左”的思潮和做法。因为对戏剧创作粗暴武断、人为地干预、行政处理代替正常的戏剧评论，都会极大地挫伤剧作家的创作积极性。错误地处理一个作家和一个戏，影响所及，就不是一个作家和一个戏的问题。我很欣赏有的同志提出的要多引导，多鼓励，要“微调”。对于艺术的是非得失，要通过争鸣和讨论去解决，提倡自由讨论，不要轻率地做结论。出些问题不必大惊小怪，只要及时加以疏导就可以解决。对于剧目和存在问题的不同意见，提倡心平气和的平等的讨论。戏剧界要在党的方针指引下团结起来，真正实现创作自由和社会责任感的结合，才能开创新局面。

戏剧繁荣的新局面关键在于要多出优秀剧本，多出优秀人才。我们现在有一支人数颇为可观的戏剧创作队伍。但这支队伍目前面临思想水平和艺术水平提高的问题。我们有些剧作者对马克思主义世界观对文艺创作的指导作用认识不足，因而不能认真学习马克思主义的基本原理，对急遽变革的现实做出不正确的认识和观察，这会造成创作上的失误。应当再一次提出剧作家学习马克思主义的重要性。我们剧作家还面临一个“学者化”的问题。要创作出一部思想深刻、艺术精美的剧本，剧作家要有多方面的修养。既要具备戏剧有关的专门学问，还要有政治、经济、法律、哲学、美学、心理学和自然科学的知识和学问。

我们戏剧界要鼓足干劲，团结起来，为了戏剧创作、戏剧事业的更大繁荣贡献出我们每个人的力量！

中国莎士比亚戏剧节

北京、上海两地聚集了著名的学者和优秀的戏剧工作者纪念莎士比亚逝世三百七十周年，演出许多莎士比亚的戏，这是空前的盛举。在中国，这个有五千年文明历史的古国，以如此的规模，纪念一位世界文化的巨人，是发自我们内心的，是符合今天中国的时代精神的。

有人问："为什么中国观众这么喜爱莎士比亚？"我回答他："你不是也喜爱莎士比亚吗？"

莎士比亚这个名字，仅仅在一百二十多年前才被介绍到中国来，在六七十年前莎士比亚剧本才在中国演出，然而，一旦莎士比亚活生生地在中国观众面前显现出他对人的精深的了解，放射出古往今来从未有过那样美妙的诗剧的神奇的光彩，有哪一个人不会为之倾倒，衷心地赞美他呢？文化从来是属于人民的，是属于整个世界的。

有人问："为什么到现在中国才举行这样盛大规模的莎士比亚戏剧节呢？"

【题注】载《人民画报》1986年第7期。署"中国戏剧家协会主席 曹禺 撰文"。

这需要稍稍说两句。

中国人民近百年来，是不断地遭受封建王朝与外来帝国主义者的残暴压迫、剥削与侵略的。我们的戏剧是在石头缝里生长出来；介绍国外的戏剧，也是如此。从西方传过来的话剧，不过有八十年。在旧中国，在混乱、饥饿、不民主、无法无天的世间，有多少观众能够坐下来看一看莎士比亚呢？然而即使在那些年代，我们还是有最早的莎士比亚演出。我小时候看过《一磅肉》，也叫《女律师》的演出，这就是莎士比亚的《威尼斯商人》。抗日战争时期，我们有张骏祥导演的《柔密欧与幽丽叶》，有焦菊隐导演的《哈姆雷特》，有黄佐临导演的《麦克白》的改编本。这仅是几个突出的例子。实际上，莎士比亚的雄伟力量冲破一切阻挠，不断地在中国大地上撒下他的美妙的种子，点燃人的心灵与艺术之光。中国观众爱他如同他是自己的伟大作家。必须说，今天与以往大大不同了。今天的中国，中国人民正处在一个奋发有为的大时代，我们热爱和平，向往与创造幸福的生活。我们吸收一切世界上最文明、最先进的精神的与物质的财富。莎士比亚正是全世界文明的瑰宝。

对莎士比亚，不仅要读、要研究、要理解，更重要的是演出。莎士比亚不是古董，不能放在博物馆里，展览一下他的版本。只有在舞台上，莎士比亚才获得真正的永远的生命。只有在舞台上，我们才能觅得莎士比亚的灵魂。我们才能和他一起感受他对宇宙、对人、对神、对命运、对仁爱精神的波涛般的无尽的情感与思想，理解他对一切残暴举动的深刻的憎恨，感觉那刺透人心的痛苦，享受那连春天的阳光、春天的风都自愧不如的那般的欣喜。

我们衷心热爱我们今天的伟大时代，我们也衷心热爱莎士比亚。因为十六世纪的莎士比亚和我们一样需要全世界的和平与生活的幸福。正像与他同时代的大诗人、大剧作家、莎士比亚的朋友，本·琼森（Ben Jonson）在《纪念莎士比亚》一首诗中所说的，莎士比亚是“时代的灵魂”，他是“属于一切时代”的。

了解文化传统的一个捷径

——谈两种中国古典戏剧连环画集

《中国十大古典悲剧连环画集》与《中国十大古典喜剧连环画集》的问世，意义是非常深刻的。[1]它告诉我们，要了解中国人，必须了解中国的传统文化；要了解悠久的中国文化，欣赏中国的戏曲是捷径之一，因为古老的戏曲艺术是中国历代社会生活及中国人思想、感情发展的缩影。

在中国古典的悲剧里，凝结中国人民的崇高、悲壮、雄伟的精神与情操，表现中国人民永不屈服的抗暴力量。戏剧艺术是最鲜明生动的，是与观众直接交流的艺术。中国古典悲剧，以深沉的悲剧气氛，激越壮美的演出，使观众达到“物我两忘”的境界。它是深含着战斗

【题注】载1987年3月26日《人民日报》，据以排印。又载《连环画报》1986年第10期，题为《〈中国十大古典悲剧连环画集〉〈中国十大古典喜剧连环画集〉序》，兹以通校（校注称“连环画报本”）。

1　此句连环画报本作“这两部《中国十大古典悲剧连环画集》与《中国十大古典喜剧连环画集》的问世，是意义深远的创举。”

性的。

在中国古典的喜剧里，善良、机智、勇敢的中国人民嘲笑、讽刺那些尖刻、险毒而愚蠢的恶人恶行，歌颂正直的人、好人，赞美新生的美好事物。尤其是历史或传奇中那些反封建、反礼教的少女少妇，一面是美丽慧敏，一面是丑陋蠢顽。奇巧的情节，幽默、狡黠的语言与性格人物的自白，夸张泼辣，情趣喜人，充满了异常活泼的喜剧感和热爱生活的乐观精神。

中国戏曲浩若烟海。选出中国古典悲剧与喜剧各十部是几经专家反复研究才商定的。未选入的剧本，未见得就不是上乘。然而，这两部古典悲、喜剧集确是中国戏曲的精华，是中国人民数百年来读不厌、演不够的好剧本。

中国古典戏剧的语言，有当时的口语，但大多是美妙精绝的诗词、曲文，是文言。它不好懂，一般青年已经不大能读原文了。现在把这些古典戏曲的故事、人物、时代风貌一幅幅鲜明地画出来，加上简洁生动优美的文字[1]，它的作用很大，一是启蒙孩子们，由“看图解字”的路子，欣赏、领略祖国的璀璨的文化。同样，使外国想理解中国戏曲而又为古文字的藩篱挡在门外的人，也可以从这些美的连环图画，得到启示，看着这屋宇中的珍宝是如何动人。它的第二个作用，是欣赏、领悟中国绘图艺术中一种对广大群众影响极大的“白描”方法。

中国画，笔墨见功夫，远近虚实，笔墨浓淡，有情有景，重视意

1 “优美的文字”连环画报本作“的文字解说”。

境。这方面，中国画与中国戏曲艺术是共通的，都讲究“空白”；所谓“计白当墨”，突出主要部分，削弱其可有可无部分，这是极大的功夫，是中国人独特的艺术感觉和艺术表达方式。正像李可染先生所说：我们“要以最简练的笔墨画出最丰富的画”，做到“白纸青天，造化在手”。

当今的连环画表现形式多种多样，而这两部连环画主要是靠“线”的表现力。“白描”是靠毛笔画出“长短、刚柔、深浅、广狭”的线条，既能毫发逼真，又能豪放简捷地画出人物性格与生活背景的绘画手段。这是中国自古到今一直为各阶层人物欣欣然接受的画法。上自顾恺之、吴道子，下至老百姓过年贴的年画，以及宋、元小说的“出相”，即上图下文的小说的连环画，与明清以来的小说，只在卷头上画书中人物的所谓“绣像”，或有画出书中每回故事，称为“全相”的，都用的是“白描”。西洋人过去看画，是观者作为站在一定的立足点来欣赏，中国画的观者是不问站在哪一“点”来看。这里没有西洋画中的“阴影”与“明暗”，但只凭“线条”，同样画出千变万化的各种人的神态，以及自然中的朝暮明晦、天光水影。

这两部连环画集大都是三四十岁的中青年名家的作品。他们有精力，有韧性，自然更多的是全面的绘画的基本功与逐渐积累的绘连环画的经验和才能。像所有古今中外有成就的画家一样，他们为了创造自己的风格气韵，无不上下求索，孜孜不倦地寻寻觅觅，真是念兹在兹，不舍昼夜。为了刻画出时代的真实，每本古典戏剧蕴含的各种风貌，他们对当时生活中的仪仗服饰、食品餐具、房屋殿堂、亭障关隘、车马船舶、歌舞杂技、将士冲杀、在朝在家的礼仪坐卧等等，都要追溯原貌，考证真伪，旁征博引，搜罗剔选，作为创作的确实根据。

一部连环画本，通常要画出一百几十幅画面，甚至二百几十幅或更多些。有修养，有高度严谨作风的画家，以两年或更长时间画出一部精彩的连环画，朝朝暮暮寝馈于绘事中是不希奇的。本来，杰出的画图是心声，是可以听见音乐的。正如十九世纪英国浪漫派诗人济慈[1]在他的《希腊古瓮颂》[2]中，他不但使读者感到瓮壁上人物活动起来，而且使人仿佛听见希腊人琴弦上颤动着的音乐。

是的，埃及石壁上雕划的名王功绩，其《死书》就是连环画。印度的阿旃陀石窟刻下了佛陀的本生连环画。在罗马教皇宫的壁画与教堂的穹顶上，几乎都是旧约、耶稣传、圣者传的连环画图，其中许多不朽的作品是米开朗琪罗[3]与达·芬奇[4]等大师的作品。

中国的连环画同样有久远的民族传统[5]。唐以前的绘画，鲁迅说“大抵以故事为题材”的。北魏及以后各朝代的敦煌壁画中，就有大量释迦牟尼的本生及各种佛陀的连环画。其他，如讲孔子一生故事的《孔子圣迹图》，宋人的《唐风图》和《耕织图》，明代仇英的《飞燕外传图》和《会真记图》，以及对后世影响极大的明末画家陈洪绶画

1 连环画报本此处有“(John keats)”。

2 连环画报本此处有“《希腊古瓮颂》(Ode to the Grecian Urn)。”

3 连环画报本此处有“(Michelangelo)”。

4 连环画报本此处有“(Da Vinci)”。

5 此句在连环画报本中独立一段。

的梁山泊好汉的《水浒叶子》与《西厢记》《博古叶子》，都是显著的例子。此外，应提起的，陈洪绶认真研读了《离骚》，作出十二幅插图，其中《屈子行吟图》，屈原那庄重、傲岸、高洁、轩昂的气宇，漾溢于画面，塑造出伟大的诗魂。发展到清朝及以后，连环画就更多了。

然而，这种连环画艺术被正式承认可以进艺术之宫，是在新中国成立之后[1]，以前，它的名称叫作“小人书”，其画家是叫作“画小人书的”。在当代中国连环画的历史上，这种老少咸宜，雅俗共赏，利于普及文化的艺术，也有过苦难的历程。当中国沦为半封建、半殖民地的日子里，连环画充斥着各种妖魔斗法、剑侠口吐白光、寻觅荒庙求仙、侠义精神救国，可谓形形色色，五花八门。还有一种叫作“跑马画”，即快如跑马而出版的“小人书”，师傅画人与衣饰，徒弟们有的画桌椅，有的画门窗，有的画花木山石，有的画轮船飞机；一边编排故事，一边流水作画，使连环画的产生如一个庸俗粗陋的作坊。

记得那时，街头巷尾，小人书摊总是围坐着一群群儿童。一些大人也从那摊上租书回家与亲友共看。其中，自然还有《红楼梦》《水浒传》《三国演义》《西游记》的连环画，以生动隽永的光彩照亮一隅。

今天，在全国有不少美术院校都开设了连环画专业的课程，在“文化热”一天比一天高涨的八十年代，连环图画，浩浩瀚瀚地发展。画小说、画戏剧、画传记、画史实，画沸腾的生活，画神美的未来。在连环画这个天地里，天上是艺术创造的灿灿星光，地上是艺术创造

1 “之后”连环画报本作“以后”。

的丰满果实。

今日，我看到这行将出版的中国古典悲剧、喜剧连环画，看到这两部精美的文画并茂的[1]艺术作品，满怀欣喜。

我想，我们的连环画该是一位美丽天然的使者。她翩然地招着手，引着孩子们、青年们与所有的人们跟在她身后，迈进一座座殿堂的大门，到戏曲的天地去遨游。那里，诗神、爱神、戏剧之神的目光，温柔地凝视你，给予你母亲一般、妻子一般的真情。你会感到世界中的“人”，她的喜怒哀乐，令你颤抖；忠贞、正义的心灵之火将使你奋发，你终于在这个迸射出耀眼晨光、雨霁晚虹的世界里，流下眼泪，笑出声来。你情不自禁地叹息：“祖国，你给我的是多么丰富的财宝，多么大的幸福。”[2]

1 连环画报本无“文画并茂的”。

2 连环画报本文末署“1986年7月15日于上海”。

应该记住

十年在一生中不是个短时间，但，十年前的那些印象却仿佛昨天的事情。然而，有时我又有另一种感觉，感到那一切已经十分遥远。或许，这是我的一种潜在的愿望，那些苦难的日子远远地离去吧。

十年前的那天，我的小女儿很晚回到家里，她一进门，径直走到我床前。她的脸因为激动而变得异样，目光闪闪，声音也有些颤抖，她说：“爸爸，咱们有救啦！”她告诉了我“四人帮”被粉碎的消息。

我不信，我也不敢信；我怕，怕这不是真的，还怕很多很多……我记得，那一夜我久久地在街上走，我看到每一个窗口，整座整座的楼都亮着灯，就像过年时一样。我走着，然而感到难以支持而站住了，我觉得我的心脏的承受力已经到了极限，从未有过的巨大！人生、历史、中国以及我自己的生命，在那时都化成了一个字眼！我不知我的声音有多大，或者究竟出没出声，我喊道：“天哪！”

没有经历过“文化大革命”的人，他们是不可能明白的，那种深

【题注】载《戏剧电影报》1986年第40期。

重的、顽强的绝望，把人抓得有多么紧。

后来，我又听到第二个、第三个人告诉我。虽然仍然是关着门，压低了声音才敢说的，可是我终于已经有了相信的勇气和力量。我相信我是从大地狱里逃出来的。

十年之后，当我回想那些日子，没想到，我自己竟产生了一丝的陌生感。我说得出那些情景，说得出我的心情，可是我却无法再那样真切地体验到了。我想，这也许有两个原因。一是，我们的国家变化太大了，时时处处，我都能感到一道道光明照亮一条条的道路。新路还在不断地开辟，而前面就是希望。二是，我想，人总是会遗忘的。

但，想到这一点，我并不轻松，反而有些忧虑。如果连我都可能淡忘，都不能永久清醒地记住那一切意味着什么的话，那是可悲而又可怕的事情。

我读到我的朋友巴金写的一篇文章——《"文革"博物馆》，对他的建议我举双手支持。

我想，今天是光明的，明天会更加美好。为了这代价高昂的今天与明天，该记住的就要永远记住。

喜听广播剧《陈妙常》

《陈妙常》这部立体声广播剧，听来非常流畅，亲切入耳，一点不觉得疙瘩，很有感情。全剧五十多分钟，不觉得就过去了，给人典雅美好的艺术感觉。剧本写得确实好，导演也安排得细腻，多情致。

这个剧根据古典传奇喜剧《玉簪记》改编。传奇原是几十折，而《陈妙常》对原传奇内容大大压缩了，集中精粹，戏是紧凑的，从头到尾干净，节奏快，所以听着一点不累。我觉得昆曲《玉簪记》剧情散漫，“琴挑”一场遇到好演员也动人，然总觉得拖，让人着急。两个主人公陈妙常和潘必正总在文绉绉地做戏，可能不是现在观众所能

【题注】载《北京广播学院学报》1987年第1期。文末附注：“广播剧《陈妙常》，北京广播学院胡源、王雪梅编剧，中央人民广播电台1986年9月以立体声录制，蔡淑文导演。向来关心广播剧的老剧作家、中国戏剧家协会主席曹禺同志，10月24日在家里接见了《陈妙常》的编剧、导演，高兴地听了这个广播剧，同编导亲切交谈，给以热情鼓励，发表了关于广播剧的重要谈话。本文是根据曹禺同志的讲话整理的，已经本人审阅。”

理解，所能欣赏的。再如舞台上的“秋江”一场，老艄翁似乎戏弄陈妙常多了一些。这个广播剧在这里分寸掌握得就很好，逗出风趣，适可而止，使听众在意境中画出行动。一部几十折的传奇压缩成五十多分钟的戏，把原来内容里好的东西挖掘出来，让人有会心的微笑，感到微妙的爱的境界，这是不容易的。自然，这个广播剧有好的效果与各方面都有关系，除编导外，作曲、演员和效果都不错，尤其是两个主角潘必正、陈妙常，还有老艄翁都以声音、台词取胜。

我十分欣赏广播剧。我觉得广播剧最大的好处是给听者大有想象的余地，“不见”反而比“看见了”更有回味，更有情趣。我赞美广播剧，因为它是站得住的艺术。它的价值还未被广大观众与领导者认识。它更像诗，更有诗的感情，它发挥我们的想象力，听众可以比播出的想得更多，把人的感情引向更深远的境界。这种形式，弄好了会很有味道，比电视剧微妙。令人惊异的是它仅靠声音渗进你的灵魂，叫你回味。相比之下，我觉得现在很多不大好的电视剧，一览无余，看完了不能引人再想想。当然，广播剧搞不好，也是不行的。广播剧、电视剧都有个质量问题，跟本子有关系，跟导演、演播者等等都有关系。我们现在很重视电视剧，但也不应该忘了广播剧。广播剧诉之于耳，此时无形胜有形。更重要的，就全国说，目前，有电视机的人究竟仍属少数，农村、边远地区还是靠收音机。

你们想把中国优秀的古典喜剧、古典悲剧改编成广播剧，都压缩成一小时之内，这是一件很有意义的事。花功夫搞好它，对中国文学是个贡献，会引起青年学生和专业研究人员的广泛兴趣。这消息如果传到外国去必然会大受欢迎的，现在很多国家对中国古典戏剧十分重视。说回头，还是那一句话，要讲究质量，要有像《陈妙常》这样的水平，或者比这更好。希望广播剧创作者、工作者立足于祖国的土地上，远望着世界，让广播剧发挥更大的作用！

1986.11.8　于北京

美　玉

——看话剧《和氏璧》

我小时候听过这样的故事，石工卞和抱着半剖开的石璞哭泣，哭得眼里流出血来。他两次捧着石璞，送到楚王面前，说，这石头里藏着一块从来不曾有过的美玉。第一次楚王刖去他的一只脚；第二次又刖去了另一只脚；但他第三次又来到楚宫，当石璞终于被剖开，其中确有一块惊天动地的宝玉。

这卞和的故事，在我七八岁的时候，使我听了非常伤心。呆子一般的卞和，被剁去双脚，残废终生，他为什么这么傻，这么可怜呢？

很久以来，我几乎再也没有想起过他。但七十年过去了，我在舞台上却又看见了卞和，看到了他一生的故事。我被强烈地震动，心里流出血来。卞和，他是一个代表人类真正的大智与做人的全部悲壮的汉子。这其间的道理太深太深，我似乎明白，又未必完全明了。但我要把我感激的泪水，奉献给写了这出戏的人、演出了这个戏的人们。

【题注】载1986年11月11日《人民日报》。

这就是台湾剧作家张晓风创作，中央实验话剧院演出的《和氏璧》。

人，总是愿意一辈子安居乐业，骨肉相守，和睦安康。可为此，又丢失了多少自己所知道和根本不知道的宝贵的东西呢，根本不知道这一点的人是最多的；而知道了，又宁愿丢弃，不做牺牲的人也很多；不过，还是有人明白了这个道理，就用生命去换取那宝贵的东西！卞和就是这样的人。正是靠了卞和的精神，整个人类才不至堕落，才能使美好的事物留存下来。

庄子说：“且有真人而后有真知。”真人与难求的真知，对于人类是多么可贵呵。文艺复兴时期，布鲁诺被火烧死了，但他所发现的真理，终于被后人接受过来。清末，谭嗣同被砍了头，仅为戊戌变法，仅为他心中之道。古往今来，壮士一去兮不复还。在他们身后，世间才被照耀着一道崇高完美的精神光辉，才不会被愚昧苟且的昏暗所吞没。

卞和为真玉失去了他个人的一切，然而还是有人卖假玉。买假玉，因为这是容易的，是不用牺牲的。他们不能相信卞和，在于他们不敢相信卞和，只有在真人用血冲出的道路上，他们才可能迈步。

《和氏璧》这出戏，跨越时间与疆土，冲出了这惊心动魄的苦难的真理。但它并不使人悲观。为卞和而感动的人，将心怀希望。真善美的存在是不会被丢弃的，这信心已由卞和传给了观众，传给了我们。

看过演出之后，我又要来剧本细读。如此动人的寓言、哲理和诗的戏剧，太难得了。同时，我的脑子里总是浮现出舞台上演出的场面。我想，这种演出风格与剧本的高度和谐，同样是十分难得的。无论是导演、舞美、形体设计、灯光与演员，都深深地理解了剧本，有了他们用心去追求到的理解，才能有这出在舞台上光华四射的戏。在这里，导演似乎用了多种表现手法，但又浑然一体，朴实凝重。由此我想到，不管是什么手法、技巧，都只有当它溶为戏的血肉时，才能显出它们真正的生命力。一切都为戏所用，为我所用。这正是演出成功的道理。

在此，我祝贺中央实验话剧院，不仅祝贺他们的成功，更为他们的勇气祝贺。好的剧本，要有人认识，更要有人知难而进，潜心思索，使它在舞台上树立起来。我听说，也看到，在演出时，是有人中途走了，但这并不应使人沮丧、气馁。这些演出者、创作者正如卞和，紧紧抓住真理不放，把“玉”剖出来了，献给了我们。演出的过程也就是认识的过程，所以必然是艰难的。会有人不认识，会有人认为是欺骗，但是要相信自己，相信卞和，相信卞和与这出好戏会走进我们的思想里的。不是有许多的观众在为他们拼命鼓掌吗?

中国的话剧需要这样的好戏，需要像卞和一样的人。他们必将赢得人们的心。我老了，但我为此感到多么高兴!

欢迎日本的戏剧使者

——写在“日本布莱希特研究者访华团”演出之前

在中日文化交流协会成立三十周年的时候，千田是也先生率领日本布莱希特戏剧研究者访华演出团来到中国，我们从心底感到老友相逢的喜悦。

千田是也先生是我们中国戏剧界的好朋友。他是日本卓越的演员、导演、戏剧理论家。他的著作《千田是也戏剧论文集》堂堂皇皇十五大本，与他其他的著作一起遍及世界。他是日本戏剧的元勋，他的影响无论对日本或中国戏剧都是巨大的。我敬佩他无限旺盛的精力，更敬佩他深厚的学识和不断创新的舞台经验。他的一生体现了日本话剧的光耀的历史。我们每次和他交往，无论是谈话或是看他的演出，都获得很大的教益。他的坦荡、诚挚的心怀感动我们。他的生命是属于舞台的，属于正义事业的，对恶人的斗争不屈不挠，对朋友的深情如火炽、如光明。

【题注】载1986年11月22日《人民日报》。

他以超凡的魄力和智慧领导了世界闻名的“俳优座”。这个剧团不但演出了多种多样、获得极大成功的日本戏和各国的戏剧，还造就出许多远近驰名的如栗原小卷、加藤刚那样杰出的演员。自然，优秀的导演和舞台工作者也像滔滔江水，在他阳光般的辉照下，更加闪出异彩。“俳优座”是日本话剧的宝库。千田是也先生仍在不断地创造挖掘日本话剧现在与未来的瑰宝。据说，人可以活到一百五十岁，我相信，千田是也先生的创造与“俳优座”的艺术将长生不老，青春永在。

千田是也先生是布莱希特忠实的研究者和实践者。他对布莱希特深刻的探索，使他的演出不断赋予新的生命，使布莱希特这位宏伟的诗人与剧作家的声音更加深入人心。

这次他带来的日本布莱希特研究者访华演出团，在中国演出布莱希特的名剧《四川好人》和教育剧《点头先生与摇头先生》《例外与常规》《霍拉蒂人与克利亚蒂人》。这是空前的盛事，中国戏剧界千千万万的同行和数不清的观众，早已在盼望欢迎你们。在中国，布莱希特的戏剧将不仅是研究者的财富、戏剧工作者的财富，它将日益成为年轻人、广大的人民的财富。

三十年的岁月在我们心头凝聚的友情，是我们最珍爱的感情。随着时光的向前，生命的延续，我们对艺术创造的追求之心，互相间的友爱之心，都会更深更切，更有力量。我相信，在中日戏剧交流的长河中，这次盛大的演出将掀起高潮，获得巨大成功。

美育应该伴随人的一生

谈到美育，我想首先要搞清楚什么是“美”？对于“美”，有各种不同的解释。漂亮的时装，青春的面庞，等等很美，但那只是外表美。而我们应该着重提倡的是内在的“美”，它的内涵是很广泛的。人们当把真、善、美放在一起，我想，“美”和“真”、和“善”是不能分开的。康德有句话：“美是在道德上善的象征。”也就是说美和道德发生极密切的关系。如果我们把“美”粗浅地解释：美就是道德高尚。像老山前线的战士们，他们不美吗？他们一身泥土，脸上的疤痕甚至吓人，但他们内心非常之美。因为他们道德高尚，因为他们爱祖国。别林斯基也有句话：“美都是从灵魂深处发出来的。”发自灵魂深处的东西必然是指“真”的东西了。这里，美和真又有联系了。我们一切文学艺术中出现的美都是从灵魂深处发出来的。真就不能说假话。由此，我再引一段狄德罗的话：“真、善、美是十分相近的品质，在前面的两种品质上加一些难得的出色的情状，真就显得美，善也显

【题注】载1986年11月28日《人民日报》。署“中国戏剧家协会主席 曹禺”。

得美。”我理解，“真”的东西，“善”的东西，本身就是美的。

由“善”想到了“爱”。我觉得爱也是一种美。资产阶级革命家曾提出自由、平等、博爱的口号。我们现在讲到自由了，讲到平等了。但还少一个“爱”。所谓“博爱”，并不是爱坏人、爱行为丑恶的人、爱心地肮脏的人，而是一种真正的人类之爱。这种博大的爱，也是一种美。人都是需要爱的，既然爱，就要互相信赖、互相尊重、互相宽容；也要有自由的环境。一个人没有自由，也就不会有发自灵魂深处的爱，也就谈不上美。我觉得共产主义的最高境界是人与人之间平等、自由、博爱。如果一提意见，就被戴帽子，打棍子，那就谈不上互相尊重、互相宽容，谈不上自由了。我们尊重的是人，不是权，有权的人说的话不一定就美。有句话我感到说得非常好：“名人的话不一定都是名言，高官的话不一定都是高论。”而我们有些人对所谓“名言”“高论”，不加分析，一概奉为圣旨，全部接受，并推行下去，结果造成无限麻烦，不利于群众，不利于社会主义。

我认为，创作任何艺术作品的人如果能够使人崇高起来，使人不平庸、不自私、天下为公——这在心灵上就是很美的人了，他这部作品就体现了美，就是好作品。

现在，老百姓的审美观念、审美标准普遍较低，以至于对水平高的艺术作品不那么欣赏。因此，必须对观众施以美育，提高他们的审美能力，把美好的艺术推广下去，使得“曲高和众”。由此看，美育绝不仅只是一个人读书时期的必修课，它应该伴随人的一生。

我活到七十六岁，最近才明白，要做真人，说真话，很不容易。我今天像是说了几句真话，还没有完全说出来，时间不允许了。

群众是我们心中的圣人

——在“人艺之友”成立大会上的讲话

你们是我们的好观众、好朋友。你们关心我们、支持我们。多少年来，你们爱我们的演员、导演、舞美艺术家以及后台、剧场无数为你们服务的人们。老实说，离开你们，我们一天也活不下去，倒不是因为你们买票看戏，而是因为你们亲切的关怀连系着我们的心。你们说“好!”你们热烈地鼓了掌，我们从心里高兴，愉快，甚至一夜晚都激动得睡不好觉。你们看了戏，闷声不响，垂着头回了家，对家里人说:“真丧气！白跑一趟，花钱买气受!”我们这些台上的、台下的人，对你们是多么惭愧，但更多的是伤心。我们的艺术打动不了你们，我们不能给你们一点安慰，一点思索，一点回味的余地；不能鼓舞你们，不能使你们笑，或者哭，不能给你们任何感想，我们活着还有什么味道！只好回家上吊！上吊当然不会，因为还有妻儿老小、一大堆朋友亲戚在关心着我们。还有我们共同的祖国和人民，他们期待

【题注】载1986年12月9日《人民日报》。

着我们，期待着我们上进，搞得好一点，一定要树立一套真正的中华民族味道的社会主义的舞台艺术，贡献给你们，使你们的生活添一些颜色，多一点趣味，或者更丰富一点思想。如果我们都办不到，那我们多惨，活着还干什么。上吊不允许，只有睁着眼等天亮，在床上辗转反侧，想：哪一点没有弄好，哪一点没有尽到责任，哪一点对不起自己的艺术良心。

朋友们，这就是我们和你们的关系，这就是我们北京人民艺术剧院所有的同志对你们的心情。你们许多是我们的老观众、老朋友。五十年代，你们看过我们演老舍的《龙须沟》和《茶馆》，六十年代，你们看我们演郭沫若的《武则天》和《蔡文姬》，你们还看过我们演田汉的《关汉卿》和《名优之死》。当然，"文化大革命"之前，我们还演过许多表现社会主义的中国的好戏和一些外国的好戏。你们有人在大冬天头天晚上拿着铺盖等第二天卖票，也有人看完戏，回到了家已经深夜，第二天对朋友、对亲戚，还谈着我们，评评这个戏，哪个地方好，哪个地方不行。你们甚至于写信给演员，给导演，给剧场的服务人员，有时称赞，有时批评。你们对我们种种这样那样的关怀爱护，我们怎么能不加倍地努力，为着我们的好观众、好朋友，多多演出点好戏呢？

从1966年到1976年，我们关了门，闭上嘴，真正憋着气，一憋就是十年。我们和你们都没有见过面，担心、害怕、愤慨，有的抄了家，死了人，说不尽的灾难，总之是个惨痛的十年。

但是粉碎"四人帮"以后，我们复活了，又演戏了，我们演出过一些有益于人民群众的比较好的戏，你们鼓励了我们，你们又给我们以温暖。你们这些老观众又扎成堆，来看我们的戏。我听说从前有人看《茶馆》，一连看了三十多次，有人还不断写信，传令嘉奖。我们把你们用笔写来的信，用口传来的信，在我们的中间传来传去，从后台传到前台，从首都剧场一直传到宿舍，传到我们的家里。你们的评语与关怀对我们是何等的重要啊！

八十年代，我们又添了不少新观众，同样爱我们的好朋友。我们演了革命历史戏、北京风俗剧和许多新人写的戏。我们还演了莎士比亚的戏、美国作家的戏、罗马尼亚作家的戏。我们演了《请君入瓮》《推销员之死》《洋麻将》《公众舆论》，还有英国作家的《上帝的宠儿》，等等。北京人艺自己有一群出色的专业剧作家，有一群相当出色的著名演员，这些演员的名字常挂在你们的口上。有一些相当出色的导演和舞美专家，他们的努力使北京人艺的演出增加了光采……

爱因斯坦说："世间最美好的东西，莫过于有几个头脑和心地都很正直的严正的朋友。"

朋友们，我在北京人艺干了几十年了，我明白我们确实还有不少的缺点。可能在前进中出现一些不能令你们满意的地方，这些都需要我们严正的观众，我们的朋友随时指点。我们要对得起你们的期望，我们要长久保持对社会主义祖国、对人民的责任之心。好了，今天成立"人艺之友"这个组织了，我衷心祝贺这个组织的成立，祝"人艺之友"长期地、永久地发挥它的积极作用。

我们的圣人孔夫子说："君子有三畏，畏天命，畏大人，畏圣人之言。""畏"是个文言词，就是怕。"天命"我们不怕了，"大人"孔夫子没有告诉我们指的什么人，我们也不怕了，但我们“畏圣人之言”，我们还是怕群众，尊重群众，尊重“人艺之友”的呼声，因为你们在我们心中才是圣人，真正的圣人。

贺佐临

一位杰出的戏剧艺术家，是很难用语言来赞美他的成就的。好比说“美人如花”，比喻好看的人，难道花就能说出一个人的美么？不可能的。我们的佐临同志虽然已经八十岁了，但我看他却是一位真正的美人。我不想用花儿、草儿，青松啊、大树啊，来形容他，但在我心里确实敬重他，爱惜他，甚至于想和他长长地、一天两天地谈个痛快。但他是个寡言的人，不善于讲话，甚至不愿意讲话。因此我们有时相对半天，他的话像黄金一样贵重，一个字一个字地讲出来，仿佛生怕我把他的话抢走了，从此再不还给他。

我想起鲁迅的《故事新编》里，孔子第二次见老子的情形。老子发了一段言，孔子恭而敬之地等他再讲下去，老子却不作声了。“大家都从此没有话，好像两段呆木头。”我当然不是孔子。佐临是西洋文学、西洋戏剧专家，他年轻时熟读四书五经，很知道一些杂学，但他不可能变为两千多年前的老子。

【题注】载《戏剧报》1987年第1期。

然而，他在心里却很有点老子的意味。他的戏剧艺术创造很深刻，很有味道，有时是十分不一般的。他确是中国戏剧界的“老子”之一。但佐临从来没有“老子天下第一”的神气。他很可爱，有时我常感到他有点天真。他清亮的像一泓水，虽然不扬波，甚至没有春水的波纹。但他心里有时会涌起暴风巨浪，那就是他的深厚的对人、对人情、对艺术、对祖国的感情。

我感到他什么都要钻透，学问扎实。马克思主义的书他也是真正地读了的。同时，他是忠诚的爱国主义者。抗日战争的炮声一响，他和他的妻子丹尼就立刻从英国回到祖国。在四川江安一个小县里，为了抗日，为了给学生以戏剧的武器，过着清苦的日子。他们在英国剑桥大学深深研究了莎士比亚，又在圣丹尼伦敦戏剧学馆都毕了业。以他们所长，回来为祖国服务。这样的爱国知识分子当然很多，黄佐临和他的妻子丹尼，就是两位永不忘记自己身上流着中国人的热血的品格可敬的人。

今天纪念佐临从事戏剧活动五十周年，纪念他上百个戏剧与电影的艺术创造。我却想起解放前我在上海，他在苦干剧团的时候，他培养了许多大演员，出色的艺术家，甚至是音乐的创作方面，他都下了功夫。说“桃李满天下”那是一句套话，但许多朋友都会说他们真是得过佐临面对面的教诲，听到他慢吞吞的讲话，受到他突然灵感爆发也手舞足蹈的指点的。

我不常和佐临见面。我在上海时，本来可以常找佐临聊天。我们是多年老友，但见了面，仿佛只是两块木头相对坐着，虽然心里是安慰的、高兴的，似乎也可不必多见面了。

我早就知道佐临是戏剧大师布莱希特的研究者、实践者。布莱希特的剧本《大胆妈妈和她的孩子们》就是他导演，他的夫人丹尼主演的。这也许是布莱希特的戏第一次在中国的演出。记得当时上座不佳。但如今，布莱希特在中国已经为人民接受了。这里面有佐临的心血。今天日本千田是也先生率领“日本布莱希特戏剧研究者访华团”来到上海。我想，佐临这回要讲话了，上海的布莱希特专家都要讲话了。这是纪念佐临五十周年戏剧活动的一个很好的节目。

说到底，佐临是中国一位十分杰出的导演。他的巨大成就还是导演中国的好戏和中国的好电影。他的导演实践和写作是我们今天要研究的，要称赞和讨论的。

他像中国许多可敬可亲的老人一样，他很谦虚，爱中年人，爱青年人，他亲切地引导他们，让青年人说话，说个痛快，从不以老者自居。这是他值得钦佩的优点之一。

这次我来上海之前就猜想，纪念活动将不只有学术讨论，还可能有佐临排过的戏的片段，以及能够表现佐临这位八十老翁的创作精神的各种活动。我忽然想到一件事。据说在保定哪个地方有一块石头，凡是来看的人，都要用手摸摸它，大约是它能带来福气吧。因此，那块石头亮得像水晶一样。有学问的人说这是两千多年前燕国与赵国交界地的界石。人们把它摸得太多，也太久了。我担心，有一天它会从地面上消失，被摸没了。我把这问题问了当地人。他们说，不怕，这块石头在地下埋的极深。这是一块巨石，挖不到底的。我想佐临大约就像是这样一块石头。人们不断地摸他，时间也不断地磨他，但他的生命力像石头一样，扎根于深深的泥土，顽强坚固。他每天仍然驾着他的机动车，快似风云地四处奔忙。或者去排戏，或者去开会，或者去找他认为可谈的同行与朋友们。

佐临与他的老伴丹尼都是我的老朋友。今天我来这里开会是很高兴的。我把最想说的一句话放在最后，祝我的老朋友佐临和丹尼健康长寿。

1986年11月30日于上海

回顾我这三十年

一

从我青年时代，胸中充满了愤懑，总算找到“戏”这一武器，揭露黑暗的旧社会，一直想砸烂那个不合理的人吃人的社会。无论《雷雨》《日出》《原野》和《北京人》，我都想尽力描绘那些被扭曲、被压榨得透不出气的人们，盼望他们能够觉醒，起来反抗，至少决心想做一个真正的人，有自己的个性，有自己的追求。我诅咒那个黑暗的社会，希望人们得到解脱。我自己也正在苦苦求索，向往着光明的未来。

在抗日战争时期，我接触了共产党的领导同志。这些接触，使我心胸开阔，更加充满信心，憧憬着美好的前景。我写了《蜕变》，为了抗日，为了爱国，深深盼望中国军民对祖国和人民的将来有

【题注】收录李玉茹编、钱亦蕉整理《没有说完的话》，山东友谊出版社1998年第1版。题下附注：“这是《人民日报》海外版的访问稿，后未用，曹禺又重新整理。”

坚强的信心和乐观精神，知识分子要为祖国做贡献。当时，依然受到很大的压力和阻挠，但我们的戏剧战士们毕竟冲破种种阻力上演了。

在全国未解放的时候，我和许多朋友，得到地下党的关怀，离开了白色恐怖的上海，绕道香港，转航烟台，到了北京，我参加了全国第一次政治协商会议。

当我在一九四九年十月一日的清晨，登上天安门，我似乎看见亿万的同胞在欢呼，我心中汹涌澎湃，“中国人真正站起来了”！我被这种从未有过的火热的情感与信心所驱使，参加各种国内外的社会活动，也做了许多我不擅长的工作。譬如接待外宾，负责他们的食宿交通，注意中外人士的友谊与文化的交流。但外宾的等级安排我不懂，因此也出些纰漏。时常接待外宾的演出团体，这对我是极困难的事。虽然我搞过戏，毕竟我是个写作的，过去接触的仅仅是话剧。对芭蕾舞团体，我就不懂他们的要求，我疏忽了。结果，舞台地板打上光光滑滑的最好的上等蜡，芭蕾舞台监督一看，“不能用，这样滑，演员要摔坏的”。我连忙找了许多木工，连夜把台上用蜡涂得油亮的地板，用凿子錾子一点一点凿掉，台上成了毛糁糁的一片。演出了，那位著名的女芭蕾舞家确实舞得精彩，她高兴，我也高兴。在观众一阵阵热烈不断的掌声中，她一连十分优美地向中国观众蹲身举手，非常愉快地一再致谢，不料她一跑进边幕，那里地板还是油光光的，她顿时摔了一跤，大哭起来。我和后台的人们都吓坏了，生怕这位友好的演员扭伤了脚，从此上不了台。幸而没受伤。真，我哪里懂得这些事？凭了一股热情，叫干啥就干啥，以为这样做就是我对祖国和人民的热爱。就这样，从四十年〔代〕末到五十年代末，我做了许多我不会做的事情。我把写作忽略了，祖国需要的是我的笔，写出点东西，而我做得太少了。

二

在抗美援朝时期，为了配合政策，提倡爱国主义，我在医院里地下室，住了半年多，体验生活，写了《明朗的天》。这个戏当时起了一定的作用。以后，又写了《胆剑篇》，也是为了形势需要，今天看，似乎还算是一出过得去的戏。它提倡奋发图强，我国民族的传统精神。

我正在陪亚非作家们在国内开会，“文化大革命”开始了。我们陪同外宾，到过一些城市，一边开会，一边听到外面喧嚣沸腾，打倒之声不绝。在杭州送走了外宾，我和一些国内作家们，都有种不祥的预感。和朋友们分手，我不觉惆怅起来，好像这一别，不知能否再见面。在这浩劫中，无一幸免。

粉碎“四人帮”后，我花了极大心力，写出了《王昭君》。这个戏上演后，受到一些赞誉，但也提出一些意见。我写这个戏是为加强民族团结，一反过去哭哭啼啼的王昭君的形象。它拭掉王昭君的眼泪，主动离宫。我虚构了一些人物，如孙美人、苦伶仃、温敦等人物。写孙美人，主要为了烘托王昭君自行请命，嫁给单于。当然，王昭君写得太缺少思念故土的情感。这个戏褒贬不一，只有让历史、让观众去评定它了。

三中全会以后，我的思想逐渐解冻，我回顾，我思索。在“十年浩劫”以前，我走了一些弯路，做了不少我不会做的事情，我是勤勤恳恳的。今天回想起来，如果我不丢开笔，扎扎实实地深入基层，深入生活，我想我的头脑要丰富得多，充实得多。现在许多作家，尤其是中青年，都历尽艰辛，真正懂得了许多道理。

我并不追悔。今天我能省悟，为时还不算晚。我要牢牢拿起我的笔，哪怕少，每天能写几十个字也好。明年，我就是七十七岁的人了，离八十岁还有三年的时间。只要能沉下心来，坐得住，我还可能写点东西的。我用两句话结束你们对我的访问吧：“知过犹未晚，求实正中天。”

一九八六年十二月十一日

祝你们幸福

女人生下了我，养育了我，又终身陪伴我。她给我以生命，给我以幸福。她是我的母亲，是我的妻子，是我的朋友，抚慰我，劝解我，鼓励我，使我奋发向前，使人类繁衍福昌。从人类懂得了用火，到今天把宇宙当作文明无限发展的空间，都充满了女人的力量。

妇女是开创一切的母亲，无论是物质的或精神的宝藏。我心中饱含感激之情。而这个真理长久不被理会。

在人类生长的大地上，有多少杰出的女性，值得我们赞美。拜伦所崇拜的“如火海一般炽热的萨福”，是“崇高”的诗的楷模，是与史诗之父荷马媲美的女诗人。现代科学的开拓者居里夫人，她为人类发现了钋与镭，她顽强无私的品格的光辉，一直照耀着做人的道路。而她又是多么善良，充满爱情的丈夫的伴侣，是以她无比智慧的心灵教导儿女，像她一样为人类献身的母亲。

中国神话中的女娲，她用五色石补天，治平洪水，杀死猛兽，人

【题注】载《中外妇女》1987年第1期。

类才得以生息。多么神美而又震动人心的女神。她是中国妇女的象征。古往今来，中华民族有多少勇敢、坚韧、受尽苦难，创造出宝贵财富的女人。我无法一个个说出她们的名字，我想她们正是生活中的女娲。

我写过一些剧本，我的剧本中也有一些女性。她们是在历史的黑暗深渊中挣扎的人，是封建的巨石下压着的人。也许，有人会认为那样的年代已成陈迹，妇女的解放正是今天的现实。我想不完全是这样。几千年来形成的旧势力，人们心理上的旧意识，就像没有除根的野草，割去了还会滋生。而真正的解放，要靠妇女们自己。身体的枷锁尚未完全解除，精神的力量正待成长。认识自身的价值，发挥自己的才能，自信、自尊、自立，这应当是我们伟大时代女性的形象。

我以最大的诚心祝愿《中外妇女》杂志，唤醒、促进妇女各方面的进步。在新的一年，以丰富的思想，敏锐的洞察力，深厚的情感，广阔的视野，参与人类文明的创造。

我借《中外妇女》的一页，再说一句话，女同胞，我祝愿你们幸福，你们是最有这权利的。

祝　愿

我们正赶上一个伟大的时代。

今后的戏剧工作大有可为，目前各种戏剧都出现了好剧本、好演出。因为我们被理解，被真正的重视。我们说出自己心里要说的话，说出人们要说的真心话，创造出人类喜爱的戏。我们称得起这个荣耀的名称——中国戏剧工作者。

屈原说："善不由外来兮，名不可以虚作。"这两句话应该是我们作为戏剧工作者的座右铭。

我们今后的作品与演出必然是有格调、有生活、有思想的创作与演出。

当然，这都应归功于宽松与和谐的空气。我们从心里感到这个可珍贵的和谐。我只想再说一句：看不见的和谐比看得见的和谐更好。

【题注】载《戏剧报》1987年第1期。

我希望……

平时，我除了写文章，每天还被各种各样的事纠缠着，偶尔看些电视，倒也是一种不可多得的解脱与享受。《新闻联播》我现在基本上是每天必看，还经常看一些专题片。最近吸引我的是《话说运河》节目，这部系列片的画面、解说都很有魅力，充满了历史感与浓郁的地方特色，让人回味无穷。

在我的印象里，在把电视作为教育工具、娱乐工具上，中国确实是很用了一番苦心的，和以前相比，有了很大进步。但总地看来，中国的电视屏幕略显单一，没有呈现出那种电视应有的丰富多彩的景观。它所面临的最大问题是：关卡重重，管得太严。

电视在我国普遍发展才几年，像个刚成长的孩子，却有许多婆婆、公公，许多爸爸、妈妈、叔叔、婶婶管着，关怀备至，像是爱得不得了，怎么吃、怎么喝、怎么走路、怎么睡觉，什么时候要来点维他命，什么时候要注入些肾上腺激素，都有人教着，这孩子能受得了

【题注】载《大众电视》1987年第1期。

吗？也许，这是为孩子着想，为孩子好，但关键是许多人不知这孩子的身体状况如何？到底需要些什么？

电视的路子现在谁也没法明确说出会向哪个方向发展。毫无疑问，它所具有的优势使它的前途不可限量，它的道路更在不断地实践与探索中，而不是在许多唠叨、管教中成长。

所以，电视界现在应大力提倡“宽松、和谐”，从而使自己的优势得以充分发挥出来。

当然，这并不意味着往港台、西方靠拢，他们电视中好的东西我们可以吸收，但他们的糟粕绝对不能要。中国电视不会走那条路子，有些心术不正的人即使想搞那些，中国的广大观众也不会答应。如今正是大治之年，绝非乱世，大可不必担心“开放”会导致资本主义化，所以在整个电视界氛围上，还是宽松些好。

电视剧我看得不多。《寻找回来的世界》我觉得不错。至于《新星》，外界谈得已经很多了。它的内容总体上看是一种开放与封闭的奇妙结合，而它在社会上激起的戏剧性反响——先是热热闹闹一片赞扬，转而又是沸沸扬扬一阵批评——也颇让人思索。如果把《新星》及其社会反映当作一个独立的整体放到历史大背景上，它倒恰恰折射了我们这个过渡时期的特色。

《济公》似乎很受欢迎，但我就我个人来说并不喜欢。我觉得，这部片子幽默也好，滑稽也好，但不能搞得庸俗、油滑，缺少深度，迎合一些人的低级趣味，像当年拍《火烧红莲寺》一样，而不像是八十年代的中国拍出来的。现在大街上连三岁小孩都唱着“南无阿弥陀佛”，我不认为是件好事。

目前的电视剧，艺术上受舞台的影响太重了。日本NHK电视台的负责人曾经问过我：电视剧今后是靠电影这条路子走，还是靠话剧的路子走？

我以为电视剧靠电影不行，靠话剧更不行。电视剧要走自己的路。各国有各国自己的道路，在中国，它有一条基本规律：就是要合乎中国自己的民情、习惯以及国家发展的需要。如果立足于这点，那它将会走出自己的道路，达到自己的理想境界。

妇女颂

“妈妈!”这个声音，这个字多美，多动人的心。谁没有妈妈?有了妈妈，才有我们。妈妈是温暖，是慈爱，是智慧，是创造一切的动力。说一句傻话，妈妈从来不是男人。有生以来，妈妈是女人，伟大的女人。而我们常常忘记妈妈、妻子，以及许多充满情感、聪慧与博大精神的女人，忘记她们坚韧、顽强地做着所谓平凡的事，侍奉老的，教养小的，抚爱我们，赐予我们以温情。她们受尽苦难和悲哀，她们牺牲了自己，全心全意支持她们所爱的人的事业。

皇天后土啊，我们的妈妈!我们心中最崇敬、最疼爱的妇女!看看SOS儿童村吧。SOS村的妇女们起誓把终身奉献给这些无依无靠的孤儿们，做他们终身亲亲热热的妈妈。她们是人的榜样。SOS是呼救的信号，她们在SOS村里用女人的爱，用女人的崇高智慧，向人类、向世界呼吁和平，呼吁永久的幸福。为了世界无依无靠的孤儿们，她们用整个生命灿烂烂地说明这个真理。“妇女”，这两个只能用

【题注】载1987年3月7日《光明日报》。

擎天大笔才写得出的光辉四射的字！妇女就是给，给，不断地给予，给予我们最深厚的赤诚和爱。她们多么崇高。她们从不认为自己是施舍，她们从不认为自己是世上的给予者、献身者，从不想到自己是自古到今人类的恩人。她们只是奉献自己的一切，为人类，为文明，为创造。

妇女们就是美，美得像梦！她们是我们最美丽的梦中人。她们温柔，像蓝天下的湖水；她们深沉热烈，像探不透的燃着烈火的土地；她们坚强，她们是从不知屈服的水晶一般透明的灵魂。

看！她们的眼睛多么明亮，是圆圆的明月，是银河中无数的星星。在她们怀抱里孕育着多少英雄。一切文明的开拓者，一切高贵的英雄身上流的，都是妇女心上的热血。妇女是神圣的。

历史见证：最柔软，最坚韧，最谦和，又承受不可形容的痛苦，非人性的折磨，一切最野蛮、最原始的酷刑的，是妇女。

然而妇女确实又是一切智慧、意志与道德的化身。妇女生下人，保护了人，而人却不懂得怎样保护妇女，保护这些数不尽的做我们母亲的妇女。

今天全世界的妇女要求解放，她们要求解放自己，原是为了毫无保留地奉献自己。但是愚昧无知的人们，从来不知感恩的败类，玩弄着看得见与看不见的铁锁铰链，捆缚着，煎熬着她们，扼杀我们的母亲和伴侣及朋友。

我们向全世界大声疾呼：妇女是几万年来文明的创造者，妇女还是将来充满了真知与理想天地的创造者和保护者。

妇女们，全世界的妇女们，不要以为我们今天已经完全解脱了身上心上的镣铐了。我们要彻底粉碎捆缚我们身心的枷锁，要认识自身的价值，发挥自己的才能，自信、自立、自尊，要使一切人听见而且遵从妇女们的心声：要创造和平，文明，幸福，充满信念与爱的光明世界。

1987年2月13日

纪念三八妇女节

张庚戏剧理论研讨会发言集粹

在三十年代，张庚同志就已经在革命队伍里冲锋陷阵了，我对他是久仰其名的。解放后在中央戏剧学院和他同事时才有幸和他相见。我感到他踏实、诚恳、热诚，说话有根据，不做随风倒的人。他有自己的独立思考的立足点。一个人活着最大的道理不仅仅是“食、色，性也”，重要的是人能思考，尤其作为一个现在的革命知识分子，首先的问题就是能思考，并以他的思考结果来影响其他的人。

张庚同志的《话剧民族化与旧剧现代化》提出了一个根本的观点，它不是闭门造车或者拿来别人的观点，他确确实实有根据才提出这样一个见解。这个见解影响了多少人，影响了多少戏剧理论家。他

【题注】载《戏剧评论》1987年第2期。文前编者说明：“一九八七年二月二十四日本刊召开张庚戏剧理论研讨会，与会者有：张庚（以下按姓氏笔画为序）、马远、王安葵、王蕴明、邓兴器、曲六乙、朱颖辉、余从、何为、李超、李庆成、李余秀、陈丁沙、陈荒煤、吴大维、吴乾浩、沈达人、俞琳、晏甬、郭汉城、曹禺、游墨、龚和德、舒强、颜振奋、薛若邻及本刊编辑。以下是与会者发言集萃：”曹禺发言排在第四位。

主编的《中国戏曲通史》是真正在世界上有影响的中国戏曲通史，是拿得出去的。王国维写出《宋元戏曲史》是了不起的,《中国戏曲通史》同样是为中国添光彩的。外国人也研究中国戏曲，但他们总有些隔靴搔痒，有时钻得很厉害，常常钻到牛角尖中去，而不能从中国的全局来估计哪一个作家，哪一个时代的潮流，哪一个时代的精神。我们的《中国戏曲通史》做到了这一点。我觉得这是一个划时代的作品。我从前看了一些戏，也读了一点中国的戏曲，但实际上都是非常零散的，等到从头到尾看了《通史》才知道中国戏曲原来是这么一回事情。这么一部大书，没有一个主编，没有一个真正的观点，再有一大堆人搞，也很难完成它。看过这部书后，一方面认识张庚同志深一些，一方面又很感激他，张庚同志为祖国做了很大的贡献。

张庚同志可以说是“天下桃李，悉出公门”，他培养了很多优秀的人才。现在他又带了博士生。戏曲博士，从古到今还没有过呢，恐怕是从张庚同志起头吧。他所带的博士生，并不一定要崇拜他，只有导师有博大的胸怀，才能培养这样的学生。张庚同志虽然资格老，但他的精神年轻，唯其如此，才使他所培养的人才敢于说出自己独立的见解，而这些见解未必完全是“张庚派”的，这一点是张庚同志最为叫我佩服的。他希望学术研究一代比一代好，而不是自称“老子天下第一”，因此就会有“天下第一”的人才出自他的门下。

我这个人最怕理论，尤其怕见到大块大块的理论书。但有些理论家不同，他理论很深，而文章写得好，叫你爱看，耐看，耐咀嚼，张庚同志的文章就具有这样的味道。现在吸收外国的东西，我是赞同的。由于有很多新的看法，必然需要很多的理论，我们今天可以用一些自造的名词来表达思想，但是不可以滥造，滥造到一种不可以理解的地步。有些东西不仅我们看不懂，一般的大学生也未见得看得懂。在文风上我们应该向张庚这样的理论家学习。

张庚同志不是空头理论家，而是懂得戏的。也知道舞台是什么，观众是什么，演员是什么。他懂得戏剧的实际活动是什么。理论家就怕空头理论，在那里大肆炫耀自己的文彩，而不顾实际的戏剧现实是什么，这样的理论家是可怕的。张庚同志有着深厚的实际经验，同时又是一个非常用功的人，他了解戏剧的现状，他写的文章，我感到有很实实在在的东西给我们，这一点我是非常佩服的。

张庚同志一贯诚诚恳恳，扎扎实实。但他不是不讲是非的，他是敢讲真话的人，同时又有博大的胸怀，能够倾听、接受别人的不同意见，是一个了不起的杰出的理论家和教育家。

在奥尼尔学术讨论会上的讲话

由中央戏剧学院和山东大学联合举办的全国首届奥尼尔学术讨论会，是很有意义的。我来参加这个讨论会感到特别高兴。

奥尼尔戏剧对中国戏剧确实有影响。他的戏剧在美国戏剧发展中，所产生的影响更深、更久远。可以说，有了奥尼尔，才有了真正的美国戏剧。

奥尼尔一生中写出了那么多为世人称颂的剧作，这与他本人的经历是密切相关的。他幼年时便开始接触戏剧，他的父亲是一个演了一辈子《基督山伯爵》的演员。奥尼尔的个人经历相当丰富，他当过记者，干过许多行业，也当过海员。由于职业（海员）的关系，他到过许多国家，接触了许多人，特别是那些生活在底层的小人物。因此，他对世态人情看得深，看得透，看得远。他希望把自己经历的人生如

【题注】收录《奥尼尔戏剧研究论文集》，中国戏剧出版社1988年第1版。文末附注："王岩根据曹禺同志1987年2月24日在中央戏剧学院举办的全国首届奥尼尔学术讨论会上的发言整理。本文已经曹禺同志审阅。"

实反映出来。他的作品深刻反映了美国社会给他带来的失望、迷惘，正是这个社会使他消极，使他产生了对人生的悲观理解。

奥尼尔精力过人，勤于钻研学习传统文化，特别是古典文化和欧洲文化。但他却无法解释他所看到的种种社会现实。因此，他为找不到解决办法而苦恼。他看到了尖锐的社会矛盾，而且指出了社会的问题性。他热爱生活。他的悲观是有积极性的，他企图解释人生，偶尔他甚至于想到别人应该如何生活下去。我想这可能是奥尼尔性格的一个突出特征。

我读过奥尼尔的一些剧本，特别是他的那些较重要的剧本，一般我都读过。我最早接触他的戏剧，是在我年轻时，当时读的大多是描写海上生活的独幕戏。奥尼尔自己认为这些独幕剧中，他比较满意的是《东航卡迪夫》。奥尼尔在海上生活了许多年，有生活。因此，他对大海以及在海上生活的人们的描写，是很有深度的。

奥尼尔还写过一些描写美国农场生活的剧本，如《天边外》《榆树下的欲望》等。但总的给人的感觉是，找不到生路。我最早读《天边外》时还很年轻，看不出更多的东西来。现在我重读这个剧本，感觉就深刻多了。剧中描写的天边外是一个令人神往、美丽动人的地方。两兄弟（罗伯特和安德鲁）都渴望离开闭塞、单调的农场生活，出海远航，去到那遥远的天边外，寻找那可爱的天外仙境。由于意外变故，安德鲁取代了罗伯特，与舅舅一道去航海。罗伯特则由于陷入自身的苦恼，躺倒在病床上，临死前，他幻想着天边外的自由生活。罗伯特认为自己是失败者，而安德鲁是最大的失败者。我们通过这个剧本，可以看出奥尼尔在他的早期剧作中反映的人生现实，态度是消极的。

奥尼尔一生中对各种各样的戏剧形式进行了尝试。有现实主义、表现主义、象征主义、神秘主义等等。《琼斯皇》是奥尼尔表现主义的代表作之一。早年教过我的张彭春先生，曾最先向我提过这出戏。当时他刚刚从美国回来，告诉我他在美国看过一出戏，讲的是一个黑人逃进了森林里，后边有许多人追杀他。随着阵阵的鼓声，他的面前出现了许许多多阴森恐怖的场面。后来，我写了《原野》，里面也有鼓声出现，有人说，我这是抄袭《琼斯皇》。这个误解颇有意思。我不曾读过这个剧本。《原野》是中国的，无论在主题、人物故事上和这个剧本不相干。我在修改《原野》时，把那鼓声改为磬声了。

奥尼尔一生一直反对商业戏剧。他是从普林斯顿开始他的戏剧生涯的，而且也正是从那里开始出名的。我觉得我们不要以为只有大城市才能产生大剧作家，地方也一样，也可以产生出大剧作家。奥尼尔就是一个很好的例子。不能只是一味地盯着“百老汇”。它演出的某些剧本也是从地方产生出来的。

我国近几年上演了一些奥尼尔戏剧，如《安娜·克里斯蒂》《天外边》《榆树下的欲望》《归家》等。我是在电视上看的《安娜·克里斯蒂》，这出戏演得不错，给我的印象相当深刻。我以前在英国访问时，在莎士比亚故乡的一个破旧的汽车库里看过这出戏。汽车库里冷极了，我是披着毯子看完这出戏的。演员很多是有名气的，戏演得很精彩。当时最令我感动的是人物的激情，那种激情是很少见的。演员演得认真，可以感觉到，激情是发自他们内心的，绝不是表面的。剧中人都梦想着在陆地上找到一块安乐地，可是他们没有钱，最终只能在大雾中，在久住的驳船上听那即将远航的汽笛声中离去。给我的感觉是，从表面上看，这是一个大团圆的结局，他们（指克里斯和大海的产物，水手伯克）和好了。伯克用自己的爱给安娜带来了新生。但他们的希望在哪里？在茫茫的大海里，用老头子的话说："我恨透了大海，但是我又不得不去。"我觉得《安娜·克里斯蒂》描写的是人生的恐惧与悲哀。历尽艰辛的海上生活，哪一年才能结束？意味是深长的。

《毛猿》是表现主义、象征主义的作品，写的是寻找自我在生活中的归属。一个被侮蔑、被欺负的小人物经过种种磨难，最后在动物园的笼子里找到了他自认为属于他的归宿。可恰恰在这个笼子里，他又被毛猿活活掐死了。说明社会是冷酷无情的，主人公受着非人的待遇。不但在人类社会中无他的藏身之地，即便是动物园里，也无他的落脚之处。

《榆树下的欲望》是一个描写争夺财产的老主题。儿子与继母为财产而争夺，继母则为了表示对儿子的爱恋，而掐死了自己与儿子生的儿子。尽管这是一个很平常的主题。但经奥尼尔的精心加工，却把人类生活的锋芒，直接指向了人性的最根本的地方。为了爱情，可以把亲生子掐死，以表明她是真爱。这种写戏方法，既有作者对人生的感情抒发，也有对人生各种不同遭遇的真实感情。desire一词（意为欲望、情欲、愿望等）含义相当丰富，它既含有人对性的欲望，也有对财产或对人的占有欲。

《奇异的插曲》这出戏我国尚没有演过。这出戏很长，有许多独特的技巧，如剧中的旁白和意识流的东西经常出现，但它的旁白不像中国的那种旁白。那是给观众听的，它却是剧中人物更深地解释自己的。奥尼尔就是这样运用各种创作方法来充分表现人的复杂性。

奥尼尔是划时代的伟大剧作家，他追求戏剧上的高度艺术；他敢于汲收，也善于汲收。他读了那么多的书，古典的、欧洲的，最主要的是古希腊的悲剧。这些知识对奥尼尔产生了一定的影响。弗洛伊德的影响在他的作品中反映很明显。易卜生、斯特林堡以及契诃夫也都对他产生过影响。

作为一个剧作家，不但要有生活，而且还要善于汲收，善于继承。第一、二次世界大战期间出现了许多新的戏剧流派，奥尼尔对这些新的戏剧形式进行了大胆的尝试。

奥尼尔由于家庭生活的不幸，母亲吸毒等，使他一度对人生产生了悲观厌倦的想法。但他热爱生活，一个悲观主义者并不是不热爱生活，他恰恰是由于对生活热爱到了极点，看到了生活的真实，而苦于找不到解决的办法，才产生了悲观情绪。

用我们现在的话来说，作为剧作家。必须热爱生活，拥抱生活。但首先要有生活，然后才能拥抱，在拥抱中悟出一个道理来。不是胡思乱想，见了生活就写。要多思多想，要有一个对生活的正确看法，才能写出真正的好东西来。

奥尼尔是一个极其严肃的作家，尽管由于找不到生活的真正出路，但他对戏剧创作有着强烈的欲望。作为一个作家来讲，没有强烈的创作欲望是不可取的。

奥尼尔写了那么多的好作品，很值得我们学习和研究。我们应多多上演他的戏，开展奥尼尔戏剧的研究工作，努力提高研究奥尼尔的学术水平。我有一个不成熟的想法：我们可不可以把中国现代戏，或古典戏曲拿来与奥尼尔的戏剧做一下比较。通过比较，我们会发现两方都有许多好的东西值得借鉴。通过比较，才能更明白人家，更明白自己。

这次奥尼尔学术讨论会聚集了全国的奥尼尔专家学者，大家一起研究奥尼尔，学习奥尼尔，机会难得。我们要研究人家，人家也在研究我们。这种交流很必要。闭门研究是找不出好东西的。我们提倡百花齐放、百家争鸣，要多多汲取好的东西。值得学习研究的，不只限于奥尼尔，还有许多大剧作家也需要研究。

奥尼尔戏剧对美国，乃至世界产生了很深刻的影响，相信随着我国奥尼尔研究工作的不断深入和发展，愈来愈多的人会了解他、喜爱他。

凛然如松柏　清洁如幽兰

——《刘喜奎传》序

如今戏剧界很少有人提到刘喜奎了。她比我早生十六年，我不记得确否看过她的戏，但又像在某次义演时，灯光辉煌的戏台中，望见一个美丽动人的花旦既歌且舞，引起全场看戏的高声喝采，如痴如狂。这位女演员大概是刘喜奎了。因为当时能与谭鑫培、杨小楼这样的戏曲大师唱对台的，只有她一个。

关于她的佳话、传闻很多，出自报屁股文人的笔下总是“色艺双全”的烂调，在老爷太太们的嘴里不过是一个唱红了的女戏子；在军阀们的眼中，她的一切灵魂的美都剥光，她只是可以供享乐的玩物。

然而当一切鄙恶残暴势力袭来时，她凛然如松柏，清洁如幽兰。她是黑暗天空里飞来的彗星，光彩耀目，却不多时就隐没下去。她幼时穷困，酷爱唱戏，四处求师，苦练多年，终于成材——成了旧中国舞台上的一杰。然而正当盛年，终于引退。她默默无闻几十年，只

【题注】载《戏剧评论》1987年第2期。

在解放后，才出来任教中国戏曲学校。她是暗无天日的旧时代的牺牲者。

她一生清白，她的婚姻也是一场悲剧。封建思想束缚了她，她得不到幸福。邪恶势力逼迫她，使她得不到一个演员施展才能与艺术本领的舞台生活。

读了胡沙同志为她写的传，更看出她纯朴、直爽、刚劲、虎虎有生气。她是一位有骨气、有血性、有人性的艺术家，是真正懂得爱的女人，然而她却苦了大半生，寂寞了大半生。

刘喜奎先生是一位生不逢辰的艺术家。倘使她生在今天，当然非常好。但以她这样的人，她的前途可能也有另一种折磨的。

赞“大学生电视剧”

60年前，我们当学生的时候，演出过“校园戏剧”，那时，大家叫“新剧”。我们演的戏剧是为了反封建、反包办婚姻、反旧军阀、反旧官僚，得到当时社会的广大群众的赞扬。场场客满，效果很好。

如今80年代，大学生赶上了一个了不起的时代，搞有中国特色的社会主义“四化”建设，这是多么广阔的天地。而大学生们正是在摇篮中的栋梁之材，是建设富强的社会主义祖国的生力军、后备军。现在，大学里搞电化教育，同时搞大学生的电视剧，由大学生自己创作、演出，这是很有意义的事情。你们的电视剧比我们的“新剧”观众要多得多，影响也更加广泛。这样的好条件是我们老一辈爱好戏剧的大学生羡慕之极的。

大学生搞电视剧，可以使学生更多地知道今天的人民心中想的是什么，可以在创作电视剧的过程中，认识这个复杂的处处现出生机的社会，更早地深入到生活中去。大学生搞电视剧，可以增进人民对当

【题注】载1987年5月16日《人民日报》。

代青年人的了解，了解中国大学生的思想与感情、愿望与志气。这是人们所需要的一股清新的空气。

创作好的电视剧，就要用头脑、下功夫，同时也可以增长知识，提高自身的文化修养，提高表现能力，更重要的是在思想上更加成熟起来。

现在，电视台展播大学生电视剧，并评选其中的优秀之作，这是件好事，希望这次评选也能推动我们电视剧艺术的发展。

西方有一句成语：“一个好的开头，就是成功的一半。”这话有一定的道理。在大学生电视剧成长的道路上，这仅仅是迈出的第一步。前面的路将是宽广的，有待充满智慧的心灵、充满勇气的双手去开辟，一步步、扎扎实实地走下去。在实践中，我们会发现大学生电视剧的优势与不足之处，会使作品更加美好，使自身更加美好，使生活更加美好。说不定，从大学生电视剧的实践中，会出现真正出色的艺术家，迸出明亮的火花。这将是又一个收获。

天才并不是从天上掉下来的。真正的艺术家是不断地实践，下苦功，潜心思索，锻炼出来的。

我祝愿这些未来的艺术家，未来的建设者、创造者们，获得成功。

煎饼果子

我曾听一位营养学家说，北方人最爱吃最普通的早点——煎饼果子，不仅色香味美，经济实惠，而且由于所用的原料，面粉、玉米、大豆，充分利用蛋白质的互补作用，提高了食品中植物蛋白质的营养价值。其道理就在于食物中蛋白质的含量和比例越接近人体蛋白质的氨基酸组成和比例，其利用率越高，营养价值也越高。植物蛋白质所以不如动物蛋白质，就是因为其中某些氨基酸含量低于人体需要量。如面粉中赖氨酸和苏氨酸不足，玉米中赖氨酸和色氨酸都低，而大豆中赖氨酸、色氨酸和苏氨酸都相当高，三者合理搭配，互补余缺，使混合制成的煎饼果子，其氨基酸组成能达到或接近人体的需要标准：从而提高其营养价值，如果再加上鸡蛋，营养素更会全面了。所以北方人们喜爱的煎饼果子，的确是经济实惠、营养丰富的风味美食，是中国式的快餐，值得提倡和推广。

听了营养学家的这番科学道理，引起了我儿时吃煎饼果子的美好

【题注】收录《中国美食与营养》第1辑，轻工业出版社1987年第1版。

回忆。

我生在天津，八九岁时，冬天一早起来，太阳照的眼睛发蓝，我迎着日光，心里总觉得十分愉快，溜出大门。我来到意租界三马路的一个菜市场，东张张西望望。看着一些买菜的粗粗打扮的妇女跟菜贩子讨价还价。她们身后领着四五岁的小孩，手里拿着馒头边吃边望，还和不相识的女孩子鼓眼睛噘嘴。我大了，不屑多看他们，只一心找我爱吃的东西。

菜场有铁棚，不够亮，我黑糊糊地溜达了一会，走出菜场，这才看见市场上不远处的一个小布篷，一群人正围着它。我走过去，人们都不说话，望着腾着烟气的特大的油锅，里边滚动着许多根“果子”，就是北京话的油条，又大又长。旁边是一副挑子，一个平锅黑得像张大花脸。锅下堆着车站上捡来的煤渣，微火慢慢烤着平锅。一个满脸胡茬的中年人，大个子，他从锅旁的瓷盆里舀出一勺黄白色的稠浆，倒在锅中，立刻用一个小推子，像推磨似地，转着圈儿地一推，稠浆就在平锅上变作一个又黄又薄的大月亮。他轻巧的手在“月亮上”抹些甜面酱，再撒上嫩绿的细葱花，就手拿起一根滚烫的油黄黄的“果子”，用薄饼一卷，伸手递给站在身边的人。其实总是有人先就抢到手上，大嚼起来。我总是站立着，先付过一个大子儿，等他交给我，然后才转过身，细细地慢慢地吃。真解馋那。热腾腾的煎饼喷着豆香，金黄的果子又油又脆，再加上甜甜的酱，辣丝丝的葱花，这么香的滋味我要好好地咂摸一阵。不像那些站着的人，他们大都很瘦，狼吞虎咽，三两口就把煎饼果子吞进肚里。然后就急急忙忙地赶到菜场外面，那儿排着一溜大板车。不远高楼里机器轰响，是洋人开的买卖。从乡下拉来小麦，磨成京白面粉，一包包被人推出来。他们扛起面袋，把板车装满，堆的高高的，捆的紧紧的。他们躬着身体，脸儿乎贴在地面上，拉动板车，不一会儿地上就落下滴滴热汗，一路洒下去，而肚子里只有一条煎饼果子。

我奇怪，为何卖煎饼的挑子上还放着一篮子鸡蛋。而卖煎饼的大汉从来也不问那些围在一边等吃的人要不要鸡蛋。当他们走散，我还站着吃的时候，他忽然问我："小少爷，再来一套，摊上个鸡蛋，那才叫好吃呢。"我只是摇头，因为我的口袋里也没有再多的钱。他笑了，现出非常可爱的"大张飞"的脸。我心里觉得他应当在大戏舞台上，手持丈八长矛，勾着英武漂亮的张飞脸，从锣鼓声中上场，"哇呀呀"叫得震天响，满场看戏的人都给他来个"碰头好!""好"成一片。但偏偏是他，挑着这副对于他来说，像绣花针似的担子，一双大手又那样轻巧地像绣花般做出诱人的煎饼果子，后来我才知道，他和他妻子从山东逃荒到天津。天旱无水，地种不了，兵一来见什么就抢，村里又闹蝗虫；熬榆树叶子，剥树皮当饭吃。实在活不下去了，就卷起破铺盖，挑着口铁锅，上千里地的到这儿来了。那水火不怕，生死吓不倒的女人，在一旁炸果子的，就是他的妻子。

我常到他的摊子上吃我最爱吃的煎饼果子。后来我的愿望实现了。我向妈妈多要了点儿钱，吃到了摊上鸡蛋的煎饼。当然香极了。冬天我穿得多，钱放在里面的口袋里一下子掏不出来，"张飞"用张报纸包好热煎饼果子，看我着急的样子，就说："小少爷，别给了，今天拿回家去吃，外边风大，吃了噎着。"我终于掏出钱来，不知为什么他却像不好意思似的，只念叨着："明儿吧，明儿你再来吃。"

煎饼果子和那位摊煎饼果子的“张飞”，在我童年的回忆中那么美好，又那么叫人心酸。张飞，在舞台上花团锦簇，身后有多少武士为他呐喊，他大吼一声，披挂上阵，曹操的人马就吓破了胆。而你呀，我的张飞，你站立在平锅前，连个套袖都没有，袖口油黑油黑的，背上肩上是你妻子细针长线缝缀的补丁。你没有对我说过多少话，可是我永远也不会忘记你。

我已经是七十七岁的老头儿了，回想起来，你的煎饼果子依然是我最爱吃的，觉得最最香甜的东西。你，未被困苦吓倒，你的善良和对生活的勇气教给了我做人的道理。

曹禺剧作研讨会发言集锦

《戏剧评论》虽然创刊时间不长，但这个杂志很有意义。一个戏剧评论家，要深深知道一个戏，不但要指出它的缺点，让后人避免，同时还要知道它的优点，供后人参考。要做到这些是很不容易的。

刚才胡沙同志讲到要在百花齐放中，坚持现实主义，这是非常正确的。鲁迅先生的《阿Q正传》就是现实主义的代表作，但我们也并不排斥其他主义。最近看了几部纪念"七七事变"的片子，觉得非常好，那是现实主义的。这几部片子给我的感触很多。日本帝国主义发动的侵华战争，使我们失去了几千万人，损失五百多亿美金。我们应该明白一个真理，就是说国家弱，必然被人欺负，国家非强不可，非

【题注】载《戏剧评论》1987年第4期。文前编者说明："一九八七年七月七日本刊召开曹禺剧作研讨会，与会者有：曹禺（以下按姓氏笔画为序）、丁一三、王正、王一达、王宏韬、王蕴明、刘文增、刘厚生、刘章春、杜澄夫、李玉茹、李余秀、杨景辉、杨毓珉、吴雪、吴大维、吴祖光、吴乾浩、邹霆、张庚、张颖、张奇虹、张胤德、陈刚、胡沙、晏学、夏淳、贾鲁、徐晓钟、游默、蔡体良、颜振奋及新闻界和本刊编辑。下面是与会者发言集锦："曹禺发言排在首位。

富不可，这是我最深的感受。现在有的日本帝国主义分子妄想重温旧梦，这对于我们来说，当然是坏事，但也未尝不是好事，那就是说，它可以促进全国人民统一起来，团结起来，更加发奋图强，中国人民觉醒了，再不是睡着的狮子了。

昨天晚上，我几乎一夜未眠。我感觉既沉痛又十分兴奋，八十年代的中国开始走向富强，开始在有中国特色的社会主义道路上走，这是十分幸福的。但是我也担心，我曾在人大常委会上谈过一段话，认为帝国主义分子和它的思想的散播，是不容忽视的。纳粹分子是死不觉悟的。尤其最近一段时期，例如教科书问题，参拜侵略中国的法西斯战犯在内的靖国神社问题，光华寮问题等，一小撮纳粹分子狂妄到了极点。这些事情是不可轻视的。

昨天我读了一篇文章，名字是《炮声与锤声》。此文认为帝国主义分子现在已经没有什么大本事了，五十年前它用大炮发动侵略战争，现在不过用锤子去砸周总理纪念诗碑。换句话说就是帝国主义的力量是有限的。我认为这个评论是不合适的。道理就是它太低估了日本帝国主义分子的力量。我的感觉则是炮声有可能就到，当然我这样说是指着某些现象与潜在的力量，我们只应有所警惕。

我说这些话，并不是反对中国和日本友好。中华民族和日本民族都是伟大的民族，只要有正确的领导，两国人民团结起来，世界和平就有了保障，但是日本一日被纳粹分子领导，日本人民会遭殃，世界人民要遭殃，这是一个非常严重的问题，现在日本要使自己成为一个军事大国，我们决不可等闲视之。

我们国家正在进行社会主义现代化建设，一方面我们需要日本的一些先进的科学技术，但是同时我们必须要提高警惕，我相信我们的党和政府是有准备的。而日本却恰恰以为我们需要他们，到处卡我们。最近甚至于出言不逊，攻击我们的领导。所以，一方面我们必须采用发达国家的先进技术，使我们国家富强起来，同时要有所准备，中国现在已经不是五十年前的中国了。“庆父不死，鲁难未已。”日本帝国主义思想不消灭，中国东边的外患就不能解除。

最后谈一谈中国的歌剧问题。我最近看了中国歌剧舞剧院演出的《原野》，以中国的内容与体裁，用西方的美声唱法，洋为中用，搞出一个歌剧。这可能是解放以来少见的如此严肃，认真采用欧洲优秀的传统歌剧形式与发声法，这也是“引进”。我们一定要发展有中国特色的社会主义民族歌剧，当初花很大力气用中国民族的唱法搞歌剧，出现了《洪湖赤卫队》等优秀剧目，成绩很大。后来断了，现在我们也应当研究，继续发扬。究竟哪个方法好？或齐矢并进？这要一段时间的实践才能决定。

最后感谢《戏剧评论》编辑部，感谢各位专家、学者的光临。

象 征

这次“理想杯”大学生电视剧展播，受到广大观众的欢迎，是成功的。

大学生创作电视剧，目的是让社会知道大学生，大学生也进一步知道社会。大学生们年轻，前途无量，但前面的路上会有许多烦恼、困难、磨折。从来人生没有一直平坦的路。从另一个角度说，一直平坦的路也是没有意义和意思的。我们总是在不断地斗争和得胜中得到快乐、满足，共同取得人类的进步。自我的斗争，与邪恶的斗争，与种种不平的、落后的现象的斗争，还有与自然的斗争，总之，大学生们将踏上一条漫长但是充满了战斗的快乐的道路。

然而，大学生将遇到一个人生的大问题，那就是要有理想。活着而无理想，那是很痛苦的。有崇高的理想，也有卑下的理想。只为自我而活，这样的理想不会给人带来光明，那是一条通往阴暗地域的狭路。

【题注】载1987年7月15日《北京日报》。

大学生电视剧的“理想杯”是个象征。象征着我们中国的大学生是有崇高理想的，是把自己和祖国、和人民连在一起的。

但有理想，也就有幻灭的问题。如果在今后人生的道路上失去了理想，陷入失望、绝望，甚至堕落之中，这是十分悲惨的事情。这样的人是软弱的人，也必定是无所作为的人。我相信，这不会是你们。

人生是短促的，理想是永久的，苏东坡有两句诗：

一点浩然气，
快哉万里风。

中国的大学生，愿你们心中充满浩然正气，乘万里长风向前。

我的喜悦和祝贺

音乐剧在中国舞台上露面了。我感到由衷的喜悦。

音乐剧不是话剧，不是芭蕾舞剧。它综合了音乐、舞蹈、道白、戏剧文学、人物扮演、舞台美术等多种艺术因素。我以为可以称之为美国戏曲。它在美国形成至今约有百年历史，发展很快，现已成为美国以至西方各国流行广泛的一种舞台戏剧样式，极受群众欢迎。它同中国的新歌剧也有相近之处，但有两项重大差别：一是音乐几乎都是喜剧，它的名字原就是“音乐喜剧”；二是音乐剧的舞蹈成分要比新歌剧重得多。至于把美国久经考验的音乐剧搬到中国，由中国演员演出，这还是第一次。这次由中央歌剧院演出的《乐器推销员》和《异想天开》，是音乐剧在中国的移植。中国人民在建设社会主义精神文明的进程中，必须吸收、引进世界上一切进步、美好的文学艺术。

乔治·怀特先生是美国著名导演和戏剧活动家。他和他所领导的美国奥尼尔戏剧中心同中国戏剧界已经有了多年的友好往来，在中美

【题注】载《人民画报》1987年第8期。

戏剧交流的百花天地里，他是一个辛勤的园丁。把一种新的戏剧样式搬过来，不是一件简单的事。怀特先生不仅自任导演，而且组织了一个高水平的班子，动员十位美国专家来同中国专家合作，共同树立这一座舞台艺术的碑石。

人民之间不断增长的友好情谊的力量将会使这个世界更美好，将会压倒非正义的势力。

我祝贺《乐器推销员》和《异想天开》演出成功！

三十年前的稿纸

前一阵子，北京的天气热得如蒸笼，这些天转凉了。秋天的白云淡淡的，斜抹过窗上，我在早晨，听着汽车声、机器的轰响、人的声音和鸟的鸣啭，我想到了《收获》，想到了小林的电话，在电话中，她说,《收获》已经三十岁了。

正是在这样一个沸沸腾腾的时代，在这样一个怡人的季节，我所如此熟悉和热爱的《收获》，它进入了而立之年。它已是一个美丽，挺拔，而且坚强的人了。那么多的读者对它的喜爱，反射出它的光彩。想到这些，我高兴，为今天《收获》杂志的编辑同志们，也为我的老朋友巴金和靳以。

【题注】载1987年11月25日《人民日报·海外版》。文前“编者按：今年,《收获》杂志已届而立之年。它是解放后率先问世的大型文学期刊。主编是文坛耆宿巴金和靳以。三十年风风雨雨，虽曾两度停刊，终于一九七九年与读者再次见面。虽然，巴金已垂垂老矣，靳以也长逝人间，然而,《收获》的现任主编李小林，恰巧是巴金的女儿。踏进《收获》编辑部，不无朝气蓬勃的年轻人；翻开《收获》杂志，更见文学创作的累累硕果。两代人的播种，迎来了丰盛的收获，也一定会迎来无愧于改革大潮的文学新春。因此，我们特地刊发曹禺先生对《收获》杂志的祝贺。”

想到他们，我又不由得感到歉疚。三十几年来，我竟没有为《收获》写过些东西。不是不想写，可以说就是今天，我也满心想望能写出一篇像样的东西寄给这个有声望的杂志。然而，确实，近三十年我写不出什么，只是搞出几个戏，我忘了登在什么地方。我不是想贬低自己的劳动，我只是对自己感到不满意。这样的不满意随着年龄的增长而增长，像是个恶梦，始终缠绕着我。我苦恼、悲伤，这伤口始终是新鲜的，无法愈合的，时时使我感到疼痛。当我从《收获》以及其他的地方读到好的作品、好的文章时，我为那些幸福的人而高兴，他们掌握了自己的命运和才华，这是一个写作者的胜利。

我不成了吗？我常想。

我对《收获》是一往情深的。我一直觉得，要写东西给《收获》就要对得起巴金、靳以，对得起读者们。五十年前，在《文学季刊》上发表了我写的第一个剧本《雷雨》。我总感觉《收获》就是《文学季刊》的继续。曾经，有一天，我在抽屉里发现了几页《收获》的稿纸，大约是五十年代的吧，这几页纸经历了“文革”的动乱，居然幸存下来。经过了风吹日晒，时间的侵蚀，纸已泛黄，有的地方似是秋雨打进窗棂，落在上面，留下了水迹。我伸出手去拿那稿纸，它们已变得十分脆了。于是，我又轻轻地小心地把它们放回原处。让那几页《收获》的稿纸留在那儿，留在我的抽屉里，也留在心上。

这空白的稿纸，是我的歉疚，也是我的感情。有一天，我想我要在那纸上写满字，写出自己满意的文章。我会把它送给我的朋友巴金，让他看，就像我们年轻时那样。

我们老了。是老了。而《收获》正是青年。

秦腔不得了呀！

陕西省戏曲研究院演员训练班这次来北京，带了两台折子戏。传统折子戏是应该好好搞。我总觉得对于传统的东西，如果没有很好地继承，底子很薄，就去改革，不一定能搞得好。

这方面，我看他们天津搞得比较好，上次来北京演出时，反响挺大。真正有一些艺术性、技术性的，往往是传统折子戏。因为这里边集中了相当一部分精华，应当很好地继承下来。南昆、北昆都搞得比较好，老先生们真教，学生们真学。秦腔也有这样的传统。

秦腔差不多有五六百年的历史了，遗产极为丰富。光写成书不行，要让学生扎扎实实继承下来。你们这批娃娃们学了六年；过去学艺是八年、十年或者更长一点时间，而且是老师真教，学生真学。

一般艺术学校的学风都不够严格，当然你们倒是很严格的。这从你们剧院的舞台演出就能反映出来。秦腔的底子很厚嘛，也是得这样搞。马健翎先生过去又打了很好的基础，你们有这样的条件。

【题注】载《当代戏剧》1987年第5期。

西安是具有悠久文化传统遗产的地方。兰州出了《丝路花雨》；你们比他们更有利。可以实地考证，搞出一些非常之出色的作品来。

碗碗腔现在叫华剧？我只看了一次《杨贵妃》，印象较浅。但觉得很有新意。要我题词，一下写不出什么东西，想想看吧[1]。

从节目单上看，学生们演的有《鬼怨·杀生》《杀狗劝妻》《桃园借水》《打路》《悟空借扇》《盗仙草》……戏还不少，都是好戏！过去演《借水》的是王毓娴，唱的太好了，很有味，很有情，真有意思。碗碗腔音乐非常好听，动人极了，它非常美，又非常媚。但是，从《杨贵妃》里我觉得味道少了一些。秦腔具有自己的特点，像《窦娥冤》这样的戏，秦腔搞起来就很合适，慷慨悲壮。碗碗腔的音乐搞《借水》就最合适，缠绵细腻，别的剧种未必比得上。

《卓文君》我看过了。不知怎么，好像听不见秦腔的味儿了，功夫也不深。当然，搞得倒是很用心，服装、美术、灯光等等，都不错。演员也很年轻。看得出来，费了好大劲。这个本子可是不好写啊！到底怎么写好？我觉得，还是要把秦腔的传统搞得透透的，然后再把剧目抓上去。因为我们的艺术创新，不能没有一个基础。有了基础表现手段就有了依据。拿语言来说，西安话并不难懂，但生活中我听得懂，一上台就听不清。看《卓文君》我就没听清，我耳朵不好；可我那老婆是当演员的，她也听不懂。

如何继承的问题要解决。继承为了创新，不过有时把步子迈得太

1　事后曹禺同志欣然命笔，为该剧题词：“世间只有情难诉——贺华剧《杨贵妃》演出。”——底本注。

大了，也容易脱离群众。汉剧搞了个《弹吉他的姑娘》，据说青年人很喜欢，有些老观众不买账。当然我们这些人仅占十分之一。我们大概有些坏毛病，对以前听惯了的东西老是忘不了。但不管怎么说，艺术总是在创新中发展的，这一点肯定无疑。在清朝乾隆年间，北京舞台上曾经是个剧种大竞演，京剧、昆剧、徽班、秦班……大摆擂台，红极一时。有所竞争，才能促进发展。真正有功夫的戏往往在折子戏中，因为它集中了精华，我喜欢看。可能我也是保守的吧。

五八年你们来过，这两年又几次进北京。那时候青年演员很多，马蓝鱼呀，李应贞呀……一大批，都不错。李瑞芳演过《梁秋燕》，她差不多有五十来岁了，我记得是个大高个，脸黑黑的，戏演得不错。眉户也是陕西地方戏，好像别的地方也有唱的。秦腔是梆子戏的老祖宗。秦腔不得了呀！我非常爱听。解放前我就常听常看，其实我根本不了解。记得早年我在嘉峪关的时候，晚上群众打着灯笼火把赶去看戏，真热闹！说明它有深厚的群众基础。那年看《西安事变》，剧中的周总理唱秦腔，真好！唱的是地方，音乐唱腔也处理得好。你们天天看着秦始皇，材料一大堆，为什么不写？相信你们会搞好；也只有你们有资格搞。噢，你们的《千古一帝》我没看，那时候我正生病。秦始皇是个伟大的人物。你们有人才、有基础、有资格搞，但不一定多，要搞得非常好才行。我们北京搞了一出话剧《扶苏》，看了以后，我觉得服装不错，但戏不行。不知是什么原因？

我们戏曲不要担心别的什么冲击。不要怕！关键是要发挥自己的特长。秦腔，让你们西安的女孩子演唱，非常非常的媚。男性非常雄壮、粗犷、高亢，有阳刚之气。女性是那样柔美，那样娇媚，那样活泼，那样可爱。真是好极了！但是现在有些戏，我怎么听不出来？

马健翎在秦腔改革上是有贡献的，不可磨灭的，真了不起！易俗社也是改革的，我只看到“民”字辈。现在演员的名字不那样往下排了。其实可以继承下来，它并不是宣扬封建，又不是传继皇位，而是代表了一种时间界限，京剧就是喜、富、连、盛……一代一代看得很清楚，可以看出师承关系，有利于尊师爱生。昆剧的“传”字辈就不得了，真有好东西。

六十年来

——巴金文学创作生涯60年展览感言

昨夜便惦记一早起来和方子去看芾甘的60年创作生涯展览。没想到，在宽敞宁静的展厅里，我望见了那么多青年人，那一张张沉思的严肃的脸，使我心中感到温暖。早秋的阳光铺满了地上。

一进门，我望着巴金温和可亲的面容，望了许久，脑子里有多少事情闪过。我的好多朋友告诉过我，他们是读了巴金的书才参加革命的，才义无反顾地冲破封建思想与情感的锁链。他的那颗心从那时候起就照亮着人们的路。我尤其喜爱他晚年在沉痛的深思中写出的《随想录》。在“十年动乱”中他受了无可言诉的折磨，他的身体和心都伤了。他的文章使我愤怒，使我禁不住流下眼泪，也使我清醒。我看到他在暮年，在病床上，在他的小书桌前，用解剖刀一点点地剖析自己，对一切都不留情。他想的是什么，为的是什么，他的希望又是什么？我想，答案是再明白不过的。一颗赤诚的心，从年轻的时候，到83岁的今天，从未变过。

【题注】载1987年11月18日《人民日报》。

我忆起初见他时，是由靳以做的介绍。那时的我是个清华的学生，很渴望见他。见到他后，他和我一样还是大学生的模样，很亲近人。开始说话不多，却使人感到衷心的信任。后来常见面了，他们住在北海三座门一个简易的小院，我进城常住他们那里。他的四川口音很浓，又说得快，我与他谈话，时常不得要领，便由他去了。现在我老了，变聋了，每次见面，两人多是静坐。我倒是觉得他比从前爱说一些，但我还是听不大见。他便用力讲，重复一两遍，实在听不清，就只有任由它去了。然而我从他的文章中，感受到他的热情、他的勇气和从前一样。我明白他、热爱他。我羡慕那些不耳聋，又听得懂四川话的朋友，可以和他好好地谈谈天，多么快乐。

这次展览，使我最惊喜的是看见了从未看到的许多照片。芾甘的第一个老师，教他读唐诗、为他讲故事的慈爱的母亲。他才4岁，立在母亲的膝旁。还见了他的大哥，启发他写了《家》中觉新的人。还有一张我多年前常见的蕴珍的照片，使我念起那么多往事。她和善亲切的大眼睛，她的爽挚天真的天性，忽然一见这张照片，我都记起来了。她是一个多么可爱的人，一生勇敢地依偎着巴金，无论在任何时候，她都献出了她自己。我每读巴金忆萧珊的两篇文章，就读不下去，泪水模糊了眼睛。这次站在她的照片前，我想着她的生与死，我真正感到芾甘的无限的坚强。在她死后，他无畏地正视那残酷的人生遭遇，写出他的一片真心。这是中国人、中国的作家应有的精神。

巴金目前的衰弱的体力似乎不能再写文章了。他曾经说，我要搁笔了。然而，我觉得巴金活一天，他的笔总是搁不下的。

他的心是火，是爱，是恨，是真诚的是非感。这些就不允许他搁笔。

在中央戏剧学院观看戏曲导演专班事件小品后的讲话

刚才看了你们的小品，非常兴奋。开演前，你们指导教师郦老师说这阶段先让你们“丢盔弃甲”，这个提法很好，这不是让你们把戏曲的东西丢掉，所谓“丢盔”说的是暂时的，先把戏曲的一套东西放一放，你们都是成年的学生，都有丰富的戏曲导表演的经验。这个班有多少剧种？（郦子柏副教授插话：“十个剧种”）好嘛，十个剧种中都有宝贵的财富。可是到这里来，学习的是戏剧导表演的理论和实验，这对戏曲的发展是很必要的。（郦子柏插话：也要搞戏曲导演训练）很好。但是，还是先放一放，“丢盔卸甲”呀，话剧的东西会学的更扎实，实际你们的戏曲学了几十年，忘不了。你们把话剧的导演

【题注】据中央戏剧学院档案（卷宗号1987–2–4）原件排印。文前整理者言：“十一月十六日晚，我院导演系观曲干部专修班向全院师生举行了入学后第一轮事件小品的汇报演出。我院名誉院长，著名戏剧家曹禺先生前来观看了演出，整个晚会，演出氛围十分热烈，节目引起了较强烈的反应。演出结束后，在院长徐晓钟教授、何之安教授、丁扬忠教授、中国戏曲研究院研究员傅雪漪等同志陪同下，曹禺先生接见了戏曲导干班的全体师生，并做了长达半个多小时的谈话，现整理如下：”文末附注：“（未经本人审阅），戏曲导干班集体整理，执笔：徐春兰、宋捷。1987.11.20”

基础掌握了，学到手再“戴盔”“穿甲”，就不一样了，了不起了。

你们小品的质量很高，出乎我的意料之外，我一直带着浓厚的兴趣在观看你们的演出。你们小品的喜剧性很强，看戏的人都在笑，我也止不住地在笑，你们这些搞戏曲的同志在舞台上有很强的表现力。话剧演员没有这么丰富的表现力，你们表演的喜剧气氛非常浓，幽默感非常强，能准确地把握分寸感，交流起来恰如其分，抓得准，适合观众需要的舞台节奏和停顿，有些演员真有表演天才，简直是天才的喜剧演员！今天，你们是戏曲演员，导演演话剧小品，我一直注意在找这里有没有演戏曲的痕迹，可几乎没找到一点。看来，你们是下了功夫的。下多少功夫，就有多少成绩，今天晚上的演出，可以看到你们的成绩。

一个个的小品，能够有这样高的水平，还说明了你们有很深的生活阅历和丰富的生活积累。你们是成年人，在社会的大学里，学到了很多东西，这是本科生学不到的。

看得出你们的精神状态很好。你们这些人大概都结婚、有家、有孩子了吧？抛开家庭负担来学习，不容易。这是放下包袱，也是“丢盔卸甲”（众笑），这里就看到了你们有学习上的一颗童心，对艺术追求的童贞之心！进了学校，做学生，非常单纯，像是又回到了童年时代。今天的演出，台上、台下，没有老师在指挥你们，在拨弄你们，都是看着你们自己干。我觉得你们像孩子一样纯真，充满热忱。也可以说是“好奇心”，对艺术探讨的“好奇心”，这是搞艺术最需要的，搞艺术就是要永远始终保持这种童贞般的赤子之心！

你们的指导老师是谁呀？（同学回答：“郦子柏、蔡金珏、李保田”）老师们教你们费了不少力，下了很大的功夫，这看得出来。现在学习了多少时间?（回答:“八周，就是两个月”）两个月，有这样的成绩很突出。还有多少时间!（郦子柏:“过了八分之一的时间。”蔡金珏:“还有八分之七。”）啊，这么短的时间里，你们的起步很好，还有更多的时间，相信会更不错的。我已经八十多岁了，我还想再来看看你们的演出啊!（徐晓钟:“你一定会看到的。”郦子柏:“以后还要搞戏曲的。”）那太好了，我一定要来看看。（徐晓钟:“一定要请你来看。”）

好好地扎实地学，把话剧的东西学到手，将来运用到戏曲中去就更了不起。你们在学校要多读书。你们搞戏曲，中国古典的戏曲著作看过吗？大概不是都读了，不可能全部都看，但是要尽量去读。中国的古典戏曲是个了不起的宝库，搞艺术不看书不行，古代的要看，外国的你们也要看，歌剧也要看。古今中外名著更要看。将来，你们毕业不只是大专生，而且是博士生，我不是说什么博士学位，而是说知识博大、广博的博士。艺术需要的是这样的博士。你们是有希望的。

我们学院从前办过一个这样的班吧?（插话:“那时没办完。”）可是那个班出去，在各单位都发挥了很大的作用，是现在戏曲各部门的骨干。这次是第二次办戏曲导演班，各方面都成熟多了，相信你们毕业出去以后，会有成就，会为戏曲的发展发挥巨大的作用!

感谢你们的老师!

（众热烈鼓掌）

阳光下的孩子

天天等看报，等党的十三大的各种消息。这几天春风吹绿了我们的世界，党的政治报告以及重大的人员选定，使我们心花怒放。

我们正处在社会主义初级阶段，这就明确了党的理论与政策。我们决心永不中断进行政治和经济体制的改革，坚决促进社会主义的民主与法制。人民的声音将准确无误地传入党的心里。要继续反对不正之风，对于各种违法的行为，党和人民都不会轻轻饶过。

人民衷心欢迎这样的原则：党政分开！党员要纯正自己的党风，党要管党，今后不再纠缠于各级行政机构、事务中，尤其不可再耗费心机在个人的“权”与“利”之间打算盘，甚至破坏今天急如星火的各方面的建设。各级党要专心管大政方针，严格执行，监督党的各项政策的实施。更重要的是真正取得人民群众的信任与拥护。

我们十分兴奋，十三大选举充分体现了民主。中央政治局尤其是政治局常委人选是人心所向，他们向年轻化又迈进了一大步。领导班

【题注】载《剧本》1987年第11期。

子有充足的改革精神，是干练的，是当之无愧的。

中央委员会选举出全国人民向往的最适当的书记处人选，他们将担负起全国各方面重大改革与建设更实际的计划与决策。仅从文化教育事业的发展讲，我们预见将会出现空前的进步与繁荣。我们是一群戏剧工作者、文化工作者，我们对前途充满信心，我们将得到更多的重视，得到正确的、实事求是的、充分发挥我们创造精神的领导。

我们戏剧要努力反映伟大的改革的时代，跟上时代的步伐。我们要满怀热情地投入改革的洪流之中，成为促进改革的歌手和鼓手。我们要千方百计解放艺术生产力，把戏剧界的积极性充分调动起来，振作精神，加强团结，大胆探索和革新，开拓戏剧创作视野和题材领域，为振兴戏剧事业和繁荣戏剧创作而大显身手吧！

党的十三大是十一届三中全会路线的继续与发展。我们要建设有中国特色的社会主义，遵循党的基本路线，以经济建设为中心，坚持四项基本原则，坚持改革开放。我们应当看到前途必然有相当多的困难，但任何困难都不能阻碍祖国前进。我们正赶上有史以来最光明时代的开始。为幸福的祖国战斗已经来临，我的心情和大家一样，好像是一个在阳光下的孩子。

一部电激雷鸣的史剧

——看话剧《决战淮海》随想

淮海战役是解放战争中具有决定性意义的三大战役之一。当年在以徐州为中心的广阔战场上，华野、中野60余万大军与国民党80万军队展开了决战，其规模之大、激战之烈，是世界战史上罕见的。

然而，难以想象的是，有着很大时空局限的话剧艺术，却率先表现了这段波澜壮阔的历史。中国人民解放军总政话剧团推出的《决战淮海》，以其宏大的场面、众多的历史人物和深刻的思想穿透力，使我们看后感到十分惊喜。

淮海战役是个史剧题材，高度地概括在一部戏中是十分困难的。双方的统帅部一个在南京，一个在西柏坡，毛泽东和蒋介石这两位最高决策者相距千里，为构成戏剧的冲突带来了困难。其次，大战役中的总前委，刘伯承、陈毅、邓小平三位在河南，率中野自西而东参加会战；粟裕、谭震林两位在山东，率华野由北而南，进逼黄伯韬

【题注】载1987年12月5日《人民日报》。

兵团。这种互不见面的指挥格局，都要写进去，实在不容易。这场伟大的战役牵动着整个社会中的各个侧面，如何再现黑暗和光明的大决战，对任何一位作家而言，都是一份难答的考卷。话剧《决战淮海》的剧作者们，成功地吸收了外来的戏剧经验，采用开放式的戏剧结构，把相距千里、互不见面的人和事凝聚在一起，奇妙地编成了一部电激雷鸣的史剧。

这出戏不仅写了近40个有血有肉的人物，而且有20几名是双方实有其人的领袖和高级将领。这在我国近代戏剧史上也是罕见的。

建国以来，军事戏剧在不同的历史时期也不乏成功之作。随着时代的推移，人们已经不满足于那些简单地描写人民解放军指战员的英雄主义，或简单地揭露敌人丑恶面目的戏剧作品。看了《决战淮海》，我感到了旧中国这座大厦是如何倾倒，新中国又是怎样建立起来的。该剧通过势如潮涌的支前大军、一个只有半天军龄的解放战士、杜聿明的马伕……这许多下层的小人物，使我看到了新中国诞生前夕广阔的社会背景。

多年以来，戏剧舞台上的历史人物也形成了一种模式：要么是近似具有超人智慧的神，要么是近似愚顽的丑角，或者干脆是凶相毕露的鬼了。

事前，听说话剧写了毛泽东同志和邓小平等同志的分歧，我为剧作者感到困惑："这样写行吗？能通得过吗？……"看过戏后才明白，这一笔写得好，写得成功，把毛泽东、邓小平等老一辈无产阶级革命家从"神"还原到了人——是有血有肉，而且是可亲可信的人。该剧通过蒋介石和宋美龄的夫妻戏，蒋介石和蒋纬国的父子戏……较为成功地揭示了蒋介石那复杂的内心活动。也丝毫无损毛泽东和邓小平等领导人物的形象，也丝毫没有为蒋介石涂脂抹粉。相反，在他们的身上我看到了中国两种命运决战的必然结果。

另外，看过《决战淮海》后才第一次知道了有关“三封电报”的史实[1]。我相信会有很多观众和我一样，通过观看话剧《决战淮海》，加深对小平同志历史功勋的认识。

1 指邓小平向中央连发三份电报，要求改变中央原订计划，而实施前委最新作战方案一事。——原刊编者。

我的感受

——话剧《黑色的石头》观后

剧协前天已经开了个研讨会，现在，我就讲我看戏（《黑色的石头》）的感受和体会。我耳朵聋，看戏时有些台词听不清，但台下大家笑，大家兴奋、沉思，我感觉得非常清楚。

过去大庆是光荣的，今天大庆还是光荣的。我们曾经靠大庆来维持祖国的经济，但是大庆的钻井工人每钻探到一口井，就又要去一个荒凉的地方、渺无人烟的地方。说他们艰难困苦，不光是物质生活方面艰难，精神生活方面更困苦，还有一条锁链，捆在他们身上，这锁链不被人们了解，不被秦队长（剧中人物）了解。他们之间有同情，有斗争，有矛盾，而最可怕的是社会上的人和社会上的世俗习惯对他们不理解。他们得到的待遇、安慰是不一样的，但这些人是不是大庆工人，是不是英雄呢？我看是。这个戏不单是写大庆工人，也是写八十年代真实的工人。每一个形象都很真实。杨利民十七岁就在大

【题注】载《剧作家》1988年第2期。

庆生活，他对工人实在是理解得深透。我们都说不深入生活，写不出好的东西来，问题在于会不会观察生活，要观察你听不到的东西。为什么有人搞了几十年，搞不出东西来？是不是观察了这方面，也观察了那方面？研究人要有智慧，要有很多同情，要有真正的理解。理解，是从感情上真正地和他们连在一起。我看这个戏，最突出的感觉是：每个人物都有自己的个性。爱挑剔的人可能会这么说：“咱们的工人就是这样不文明吗？见到女人就那样吗？”我觉得这要看怎么理解。剧中的柳明喜欢名画《泉》，那是喜欢艺术。大宝子这个人物非常可爱，他走了，有他不平的理由，你不能责备他，不能说他是逃兵，这样说对不起中国的工人阶级。大黑这个人物很粗俗，精神生活很平凡，缺乏教养，没有文化。但大黑有真的深刻感情，尤其有真正的爱情。

大黑爱情那部分写得非常好。男女之间的爱，每个人都有。剧中有的人没有爱人，老兵有爱人，但不能生孩子。他老婆怕人耻笑，说生豆芽菜还得勤浇水呢。说这话是因为那种境遇，妻子还要受责备。这个老兵在井队干了九年，本应当把老婆接来，但实际上办不到，有层层关卡，唯一的办法是走后门。这个人老实到什么程度？走后门都找不到门。你说他愚昧？他不对？实际上他不想走后门。秦队长说：“你是党员呀，应该带头。我们当初就很听话。”个人生活一点得不到满足，一味的听话。这种所谓听话并不好，只停留在一种口号上。光荣的传统，只能说明过去。

我们是应该保持艰苦奋斗，但仅靠我们当初那样是不行的。你用当初的方法激励现代青年，怎么调动得了？但在真正有事情的时候，他们大都抢先上。我觉得这是工人阶级真正了不起的地方。

这个戏提出了一个大问题——我们还处于社会主义初级阶段，这个社会还有很多缺欠，有很多叫人遗憾的地方，需要改革。光荣的传统，只是说明过去，不能指导现在，更不能指导将来。尤其现在改革开放，而有些生活在传统之中不能自拔。拿过去一套指导现在千变万化的世界，是无济于事的。这个戏了不起地纠正了我们的看法，纠正了我们旧的思想方式，我们还能这样下去吗?

这个井队是一个特殊的环境，需要人们去理解——互相理解。有句话：指导我们命运的不是我们的遭遇，而是我们对遭遇的看法。这个观点很重要。作者把遭遇表现出来了，对遭遇如何看呢?他提出来一个很大的问题。看完戏我非常难过、惭愧、痛苦，不能再这样下去啦！这个戏值得重视，就在于这些人物能打动我们。演员表演得非常好，秦队长多么可爱，多么了不起的英雄！他精神上还生活在那个时代当中，他不知道这已是八十年代了，他所领导的人都变了。他主持开会，检查大黑所犯的错误。那个错误也说明农村的愚昧。年轻人理解大黑，反而埋怨队长。柳明说：你辞职算了。大宝子说："你干脆退党吧。"可见，秦队长这么个英雄落在了时代后边，他只知道用以前的老办法推动生产。他死前有一句话很感人。他向他们道歉，说有些事一辈子也说不明白呀！这"明白"二字很深刻，我们大家都应该"明白"，明白我们今天不是一帆风顺的。十三大成绩不小，但将来的困难还很多很多。秦队长们的办法是得改动一下，老不明白怎么行?

以前写大庆、写工业的戏，总是提方案，先进的战胜了落后的，这样的戏看的还少吗？这个剧本把真实的本质的东西写出来了。它不是花花俏俏的。外国的新的东西，我们不要拒绝，不然我们还是闭塞，一定要看世界性的东西。有人说看不惯，非要看大幕一幕一幕的落下，现在完全不闭幕了，是不是一种进步？也不一定。

我主张写真实的东西。只有写了真实才能感动人。戏的结尾，井队要搬走了，那些工人——调皮的、爱艺术的、爱发点牢骚的，都走了。很有回味劲儿，人要从灵魂上看，都是纯洁的。一谈女人就不纯洁？没道理。几十岁的人谈女人也没什么不正派。没有女人就没有我们了。中国几千年的封建思想非改不行。

这个戏唤醒我们的是什么？唤醒我们反思。反思、痛苦、苦闷，觉得需要解决问题。不要尽想着特区怎么样，现在比以前好多少倍。现在有一句话很重要。我们在挣扎中。要发扬艰苦奋斗，要大庆精神，这个传统我们是需要的，但得有新的办法。要理解这些人所有的苦闷、所有的痛苦，使我们知道自己在哪里。处在顺境，显不出问题，看不见自己的力量。只有在障碍多的时候，才看出这个力量。要唤醒这个力量，希望更多更广地把全国人民唤醒起来。我们的民族是有智慧、有力量的，如舞台上的人物，牢骚一大堆，但干起来真干！

戏中的庆儿很感人，他那么善良，什么苦都能吃，愿为大家服务。庆儿喜欢雁，有点哲学含意。当大黑把雁杀了，他突然勇敢地拿起刀来。人有了神圣感，就是勇敢的人。

如何看这个戏，请有关各位大力宣传一下，专门地叫大家看看，一个好东西是怎么出来的，不足也给指出来。这是我们今年出来的好戏，应该让全国各省领导拿出钱来，去全国演一演。有人夜郎自大，不吸收好的东西，不肯看见自己的障碍，不看这样的好戏，不仅是艺术上的失策、墨守成规，也是世界观上对祖国目前现状不愿看的一个缺点。因此我请求吴雪同志。想办法让这个戏明年还来北京演。今天早晨我把于是之叫起来，问他看没看，让于是之动员北京“人艺”的人都来看，要让“人艺”“实验”“青艺”“总政”都来看，比较比较，心中有点数嘛。这个戏就像一颗肥胖的种子，它会长成大树，还要结出果。这不是捧，我认为这出戏是真正的好戏，我代表戏剧家协会向你们大庆、黑龙江致敬，向你们剧团、导演、演员致敬！还有在座的同志，今天这么热心。要组织材料在刊物发表，影响到全国。我再次感谢你们。

骏马　雄鹰

《剧本》创刊三十五周年了。

本想说几句吉利话歌颂它，但半年来，颂人、颂事、颂不相知的作者或文章，不像样的吉庆话说多了，有愧于心。不如说些实在的。

一位老编辑说:《剧本》的投稿堆积如山，昼读夜思，选出一个好剧本，像密编的筛盘，淘出一粒黄金，心中喜悦，是道不出的。而后又与作者反复商讨、修改，有时还出些不一定对的“点子”；终于刊登出来了，编辑简直比作者还兴奋。

如果这剧本演出了，受到观众的赞许，爬山涉水，一定要去看，与作者共欢喜。

他说：三十五年来，中国最好的剧本，没有一个漏过编辑的眼，刊载的都是过硬的好戏。这话，我相信。《剧本》的编辑们有良心，作者用尽心血写出的剧稿，从不肯当作废纸扔进纸篓里。

但是也不完全相信，剧本的知音很难做。一个出色的剧本有时乍

【题注】载《剧本》1987年第12期。

看，和泥土的颜色差不多；有时又古怪得吓人，惊世骇俗，然而它确是和氏之璧。编辑不但要有渊博的学识、锐利的目光，还要有承得起各种压力的肩膀，不怕惹是生非，才能识别它，勇于发表它。

据说在这个杂志登过的剧本，老话说，就是登了龙门。远处的当事者、团体以及亲友们便另眼相看，着实长了身价。

这当然是中听的话。

然而南宋诗人林和靖也说过一句“器满则盈，人满则丧”。这倒是更中用的。

目前形势一片大好，如一望无际的草原可以任骏马飞奔驰骋；满耳强劲的豪风，正宜雄鹰上下搏击。祝三十五岁的《剧本》如骏马，如雄鹰，持久不懈，光明正等待你们。

1987.12.11　下午

曹禺同志在首都话剧信息交流会上的讲话

知道消息很晚，没有什么准备。接到通知我来开会的电话后，就跟我的孩子告别，孩子说，参加这个会的很多是北京和各地的专家，他们在世界和全国各地看了不少东西，对理论的研究很深，有时你常好乱讲，这次千万不要乱讲，最好少说，能不说更好。

路上车开了一个小时，有点着急。一是来得怕太晚了，让同志们等着；再是想不好究竟讲什么。这几天开会，发言的都是专家，你们看的东西很多，这次交流得非常广泛，我实在没什么可谈了。刚才我们宋老讲的话非常重要，执行起来确实很难，但不走这么条路也不行。

我突然想到有一个哲学家，他的邻居告诉他：“我的羊丢了。”他说：“羊丢了，找就是了。”邻居说：“我找了，可路上发现了个岔口

【题注】收录中国话剧艺术研究会、中国艺术研究院话剧研究所主编《1987·首都话剧信息交流会（发言汇编）》，1988年第1版。文末附注：“李布尔根据录音整理，未经本人审阅。”按，本次交流会于1987年12月23日至26日在北京举行。

呀!”他说:“再往前找吧。”邻居说:“不然,岔口再往前走又有岔口。”于是哲学家就叹气了:“唉呀,想不到岔口处又有岔口,需要你选择,找这个羊可是问题喽。这学问是难啊!”

的确,真正要得到最后一个真理确实是很难的。但我又一想,多点岔口也不错哟。假如没有岔口,人生是个笔直平坦的大道,一切听交通警指挥着前进,也没有什么意思。所以,还是有点岔口好。现在全世界的信息、理论确实多得要命,我根本不知道什么,各位同志在研究过程中,有时必然会出现这个岔口或出现那个岔口,出现不同见解、不同看法与矛盾。我觉得首先一个精神是团结、别打架。宋老说得很对,要团结。但这个团结是精神。如果在戏剧道路上大家都走同一条路,非像我今天的汽车一样,那就不止要开一小时了,恐怕二十四小时也到不了这个地方。所以总得有些岔口,才可以绕过来,绕到直正的路上来。真理这东西,真正认识它是比较难的,需要很多很多的实践,很多很多的讨论,讨论之后又实践,实践之后又讨论。这样才能找到一条大家都认为比较可行的道路。有时即便走到一条比较可行的道路上,也还会有不同的意见。从事艺术活动不要怕别人说闲话。

目前,我们搞戏剧的,看到国外不少人又回到现实主义道路上来了,便说还是现实主义有道理,提倡现实主义回归。我一辈子写现实主义的戏,虽然也没写多少,但我是走这条路的。可是我不妨碍别人。我认为其他道路还是可以的。不然,艺术创作就永远不能丰富起来。各种艺术流派的产生,都有它的时代背景。时代、环境影响艺术家们这样做法或那样做法。我觉得,不要怕岔路多,也不要怕每位评论家、思想家、戏剧工作的指导者的想法不同，通过艺术实践，会使我们认清很多问题。

写诗，要能上口，像口语，像平常人说话一样。但过去有人一写诗，特别是写旧体诗，总好引经据典，像李商隐的无题诗，可以做出很多的解释，解释好半天还是搞不清。当然他也有主题立意很清楚的诗。解释不清的东西也有好处，有时越是解释不清越是耐人寻味、耐人琢磨。李贺的诗也是，里面有很多难以理解的。正因为难以理解，又使人觉得很有味道。因此咱们不一定都走一条现实主义道路。

现实主义是一条路。我们开始一接触话剧就是现实主义的路子。还有一条是革命的路子——跟政治有密切关系的路子。走这样路子，是时代的要求，因而一直走到今天。现在有人对我们过去的路子很反感，说这已不是个路子，应该按照时代需要，从外国引进一些东西，经过好好学习、消化走一条新路。但是恐怕也不止一条新路。也有可能你认为是一条新路，我还有另一条新路哩！这就不一定非要强求统一，于是百家争鸣的问题就出来了。强调百家争鸣，这是你们各位理论家、专家的事。对群众来说，该有百花齐放，该有各种各样的花儿出来。

不怕意见不一致。当然我们总是希望一致。一致的好处是大家不吵架，但也有毛病，当意见完全一致的时候，这个文艺势必干枯。不止戏剧，其他文艺也要干枯。大家一味地追求一致，就会出现许多怪事。古来皇帝常常要大臣们写诗，那时意见一致极了。一味地奉承天子怎么圣明，连杜甫、李白、孟浩然都免不了。奉皇帝的诏写出的诗总是一个模样，能流传千古的简直没有。因此文艺思想上要有百家争鸣的精神。百家争鸣，不是一家独鸣嘛！这样做的好处是叫我们脑子开放一点。开放一点恰恰能表现这个时代，很好的从事党的十三大提倡的精神文明建设。中国的地方大得很，讲精神文明不能在一个旮旯里讲，不能就那么几个大城市有精神文明，而跑到乡村甚至是离北京不远的地方就一点儿都不文明，这就不像一个兴旺的气象。因此，大家讨论后，可以有个小结，但不一定要意见一致，这样使我们的路子可以宽些，使我们今后的戏剧可以得到发展。

大凡中国文学史上，总在国家遭到最大困难的时候，出现极伟大的人物。目前的中国，一方面在振兴，在搞改革引进，另一方面也实在是非常困难。近来我不大出来，今天走了好多路到这里，一路上看到馆子之多哟，简直没见过，有各种各样的门脸儿。司机说每个地方都是满满的。在思想界、戏剧界，各位也可以各自开自己的馆子，只要有人来看，有人来吃，就很好。这不等于我叫大家搞无政府主义。我是主张大家在坚持四项基本原则的前提下，在艺术风格样式、表现手法方面各自求得发展，这样才可以丰富、多彩。复杂，就是丰富的一种现象。复杂得一塌糊涂当然不一定好，但是我们不怕复杂，不怕矛盾。丰富就是从复杂当中出来的。意见不同，可再通过争鸣，使它丰富起来。历史上春秋战国出现诸子百家争鸣的局面，产生那么多哲学家、思想家，那个时代的文化极为丰富。

我倒有个建议：难得这些同志从东南西北来，凑在一起，就是有争论、有意见也不要紧，把这些发言整理好，最好能出本书，起码出一个小册子，这对中国戏剧事业会有好处。

有的时候，上面规定一些必要的东西叫大家必须遵循，不然就犯法了，伟大的文艺绝不是这么创作出来的。同一个俄国，几十年间，先出现了托尔斯泰，稍后出现了高尔基，这是两个不同的文学界伟人。其他国家也有类似情况。思想界、文艺理论界恐怕也是这样。这是一点。

第二点，今天来到这间黑咕溜秋的房子里，我曾经在这里看过排戏，倒叫我想起许多事。它使我想到我在纽约看的一些戏。那剧场比这间还小一倍。只卖三十张票，允许三十个观众看戏，多了也不卖，当然天天满座。美国百老汇有个外百老汇，外百老汇之外还有个外外百老汇。这完全是供实验用的，百老汇绝对不敢演的戏，在那里敢演，可以试验出很多好东西。他们请我在那里看了《日出》的演出，舞台非常小，也就两张大会议桌那么宽，居然演得非常认真，表演非常自然；它们有很多方法，把第三幕下等妓院的情况都能表现出来。最奇怪的是《茶馆》演员那么多，只演给几十位观众看，也在那儿演。我没看着，是事后听人说的。这就是百家争鸣、百花齐放的好处。就在这样的小地方，演员就敢演这个戏，演得也很轰动。当然啦，就是在三十个观众中轰动，但是演了不少时间。其勇气是十分可佳的。可见事在人为。我的意思还不在这儿，而在于小剧场的搞法，是一个路子。今天我不知道关于小剧场的问题大家讨论了没有?（李汉飞：讨论到了）

（欧阳山尊：法国四个人演《司卡班诡计》，那十几个人怎么办呢？用木偶，然后下来戴面具。四个人就干下来了。）

山尊说这个话是对的。现在有各种各样的演法、各种各样的搞法。我在巴黎碰到一个作家，他说："我没有路子，现在是导演吃香。

导演要我们活着，我们就能活着，导演不要我们活着，我们就活不了。”道理很简单，现在有的导演不相信某些新剧作家。为什么不相信？导演说，我要要我的导演手法，用我的导演艺术把这个舞台搞得大家愿意来看。因此许多旧戏老在翻新。据说很多莫里哀的戏、莎士比亚的戏就在很小的剧场里翻来覆去，有各种各样的搞法，可就是观众对有些新剧作家写出的剧本不愿意看。据说现在欧洲“导演中心论”很突出；我们现在靠剧本；好剧本来了，大家就依靠剧本取得成功。在欧洲则不然，那里没有导演乞求于新剧本的，不少导演特别重视老的剧本，老的剧本只要水平高，通过新的导演处理或对剧本进行某些改动使其站得住，受到观众欢迎。这也是条路子。

我主张剧场应该多一点儿。现在剧场少，而且太大，像首都剧场是一千一百多座（山尊：1127个。）是山尊主持修建的。这么大很不合乎进行话剧试验的要求。要有两三百个座位的剧场，而且这样的剧场应当多些。（宋任穷：那投资的问题就好解决了。）实际上这样的剧场，国外多得很，我就看过好些个。有的儿童剧场也就是这么大，而演出十分认真，台下一百多小孩看得高兴极了。

路子是宽的，但是正如宋老说的，“民族化”是不能忘记的，“现代化”是不能忘记的。

现代化，包括表现今天的时代精神。时代的精神是改革。改革是个大问题，改革是件非常好的事。但如果大家写剧本都只是单一写改革，戏剧也是出不了好东西的。我不是反对写改革，但是不是写改革的东西未尝不可以写。当然，像《老井》那样的小说、电影，说他写了改革，也扯得上。但是我非常骇怕看那种千篇一律的戏。我国话剧发展过程中有这么一段时期，凡写劳动英雄常常是英雄人物是在劳动中受伤后被逼着住进医院，他的伤还没治好，就找不见了，原来，逃回工厂里去了，而且非要干活不可。

记得1956年第一次全国话剧会演时，那时我们还没有像今天这样对外开放，只请了十多个社会主义国家的戏剧界专家们来观看演出。那些大导演、大作家来了以后认认真真地看了几十台话剧演出，他们看了第一个、第二个还没说什么，看到第三个、第四个……他们觉得十分奇怪。人家不好意思说这些戏不灵，也不能昧着良心说好，就问："为什么你们这些戏都有一个大致相同的框子？为什么全国各地的剧作家写出的作品使人感到他们曾经商量好了要采取某一种写法。他们看到后来，反而觉得老舍先生创作、焦菊隐先生导演的《龙须沟》非常好，好极了。可是《龙须沟》那时恰恰没有被全国话剧会演的领导选中。

当时有些领导，总觉得要像他们设想的那几条原则来写劳动英雄、写工人阶级的伟大最好。殊不知这样一来恰恰很难把工人阶级的伟大表现出来。（对宋任穷）你不是说应该把中国民族化的东西拿出去吗？而这种搞法恰恰不是民族化的，也绝非现代化的。要看我们中国民族的东西，并不是要看我们工人如何有病不治，受伤不治，非要工作呀工作，到死为止，最后成了烈士。我绝不相信工人、英雄都是那个劲，都那么一个想法，脑袋瓜就像机器人造出的。所以那次会演费了很多钱，是个不成熟的会演。起码从人家对我们的估计这个角度上看是失败的。

我们的剧作家写剧本前，确实没有互相确定过什么套套，由于公式化、概念化的创作路子已经成为一个创作习惯了。于是就不约而同的写出一些公式化、概念化的作品来。有的领导在领导剧作时像菩萨老爷对待孙悟空一样，给孙悟空脑袋戴上箍，戴上之后，就取不下来。一旦孙悟空不听话，就给你念咒。这一念不打紧，大家就完全一致了。由于所有的领导都会念同一个紧箍咒，因而写出来的东西就都是一个路子。

在座的各位都是理论家，也是号召我们写戏、号召我们如何写好戏的人。你们不妨多走些岔路，使我们的眼界、路子开阔一点。创作上存在的一些通病已不是一天两天了，您以为现在就完全好了吗？不是的。现在写改革也有一条路子，大致是：你想改革，上级就是不改革，还说有条文可据；改革者坚决不相信、不听上级的话，结果改革成功了。改革者所以没有失败没受惩罚，由于上级的上级赞成改革。那个念紧箍咒的上级所以未能压垮改革者，因为最上边有个不念紧箍咒的。我们写改革题材的戏要在深入生活的基础上，不断有新的创造。

我猜想各位同志都没有念紧箍咒，你们是不会念紧箍咒的。有些菩萨是念紧箍咒的，那就只好由他念，但是，我们还是以不念为好。不是说要思想解放吗？我们大家首先要思想解放。现在，我们写戏的人有个特点，常常受不住一点批评，这也是我们的缺点。

再回到原来的话题，同志们不要怕走歧路。十字路口不怕，到十字路口也还要走，走错了再重走，总会找到自己的路的。这样才有真正的创新之路。我常想这个问题，感觉到有必要向各位暴露自己的这些也许是很不恰当的思想，甚至是错误的思想。诸位也可以加以评论，但是别念紧箍咒，我是怕念紧箍咒的。这个箍的存在，不是一两天了，好几十年了，不管哪位念紧箍咒，我都疼得要死、害怕，就要像孙猴一样打滚求饶。这是不利于写剧本的，不利于戏剧改革的。最近《剧本》月刊上发表了一个剧本《山鬼》，已经上演了，我没有看到演出，只看了本子。这个戏很有意思，把屈原变成野人、山鬼。我敢相信，屈原是千古最伟大的诗人，除了文艺上，思想上也是最伟大的爱国者，你怎么能这样开屈原的玩笑呢？但是他胆大，要走条新路。这可以通过平等的争鸣和评论进行探讨。

回过头来，我还要再说一遍，如果有人还要念紧箍咒尽管叫他念，但自己不念。这样，对还要写戏的人有好处。我们要有点新的观念，思想要解放。当然，我这样不是号召各位，反对四项基本原则……如果我反对上述原则，你们可以打倒，并且踏上一只脚，叫我永世不得翻身。我是不愿永世不得翻身的，我愿意老翻身，翻一次再翻一次，我愿意真正得到翻身。

我祝同志们的思想从此格外活跃，走自己的艺术道路，不随波逐流。

张庚的道德文章

我虽然是在建国以后在中央戏剧学院才和张庚同志一起工作的，但我对他是久仰其名的。我认为张庚同志的道德文章都是值得我们学习的。

三十年代，张庚就战斗在左翼戏剧战线上。1937年抗日战争爆发，张庚同志组织蚁社流动演剧队沿长江西上，进行抗日宣传。后来根据党组织的安排，到了延安，担任鲁迅艺术学院戏剧系主任，讲授戏剧概论和话剧运动史，并给学员排戏。1942年以后，张庚同志积极参加了秧歌剧运动。解放战争时期，他在东北担任鲁艺文工团第四团团长，一面参加战争和土改，一面组织同学们为群众演戏。在三年时间里走遍了大半个东北，也播下了许多革命戏剧的种子。1949年第一届全国文代会以后，张庚同志任中央戏剧学院副院长兼歌剧系主任（这就是我和他一起工作的时期）。后来在1953年他又根据党的工作需要，调到中国戏曲研究院任副院长，以后又兼任中国戏曲学院院

【题注】载《戏剧报》1988年第2期。

长、《戏剧报》主编。“十年动乱”之后，任中国艺术研究院副院长。从五十年代到现在，他为新中国的戏曲研究事业做了大量的开创性、奠基性的工作。

张庚同志不仅是一位卓有成就的戏剧理论家，并且还是一位戏剧活动家、教育家。这几个方面是联系在一起的。他写文章不是为了炫耀自己，或者吓唬别人，而是从实际的需要出发去做学问。他的理论很深，又让人喜欢看，读了得到实际的益处。另一方面，他又不是一个盲目的实践家，他努力地学习马列主义，不断地总结实践经验，使之上升为理论，再用以指导实践，这显示了他的理论家的品格。半个多世纪他写了上百万字的文章和著作，许多观点是经得起历史考验的，今天读来仍给人以启发。

张庚同志在上海时主要搞话剧，在延安和东北主要搞秧歌剧，解放初期重点搞歌剧，后来则重点研究戏曲。他在这几个方面都有理论的建树，同时形成了张庚理论的又一个特点：视野开阔，眼光远大，不断吸收新的思想，重视各种艺术门类的交流和联系。他在1939年写的《话剧民族化和旧剧现代化》提出了一个根本的观点，这个见解影响了很多人，这个观点对于中国戏剧的发展确实是非常重要的。话剧这个形式原来是外国的，要它适应中国观众的需要，就必须使它民族化。戏曲是我们民族的古老的艺术，但它要适应今天的时代，就必须使它现代化。建国以来很长时间我们就是努力做这两方面的工作。因为时代在不断前进，民族传统也在不断向前发展，因此民族化和现代化是不可分割的，这也是我们今后长期的任务。当然，说话剧要民族化和戏曲要现代化不是说都要搞成一个样子，民族化和现代化也都是要百花齐放的。

张庚同志有一个很大的特点，就是热爱我们民族的宝贵的传统。早在三十年代，他就注意到文化遗产和民间艺术中存在着精华，认为革命的文艺不能离开民族传统的滋养。到延安和解放以后他的这个思想又有了新的发展。他的著名的“剧诗”说就是在这种热爱民族艺术的基础上形成的。西方也把戏剧叫做剧诗。但张庚同志的剧诗说主要是总结了我国戏曲艺术的规律和我们民族的美学观，强调主客观的统一，体验和表现的统一。由于他的理论是建立在民族传统的基础之上，所以就比较扎实，并有自己的特色。邓小平同志提出要建设有中国特色的社会主义，这意义是很深远的。建设我们民族的戏剧艺术是提高民族自信心、自豪感，建设社会主义精神文明的一个重要组成部分。有的同志认为重视传统就意味着保守，这是不对的，张庚同志重视传统，但并不保守。他不断研究国内外艺术创作的实际，总结新鲜经验，因而他的理论充满活力，起着推动民族戏剧向前发展的作用。

我想大家会同意我这样的看法：张庚同志对我们民族戏剧是有大功的。这功劳主要表现在两方面，一个是著书，一个是育人。除了他的《戏剧艺术引论》《戏曲艺术论》等著作外，还有他主编的《中国戏曲通史》(与郭汉城同志共同主编)、《中国大百科全书·戏曲》卷，和正在编的《中国戏曲志》、《中国戏曲概论》(与郭汉城同志共同主编)和《当代中国的戏曲》等。

《中国戏曲通史》在王国维研究成果的基础上又有新的发展，是为我们中国添光彩的。它从中国的全局来估价某一个作家，某一个时代的潮流、创作现象，外国的研究家是做不到这一点的。我读了这本书，对张庚同志也认识得更深一些。

其他几部著作也都是宏大的工程。《中国大百科全书·戏曲》卷，汇集了已有的和最新的戏曲学研究成果，全面、系统地介绍了中国戏曲艺术特色及其发展规律。它的出版，填补了学术领域的一项空白，引起了国内外的关注。《中国戏曲志》采用方志体裁记述各民族戏曲的历史和现状，搜集整理优秀的戏曲遗产，总结建国后的科研成果，这一前所未有的创举，不但为今人提供戏曲发展的经验，也为后人留下一部宝贵的信史。《当代中国的戏曲》记述建国以来戏曲工作的成就，总结经验教训，为国内外广大读者提供一套系统地了解当代中国戏曲的教材。《中国戏曲概论》论述了戏曲艺术的基本规律及其各个门类的特点和相互关系，是多年来戏曲基础理论研究的一次比较集中的体现。这些项目多数是张庚同志提出来的，又是在张庚同志的组织领导下，根据张庚同志的理论思想写作的。没有像张庚同志这样一位主编来主持，要完成这些宏大的工程是很难的。

第二个方面，张庚同志培养了许多优秀人才。真可以说“桃李满天下”。张庚同志热心戏剧教育，他的教育思想也是切合中国实际的。三十年代他在上海参加过工人夜校的活动，在延安和东北培养革命戏剧运动需要的干部，解放后培养本科生，并办演员讲习会、编剧讲习班、理论进修班等。从六十年代起又带研究生，都是既着眼于目前戏剧工作的急需，又着眼于戏剧事业的长远发展。他的许多学生目前已是各地、各方面的骨干，为戏剧事业发挥着力量。张庚同志最叫我佩服的还在于他的博大的胸怀，他不要求他的学生都同意他的见解，他希望学术研究一代比一代好，而不是自称“老子天下第一”。正因为这样才会有优秀的人才出自他的门下。

参加这次讨论会的，有很多张庚同志的老朋友，有关心我们戏剧事业的领导同志，有许多奋发有为的中青年理论工作者，他们中间有些是张庚同志的高足。虽然人数不多，但却是一次难得的盛会。希望大家能对张庚同志学术思想、理论成就进行深入的讨论，使这次会议成为一次有丰硕成果的会议。我祝愿张庚同志老当益壮，在学术上取得更大的成就。祝愿戏剧理论更加繁荣发展。

徐晓钟导演艺术研讨

刚才我与晓钟同志谈，他说咱们今天谈导演艺术不要谈他。这句话确实是他说的话，像他这个人，同时也像他的导演艺术——在他的导演艺术中看不见徐晓钟，但看见其完美的艺术。

我国的旧戏是以演员为中心的，像京戏等最初不重视导演，现在导演问题也日益被重视起来。话剧目前几乎主要靠的是导演，当然也离不开演员等因素。

《培尔·金特》有其深刻的哲学意义。最初我在大学读书时读过它，实在是很难懂。但在徐晓钟流畅的导演艺术下，戏充满了曲折浪漫的哲学意味。戏将原著中最精彩的部分提炼出来，在短短的两个半

【题注】载《戏剧评论》1988年第3期。文前“编者按：徐晓钟同志从事艺术与教学多年，成果显著。他参加导演的话剧《桑树坪记事》在首都舞台的上演引起了戏剧界的震动。其他如《马克白斯》《培尔·金特》等剧的导演工作亦有创造性的成就。本刊为活跃话剧艺术的理论探讨，特召开‘徐晓钟导演艺术研讨会’。以下是与会专家在座谈会上的发言：”共有十四位专家发言，曹禺排第二位。按，本次研讨会于1988年3月在北京举行。

小时内上演，而且保留了《培尔·金特》原著的精神，使中国观众能够看懂、能够接受易卜生的这部名著。在戏中徐晓钟通过他的导演艺术比较准确地、真实地解释了作品，使易卜生重现在舞台上；而且戏搞得很有吸引力，很有诗情，很有生活。值得肯定的是徐晓钟通过其教学实践诱导并培养了像廖向红这样有独立见解的学生导演。

《桑树坪纪事》是依据小说改编的。剧本很干净，很不错，但故事显得很分散，一块一块的。但戏导得是很成功的，把一个悲惨的故事处理得滑稽可笑。倘若是平铺直叙、毫不夸张地来表现情节，那么戏肯定不会有吸引力：而现在戏的处理很精彩很有趣味，一点不死板，李金斗估产、麦客上场、“换亲”等抓住了观众。舞台的使用很漂亮。“剥衣”一场的处理似乎是神来之笔，很有深意，很高妙。

看了这个戏有几点感想：海是装不满的，人的路是走不尽的，花是不谢的，感情的长河是流不完的。对于徐晓钟的导演艺术我有这么一种感觉。

我看《火神与秋女》

最近我看了一出戏，戏的名字是《火神与秋女》。这出话剧是在青艺的排演厅改成的小剧场演出的。这个小剧场虽然和国外的一些小剧场比，还显得简陋，但是它的新鲜的与亲切的气氛却是我一进门就感觉到了。我一直赞成话剧在小剧场的演出，也有人把它称作试验性演出。我想这是条路子，一条引人入胜的小径，可以使话剧艺术一步步地深入人心。现在的《火神与秋女》正是在做这件有意义的事。

看了这出话剧，我十分高兴。整个演出充满了幽默感与人情味，令人欢乐。同时又带来一丝忧伤、一些思索，我想这是一种真正的喜剧格调，是在今天的中国话剧舞台上较为缺少的。《火神与秋女》的喜剧调子来自于人物，来自于他们的思想、行动和语言，说起来似乎是很简单的事情，但真正做到却不容易。中国也有喜剧，可有一些却是生硬的喜剧，很像是用一只大粗手去搔你怕痒的地方，你没有办法，不得不笑，心里却感到很难受。《火神与秋女》之中的一些场面

【题注】载1988年5月17日《人民日报》。

却完全不是这样。剧中的人物正在激动着，在流眼泪，甚至是痛苦万状，而观众却不由得大笑起来。我一直觉得喜剧是非常难写的，因此看到这样一出洋溢着喜剧气氛的话剧，我感到格外高兴。

我和剧作者苏雷很早就认识，他是位年轻人。我认识他的时候他甚至还是个孩子，一位少年吧。我看他粗粗壮壮，但似也懵懵懂懂。没想到多少年后，他写了话剧，还听说他的其他戏在上海和许多地方上演，这也是我感到高兴的另一个原因。

我老了，但是每看到年轻的人出现在话剧舞台上，我就感觉这里也代表着我的一份，我对话剧事业的感情。

中国青年艺术剧院，他们演出的《火神与秋女》效果很好。导演的构思很好，演员的表演也很好，就是说在这出戏里，所有的创作人员的心灵击撞在一处，爆出火花。使得这个演出焕发了活泼的生命力和光彩。这样和谐的创作是一种幸福。我已经很久没有尝到这种幸福的滋味了。我羡慕他们，然而我更希望现在有能力的话剧工作者们要珍惜这幸福，因为它不光是属于每个人自己，它也会指引人们创造出真正的美好的艺术。

我相信话剧的舞台，它不会辜负人的劳动。

《梨园考论》序

《梨园考论》的出现，是我国艺术史上值得庆幸的事。[1]

谈起梨园，它有三个特点：一个是歌，一个是舞，一个是戏。歌这个东西很早以前就有了，歌以咏志，是人们感情的抒发。原始社会就有歌，最早的歌大家都会唱，就是《击壤歌》："日出而作，日入而息……帝力于我何有哉。"是说太阳出来了，大家就起来劳动了；太阳落了，就休息睡觉了，过得非常快乐。所谓帝，皇帝的帝，说帝的力量和我有什么关系呢？这里所说的帝，大约是部落的首领。在那

【题注】载《当代戏剧》1996年第3期，据以排印。又载《大舞台》1996年第2期，题名《往事沧桑话梨园》，兹以通校（校注称"大舞台本"）。又载《蒲剧艺术》1998年第3期，题名《在中华梨园学研究会成立大会上的讲话（摘要）》，兹以通校（校注称"蒲剧艺术本"）。按，成立大会于1988年6月13日在西安举行。

1　此句蒲剧艺术本中作"今天由陕西省文化厅，由陕西省剧协，由陕西省戏剧研究院邀请中国剧协派人来参加中华梨园研究会成立大会和唐代梨园遗址立碑剪彩仪式，我代表中国剧协参加这次盛大的成立大会，特向大会祝贺、致敬！向各位同志表示热烈的感谢。这次来参加大会的人很多，演员很多，还有各省市的专家，此外还有各省市卓越的戏剧工作者，所以我说不出什么来。虽然看戏多年，对戏还是不懂，尤其是关于梨园，知道的更少了，我讲的不好。"

个时候他们过的都是非常快乐的有歌也有舞的生活，连孔夫子也很羡慕的。其中一些古乐舞在儒家著作中也记下了演出情况及演出观念。“击石拊石，百兽率舞”以及“笙镛以间，鸟兽跄跄，箫韶九成，凤凰来仪”是对当时乐舞装演的描述。春秋时的《诗经》，就是民歌总汇。屈原的《九歌》也是颇有影响的祭神的歌舞。《史记·滑稽列传》对著名的“优孟衣冠”事的记载成为中国演员艺术[1]记录的开端。优孟，楚之乐人也，常以谈笑讽谏，楚国宰相知其为贤人，对其甚好。优人敢在主威之前，言廷臣所不敢言，这是有特殊意义的，也是很感动人的。因而司马迁给予很高的评价。秦皇汉武以来，中国文化艺术不但有歌、有舞也有戏，到了隋代，更是“万方皆集会，百戏尽来前，临衢车不绝，夹道阁相连”。薛道衡的这首诗正是记述大业年间一个戏场歌、舞、戏演出的盛况。演出内容十分丰富，表现形式以百戏为主，还有其他歌舞。可以看出隋代演出有其重要的特点，就是南北文化的自然融合，胡舞清歌交相演奏。

到了唐代开元二年，“玄宗于听政之暇，教太常乐工子弟三百人为丝竹之戏，号为皇帝弟子，又云梨园弟子，置院近于禁苑之梨园”。这就是李尤白在《梨园考论》中所提出的[2]我国历史上第一所既培训演员（弟子）又兼负演出的综合性的皇家音乐、舞蹈、戏剧学院，而唐玄宗自己担任校长。唐玄宗领导的这个梨园人材济济，有编撰人员，有音乐家，有表演艺术家，他们都有很高的文化。编撰人员虽不

1　大舞台本、蒲剧艺术本此处有“的”。

2　蒲剧艺术本无“李尤白在《梨园考论》中所提出的”。

固定，但经常由明皇诏令许多文人充任[1]，如当时的[2]翰林学士李白就曾承诏带醉写过《清平调》[3]“云想衣裳花想容，春风拂槛露华浓，若非群玉山头见，会向瑶台月下逢”等三首[4]。唐玄宗自己也还创作加工整理过一些节目，如《甘州》《霓裳羽衣曲》等。唐诗中有“开元天子万事足，惟惜当年光景促，三乡陌上望仙山，归作霓裳羽衣曲”，即是证明[5]。玄宗并亲自教授，尤其他打得一手好羯鼓，每逢梨园演出，不是披羽衣登场，就是坐在前场亲打羯鼓。玄宗时的梨园魁伶云集，著名者有李龟年、雷海青、黄幡绰、公孙大娘、李仙鹤等，正因为唐玄宗延聘依靠了这样一批富有艺术才干的杰出艺术家，使盛唐时代的舞台演出节目呈现万紫千红，美不胜收的繁荣昌盛局面。它对我国及亚洲主要国家如日本等戏剧的发展确实起了筚路蓝缕以启山林的作用。正因为这些原因，历代戏曲艺人都把明皇尊为梨园祖神，建国前后不管什么剧种都在后台供奉唐玄宗的泥塑或木雕像。演员[6]出场演出前就得对玄宗像极其虔诚，顶礼膜拜，而且有许多地方都给他建立了老郎（玄宗）庙，以示纪念。这不仅在中国，在日本已为一种常识，就连欧美学界也无不盛传。以前老郎是供奉在后台，现在都不见了，

---

1 “由明皇诏令许多文人充任”蒲剧艺术本作“有明皇诏令当时的翰林学士或其他著名文人编撰节目”。

2 “如当时的”蒲剧艺术本作“著名诗人”。

3 蒲剧艺术本无“《清平调》”。

4 “三首”蒲剧艺术本作“《清平调》”。

5 蒲剧艺术本无“即是证明”。

6 “演员”蒲剧艺术本作“演员们”。

梨园弟子不能忘本[1]啊！正因为唐代梨园的出现和它在发展中取得的辉煌成就及[2]它对以后戏剧歌舞发展的影响，唐玄宗是立了大功的，他真是个了不起的人物，我看还是可以把他供起来，这不是迷信，我们要学习他热爱梨园，扶持梨园事业的精神。

热心梨园文化的李尤白先生历经艰辛，在《梨园考论》中[3]勘清梨园遗址，此举震惊中外，全世界都知道，都说是个大发现，他又发起筹建梨园纪念馆，并倡导成立了中华[4]梨园学研究会，得到国内外学者的赞赏支持。这都是振兴中国民族文化可贵可歌的行动，理应受到社会各方面的称赞与支持。

梨园学，作为一门学科研究提出来是很有意义的，梨园学不是考古学。梨园在我国艺术发展史上有很重要的地位，总结梨园经验，发扬梨园精神，是继承和发扬我国优秀文化传统，促进艺术繁荣的重要工作，也是社会主义精神文明建设的一个重要方面。梨园学的研究，必然会带来研究的丰硕成果，进一步推动和促进我国戏曲、音乐、舞蹈的振兴和发展，使我国优秀的文化更加丰富，更加发扬光大。我们正处在一个飞速发展的开放时期，我们要继承，要开拓，要发展，不发展就会消亡。有了梨园学，有了梨园纪念馆，我们的事业就会出现一个崭新的局面。我们要无愧于祖先，还要发展祖国文化。像《秦

---

1 “忘本”蒲剧艺术本作“忘祖”。

2 “及”蒲剧艺术本作“和”。

3 蒲剧艺术本无“在《梨园考论》中”。

4 蒲剧艺术本无“中华”。

王破阵舞》[1]《兰陵王破阵曲》[2]《霓裳羽衣曲》，还有[3]公孙大娘的《西河剑器》和她的弟子李十二娘在舞蹈上的成就都是很高的。诗人杜甫为之倾倒，赋诗歌咏，像那样的舞，怕现在还没有，包括西洋的芭蕾舞。这些艺术家的成就促进了唐代舞蹈的发展。在唐代凡是伟大的艺术家都在梨园，也都是梨园时期产生的，研究梨园就是要对我国盛唐时代的文化、歌舞、戏剧[4]进行认真深入的研究，要下功夫有所发现。我们要革新，但不能把老子都革掉，要取其精华，吸收其中优秀的，使其发展得更好。但也不失原来的味道，艺术要革新，否则就不能发展。

唐玄宗领导的梨园，就是在不断创新开拓前进中才得到发展的[5]。我们目前正处在开放搞活改革[6]的时代，我们的艺术团体同样需要改革[7]，只有改革才能发展，才有出路，希望梨园学研究取得新的更大成就。[8]

---

1 蒲剧艺术本此处有“，秦王就是李世民了，”。

2 蒲剧艺术本此处有“还有”。

3 蒲剧艺术本此处有“舞蹈家”。

4 “歌舞、戏剧”蒲剧艺术本作“歌、舞、戏”。

5 “发展的。”蒲剧艺术本作“发展的么？”。

6 “开放搞活改革”大舞台本作“改革开放”。

7 大舞台本无此句。

8 蒲剧艺术本文末署“根据录音整理未经本人审阅”。

为心爱的事业奋斗

——在“第四届全国优秀剧本奖”发奖大会上的讲话

首先我热烈祝贺你们得到难以得到的优秀的剧本奖。

评选委员们都十分认真、严格，反复讨论，多方比较，最后用不记名投票的方法，才选出来。

两年来，写出的剧本千千万万，经过严格筛选，这些剧本大多得到观众的认可和赞赏。

同志们写剧本都非常辛苦，评选的工作没有辜负同志们的劳动。大家都不怕艰难，闯难关，费心力，为中国的戏剧事业拿出惊人的干劲。

这说明有不少热爱戏剧的人们在为自己心爱的事业奋斗，我们的戏剧前途是大有希望的。当然，这次得奖的剧本比起人们的期望还有距离，质量更未达到世界的顶峰。

【题注】载《剧本》1988年第7期。按，“第四届全国优秀剧本奖”颁奖大会于1988年7月6日在岳阳举行。

我想说，那些许许多多未能获得这样荣誉的人，千万不要丧气。你们当中有少数人比这些中了“状元”的同志们写的东西差不了很多。奥林匹克百米赛跑的冠军比起第二名常常仅有百分之几秒的差别。所以我希望今天得到荣誉的人要在日后写得比现在还要好，好得多！那些没有得奖的同志，一定要更用功，一定要追上来。

这次得奖的作品，题材是多样化的，风格、形式是各不相同的。有一点是共同的，就是比起以前，越发精采、深刻。

写吧，写出更能表现“人”的伟大艺术作品！

莎士比亚正等待着和我们竞赛。

关汉卿也说了一句话：

“看看谁能比我们这些不朽的灵魂写出更伟大的剧本！”

自然，这是关汉卿在我昨夜梦中对我讲的非常亲切，又是非常鼓舞人心的话。

然而这才是真话。

再一次祝贺你们！

（《中国抗日战争时期大后方文学书系·第七编·戏剧》）序

翻开《中国抗日战争时期大后方文学书系》戏剧编的篇目，我的心飞向了抗日烽火燃烧中国大地的那个时代，重新感受着青春的热血在涌动。的确，在我们这些人的一生中，特别感到抗日战争这八年过得十分有意义。

我仿佛又置身长江逆水而上的大木船上。冒着敌机的轰炸，经宜昌、万县……沿途停泊上岸，唱抗日歌曲，演街头剧，那是刚过了1938年元旦后的几天，我和国立剧校的师生们在一起。

我仿佛又回到了战时大后方的中心重庆。1938年10月，纪念第一个戏剧节，有几十个演出队走向街头，走向乡村，上千名戏剧界人士参加舞台演出。更不能忘记以后在国泰大戏院、抗建堂等等的舞台上，中国万岁剧团、中华剧艺社、中国艺术剧社、中央青年剧社、孩子剧团、怒吼剧社，演出过几十出中外名剧，对推进中国话剧的发展

【题注】据曹禺主编《中国抗日战争时期大后方文学书系·第七编·戏剧》所载排印，重庆出版社1989年第1版，原题《序》。

所做的贡献。

在长沙、在江安、在昆明、在成都……凡我到过的地方，都看见我的同行们昂扬着火样的抗日爱国的热情。一九四四年桂林的西南剧展，更达到了抗战戏剧运动的高潮。

还有广东、福建、浙江、江西、湖南，大西北，抗战初期的文化中心武汉，在昙华林成立的那十个演剧队。当时的戏剧工作者，忍受饥寒劳顿，热情创作演出，为争取抗战胜利、为发展戏剧艺术，奉献出他们的智慧和才能，青春和热血。这些虽非我亲身经历，却早载于抗战史册。

抗日时期大后方正式出版的剧本，据说在一千种以上，包括郭沫若、阳翰笙、夏衍、田汉、欧阳予倩、洪深、于伶、丁西林、熊佛西、余上沅、顾一樵、马彦祥、袁俊、陈白尘、宋之的、吴祖光、石凌鹤、沈浮等一代名家留下的一代名作，连老舍、茅盾除了写小说也“入伍”到戏剧行列中来。相比之下，收在这里的作品显得太少了，但从编选者的用心看，着眼于抗日战争各个时期武汉、桂林、广州、长沙、重庆、成都等不同地区的戏剧创作成果，在抗日时期确有影响的代表作品。只是佳作如林，我们所选难免遗珠之憾。

重要的是，当时的戏剧，是服务于抗战，服务于人民的。不能忘记全体戏剧工作者为打败日本法西斯强盗，为迎接祖国的自由解放，为建设戏剧艺术所做的贡献，更不能忘记当年日本侵略者践踏中国领土，屠杀中国人民的血的历史教训。我现在还要提这个问题，是因为这些年来，日本有些人又逐渐露出军国主义的本来面目。尽管上次战争中他们老百姓吃了亏，受了苦，中国人民遭受的灾难更是惨绝人寰，我们死了上千万人，损失是不可估计的。我们不愿再有战争，愿中日两国人民世世代代友好下去。但偏偏有这样一种军国主义思想，他们在日本，人数虽少，却不是小小的一阵风，而是长期存在，他们决不罢休。他们现在已经是经济大国，这些人还要做军事强国，他们所谓的“防卫厅”，恰恰相反，是攻击厅，侵略厅。我曾在一次会上讲了我所知道的日本军国主义的动向。一生为中日友好和文化交流奔走的中岛健藏先生，在东京组织的一次中日作家作品交流会上，有个极右作家突然问我：“你们夏衍写《法西斯细菌》，描写我们日本皇军有那么大的暴行，完全是诬蔑，是错误的。”我问他：你打过仗没有？你到过中国没有？你好好地翻翻报纸，南京大屠杀是怎么回事？日本侵略军的罪恶是罄竹难书，残暴是没有法子形容的。从所谓“满洲国”时期的东北，直到后来日本侵略军践踏的大半个中国领土，其烧杀劫掠的残忍疯狂，都是无可比拟的。他没有话可讲了。现在日本有些人想掩盖侵略者的丑恶面目，正说明法西斯的野心不死。有一次在上海，一个年轻的日本人无意中对我说：“我们日本最怕的就是中国。”这个“怕”字含义很深，就是“怕”中国富强起来，这不正流露出侵略者的心理吗？还有教科书事件，中曾根参拜靖国神社事件。最近，甚至对我国领导人出言不逊，身为大臣的国土厅厅长竟一再发出日本从未侵略过中国的奇谈怪论……这一切表现难道是偶然的，不应该引起中国人民理所当然的警惕？

“前事不忘，后事之师。”中国抗日时期大后方的戏剧在抗日战争中产生和发展，作为整个抗战文艺的重要组成部分，它反映了抗战的时代，是中华民族坚决反抗日本侵略者，打败侵略者的历史见证。愿它对今天中日两国人民的友好，共同反对日本军国主义复活，保卫世界和平，提供有益的教训。

1988年7月

美在流动中

中国戏曲演员的艺术是难以说尽的。怎样把中国完美的戏曲表演，在一刹那捕入影像里，袭进人的心灵，使之保存永恒的活力、真淳的灵气和深厚的功底，是戏曲摄影家多少年的难题。这需要勤奋与天赋、永不间歇的实践，才能摄出隽永耐看的剧照。

中国的戏曲演员是凭那神奇的表演与歌唱，创造出天上人间的悲欢离合，无穷尽的人物世相。仅用一只相机就能深入事物与人性的灵魂，产生飞天似的神姿，煽起我们的幻想，召唤我们的记忆，使我们一再沉醉于许多艺术家的魄力，这是可能的吗？舞台上出神入化的动作与歌声是不可能再现的。

然而青年摄影家吴钢却通过他的努力实践做到了一般人认为不可能，很难做到的事。那一张张不能想象的美妙神态，似乎在纸上仍跃然而动，歌声盈耳。

一张好画流动着音乐还很难，何况剧照。

【题注】载1988年9月10日《人民日报》。

我与吴钢相交颇久，他的创作看过不少，其中的一张，尤其精美，我各悬一张在京沪两地家中，它使我常常想念。

罗丹说:“美是到处都有的。对于我们的眼睛，不是缺少美，而是缺少发现。”

大约，吴钢的眼睛常会发现美。但表现出他所发现的美，他又是极其严酷地对待自己的。为了在静止的画面上，表现京剧中的节奏、韵律、流动的音乐感，他不惜在舞台的灯架上爬上爬下，有时悬在10米高的吊杆上，向下俯拍，而那灯箱的灼热与架子的摇晃，随时可以使他由高空摔下，丧失生命。但我现在想从另一角度简单提一个他异想天开的拍摄方法。为了表现武生扔戟、接戟、转身、翻身、亮相五个系列动作由虚到实、由动到静的过程，他选用了多次曝光的方法，随着“四击头”锣鼓，仓——仓切——仓——切——仓！按动五次快门，摄在一张图片上。这样，既传达了表演过程的流动美，又凝固了静止的瞬间美。

这个展览将同时在北京和台北开展，这是值得庆贺的。

中央戏剧学院名誉院长曹禺同志讲话

我们敬爱的老院长欧阳予倩同志离开我们二十六个年头了。在这近二十年来风风雨雨历程中，欧阳老院长的治学精神，无时不在鼓舞着我们。今天，我们在这里隆重举行欧阳予倩铜像揭幕典礼。

回顾欧阳老院长一生从事革命的戏剧事业，五十多个春秋始终不懈的以戏剧艺术为武器，为祖国、为人民服务。他是我国话剧运动的主要倡导人、奠基人之一。他是著名的戏剧大师、剧作家、戏剧教育家、戏曲改革家、杰出的表演艺术家、舞蹈理论家，也是我国早期电影的著名编导，可称为我国卓越的多才多艺的艺术家，是近代、现代史上杰出的文化巨人。

欧阳予倩同志是我国杰出的戏剧教育家，从早年举办南通伶工学社，广东戏剧研究所，一直到新中国成立以后，在党的领导下创办和主持我国第一所高等戏剧学府—中央戏剧学院。他以他渊博的学识和

【题注】据中央戏剧学院档案原件排印。按，欧阳予倩铜像揭幕仪式于1988年9月21日在中央戏剧学院举行，由杨尚昆揭幕，曹禺致辞。

丰富的实践经验，倾注他毕生的精力，在这个戏剧园地中辛勤耕耘、播种。他重视戏剧的基础教学，亲自制订台词、形体教材；他重视理论与实践相结合，创办中央戏剧学院实验话剧院，并亲自示范排演了《黑奴恨》和《桃花扇》。他为祖国造就了大批戏剧艺术人材，真是桃李满天下，戏剧学院师生永远缅怀欧阳老院长对创建戏剧学院的功绩。

欧阳予倩同志一生忘我的、勤奋地学习和劳动，既专又博，造诣很深，孜孜不倦地对我国戏剧艺术体系进行不断的探索和研究。在逝世前还在撰写我国唐代以来舞蹈历史的研究论著。他的多方面的艺术创作和研究活动，提高了我国的戏剧艺术，同时也受到国际进步文艺界人士的重视。

欧阳予倩同志一生追求进步，追求真理，经过大半生的艰苦奋斗，经过革命的斗争锻炼，在年近古稀的时候，终于成为中国共产党党员。他从一个爱国主义者，发展成为共产主义战士。他这种不断追求进步，紧跟革命的精神，热爱祖国，热爱艺术，对革命事业，对革命戏剧教育事业无限忠诚的高贵品质给我们树立了崇高的榜样。

我们的欧阳老院长数十年如一日，踏踏实实，勤勤恳恳，严肃认真，热情谦虚；对己严，好学深思，对别人虚怀若谷，诲人不倦。他的优良品质和作风，永远激励我们前进。在当前政策开放的新形势下，我国文艺事业正在蓬勃发展的时候，让我们学习欧阳老院长，继承他的遗志继续前进！

演课本剧好（序）

中学课本剧是从课本中选出有文学性的课文，改编成的戏剧，供学生演出。

学生参加演戏，可以加深对课文的理解。演戏里的人，就必须理解他们的思想与感情，要具备活泼、生动的想象，也要有一定的表演能力。

演课本剧，可以启发学生潜在的智力，使他们对听课、读书发生兴趣，从而引起学生想读其他的文学书籍。

演课本剧，会听见课室里欢快的笑声，会丰富学生对生活的认识。我反对“读死书”，就是，读了书却不理解其中的意义；也反对“死读书”，学生对读书毫无兴趣，却因种种压力，抱书死读，为分数而读，为恐惧、斥责而读，以至为爱面子而读。

读书要尽量求理解，要尝到读书的乐趣。

【题注】据吴亚芬、韩新光、王雨玉著《中学课本剧》所载排印，中国戏剧出版社1989年第1版。

写课本剧是由天津师范专科学校吴亚芬、王雨玉和韩新光三位教师首创的课文教书方法。学生演课本剧，获得观众的赞赏，台上台下都高兴。中学生张贺同学说：“高兴之余，我也反思：物理、化学都有实验可做，新鲜有趣，为什么语文却只能抠书本呢?”他主张“应该探索新的途径，激发学习兴趣和热情”。

演课本剧就是新途径。

我在中学时，是常演戏的，觉得很有益处。我希望参加演戏的学生们，日后可以成为我的同行，至少，可以成为欣赏好戏的好观众。有了无数文化修养高的观众，戏剧的前途就会大有希望。

1988年10月

首届中国戏剧节献辞

戏剧的生命力在民间，在人民中，这并不是我们今天早晨醒来才突然发现的真理。可我们只是常常这么说，却时常未能很好地这么去做。

随着政治体制和经济体制改革的深入，我们国家进入了一个重要而艰难的转折时期。戏剧事业面临新的形势，它在社会总格局中的位置发生了变化，在传统的戏剧发展观念的作用下，我们感受到了困难和危机、压力和痛苦。但是，对那些矢志不渝地追随戏剧事业、追求真正的人生价值的人们，困难和压力只能磨砺他们的意志，开启他们的智慧。我们开始探寻戏剧生存和发展的新的途径，我们重新咀嚼这条并不陌生的真理——让戏剧走向社会、走向民间、走向人民群众，还戏于民，人民才是戏剧生于斯、长于斯、服务于斯的真正的沃土。

于是，我们举办了这个戏剧节。这是我国第一次不是由政府举办，而是由中国戏剧家协会及各省、市、自治区分会这些民间机构在

【题注】载1988年11月23日《人民日报》。

社会各方的支持下举办的全国性的戏剧节。我们力图忠实地反映我国戏剧艺术的现实风貌，反映广大人民对戏剧的真正的审美需求。我们将真诚地与社会各界对话，努力建立起戏剧艺术与普通民众间的相互理解和信任。我曾经说过，我们是阳光下的孩子，我愿再补上一句：我们是泥土里的孩子，是人民的孩子。

中国是一个戏剧大国。传统深厚、姿态万千的民族戏曲与各种外来戏剧样式一起，构造了我国戏剧艺术的百花园。建国近四十年来，特别是新时期以来，我国戏剧艺术又有了飞跃的发展。我们可以满怀信心地对待这眼前转折期的阵痛。当戏剧重新走向人民、扎根泥土的时候，我们现在称之为困境和危机的情形会不会有所改观呢？

朋友们，让我们在第二届中国戏剧节上重新聚会时，再来寻找这个答案吧。

顾先生的戏

大约是一九四〇年，我在四川江安县国立戏剧专科学校教书的时候，余上沅校长说："全校要到重庆汇报公演，这样，教育部还会记得我们，不会忘记按时发来办学经费。"

全体师生立刻忙起来，赶写剧本，赶着排练。时间急促，只有一个多月的工夫，要排出三个大戏；其中便有顾一樵先生的《岳飞》，是旧作，或是新写出来的，我记不清了。

江安的冬天，没有炭火，是相当冷的。为了凑出一个节目，在微弱的两根灯草的油灯下，我独自躲在暗暗的房间里写戏，日夜不出门。写好一幕，就请一位同学刻蜡纸付印，立即送给骏祥导演。头昏脑涨，恍恍惚惚，不知这个小县城的日月。

天总是阴沉沉的，由深夜熬到天亮，往复不已，直到写完，三个大戏都到彩排的时候了。

国立剧专的露天舞台，是在孔庙里。夜里彩排，仰头望见乌黑天

【题注】据《顾毓琇戏剧选》所载排印，商务印书馆1990年第1版。

空的星星。我在一排排燃煤油的汽灯下，看了《岳飞》的演出，我觉得台上师生都十分严肃地排演《岳飞》，很起劲。以后，大家百十多人，挤在两条木船上，沿长江而下，在重庆有电灯的舞台上着实演了几天，师生都很兴奋。

这次赴渝公演，大家都当作一件大事办。人心齐，削铁如削泥。公演完了，三个节目的效果都还过得去。重庆的观众，还是十分喜爱话剧的。

顾一樵先生戏剧选，共有四个剧本：《荆轲》、《苏武》、《岳飞》和《白娘娘》。[1]这些都是重大题材，自然很不容易写。可惜，除了《岳飞》，其他三个都未拜读，也就说不出什么来。

顾先生是科学家，当过教授，做过官，当时是教育部次长。在业余之暇，想到写剧本，提倡话剧，确实值得赞许的。早期，他还写长篇小说《芝兰与茉莉》，似乎讲一段爱情故事。前两天，他由美寄给我一本他写的旧体词集，顾先生确是一位多才多能的老一代的作家了。

顾先生托我写序，我写得这样简略。我与他相识有半个世纪了，相处时间不多。一个人有多少精神回忆从前的事，何况我的记忆力从来很不好。

序写了，我祝他在美国退休生活健康、愉快。

1988年11月于北京

---

1 请曹禺先生作序时，原说只收四个剧本，以后增收另四个剧本，共是八剧。——底本注。

水木清华

写《雷雨》，大约从我十九岁在天津南开大学时动了这个心思。我已经演了几年话剧，同时改编戏，导演戏。接触不少中国和外国的好戏，虽然开拓了我的眼界，丰富了一些舞台实践和作剧经验，但我的心像在一片渺无人烟的沙漠里，豪雨狂落几阵，都立刻渗透干尽，又干亢燠闷起来，我不知怎样往前迈出艰难的步子。

我开始日夜摸索，醒着和梦着，像是眺望时有时无的幻影。好长的时光啊！猛孤丁地眼前居然从石岩缝里生出一棵葱绿的嫩芽——我要写戏。

我觉得这是我一生的道路。在我个人光怪陆离的境遇中，我看见过、听到过多少使我思考的人物和世态。无法无天的魔鬼使我愤怒，满腹冤仇的不幸者使我同情，使我流下痛心的眼泪。我有无数的人像

【题注】收录田本相著《曹禺传》，北京十月文艺出版社1988年第1版。该书引用本文前说明："关于《雷雨》的写作，曹禺曾回答了不少人的访问，也曾写过不少文章。他曾把一篇未曾发表的手稿寄给我'作为纪念'，比较详细地记述了他创作《雷雨》的过程。"

要刻画，不少罪状要诉说。我才明白我正浮沉在无边惨痛的人海里，我要攀上高山之巅，仔仔细细地望穿、判断这些叫作“人”的东西是美是丑，究竟有怎样复杂的个性和灵魂。

从下种结成果实，大约有五年，这段写作的时光是在我的母校——永远使我怀念的清华大学度过的。我写了许多种人物的小传，其数量远不止《雷雨》中的八个人。记不清修改了多少遍，这些残篇断简堆满了床下。到了1932年，我在清华大学三年级的时候，这部戏才成了一个比较成形的样子。

我怀念清华大学的图书馆，时常在我怎么想都是一片糊涂账的时候，感谢一位姓金的管理员，允许我进书库随意浏览看不尽的书籍和画册。我逐渐把人物的性格和语言的特有风味揣摩清楚。我感谢“水木清华”这美妙无比的大花园里的花花草草。在想到头痛欲裂的时刻，我走出图书馆才觉出春风、杨柳、浅溪、白石、水波上浮荡的黄嘴雏鸭，感到韶华青春，自由的气息迎面而来。奇怪，有时写得太舒畅了，又要跑出图书馆，爬上不远的土坡，在清凉的绿草上躺着，呆望着蓝天白云，一回头又张望着暮霭中忽紫忽青忽而粉红的远山石塔，在迷雾中消失。我像个在比赛前的运动员，那样的兴奋，从清晨钻进图书馆，坐在杂志室一个固定的位置上，一直写到夜晚10时闭馆的时刻，才怏怏走出。夏风吹拂柳条唰唰地抚摸着我的脸，酷暑的蝉声聒噪个不停，我一点觉不出，人像是沉浸在《雷雨》里。我奔到体育馆草地上的喷泉，喝足了玉泉山引来的泉水，才觉察这一天没有喝水。

终于在暑期毕业前写成了。我心中充满了劳作的幸福。我并不想发表。完成了五年的计划便是最大的奖励。我没有料到后来居然巴金同志读了，发表在1934年的《文学季刊》上。

写《雷雨》的这段历程是艰苦的，可也充分享受了创作的愉快。

市第五次文代会开幕词

各位代表、各位来宾：

北京市文学艺术界第五次代表大会现在开幕。此际正值元旦过后，春节即将来临，在这种喜庆的气氛中，我们欢聚一堂，共商繁荣北京市社会主义文艺和文联体制改革等大事，倍添欣悦之情。但是，在这个时候，我们也不能不怀念已经去世的、曾经为北京市文艺事业做出突出贡献的第四届文联理事肖军、王力、曹靖华、杨晦、黄药眠、朱光潜、王雪涛、赵枫川、李瑞年、李桂云、石联星、薛恩厚、侯永奎、杨小亭、袁柯复、曹宝禄、良小楼、杨士惠等同志。我提议，全体起立，对他们表示深切的哀悼！

屈指算来，我们这次大会距上次代表大会已将近九年。这期间，我们的国家发生了巨大的变化，党中央在对我们民族的命运作出了改革开放的划时代决策后，又在十三届三中全会上确定了今明两年的任务，使我们国家在全面深化改革的道路上，又向前迈进了重要的一

【题注】载1989年1月30日《人民日报》。

步。改革开放给我们各项事业带来的生机和活力，社会主义现代化建设在新时期取得的伟大胜利，有目共睹，举世皆知。这一振奋人心的壮举，也给文学艺术以极大的鼓舞和推动。我们北京市的文艺事业，在市委、市政府的亲切关怀领导下，坚持党的基本路线，坚持一个中心、两个基本点，沐浴着改革开放的春风，蓬勃发展，欣欣向荣。广大作家、艺术家和文艺工作者，从“左”的桎梏中摆脱出来，以焕然一新的精神面貌，喷涌而出的才智和激情，在广阔的文艺田野上奋力耕作，不辞辛劳，获得了异常丰硕的成果。几年来，不论在精神产品的创造方面，在人才的造就、成长方面，还是在队伍的发展壮大方面，都出现了前所未有的景观。广大文艺工作者付出的心血和汗水，他们富有创造性和卓有成效的劳动，为满足人民群众多方面、多层次的文化需求，为繁荣、发展社会主义文艺，为建设社会主义精神文明，做出了积极、可贵的贡献，在群众中赢得了声誉，在首都人民面前树立了自身的形象。我们的人民需要文艺，我们的文艺应该有益于人民的事业。在过去的八年中，我们以高度的社会责任感和艰苦卓绝的劳动，创作了许多形式优美、内容充实的好作品，奉献了许多声情并茂、技艺精湛的好节目，取得了显著的成绩。但是，我们没有任何理由可以松懈。这不仅因为社会主义文艺本来就负有光荣和崇高的使命，还因为今天，我们的国家正处在经济、政治、文化和社会生活急剧变革的重要历史时期，我们的人民需要强大的意志凝聚力和精神推动力，党对文艺也提出了新的要求。贯彻十三大提出的党在社会主义初级阶段的基本路线，坚持一个中心、两个基本点，振奋精神，悉心创造、刻意追求，是摆在全体文艺工作者面前的重要课题。所以，我们必须坚持不懈，加倍努力。我们这次大会的主要任务，正是要学习、贯彻中央关于文艺工作的指示精神，总结八年来北京市的文艺工作，修改会章，进一步深化文联体制的改革，推举产生新的领导机构，争取北京市文学艺术的更大繁荣。

改革，是时代向我们提出的要求。文艺也不能例外。北京市文联体制的改革，必须有利于文艺生产力的解放，有利于创作的繁荣和发展。要实现这个愿望，首先就必须用改革的精神加强文联领导机构和领导班子的建设。由于多方面的原因，以往文联的领导机构——理事会是作为荣誉机构而设置的，参加领导班子的理事，也多半作为荣誉职务来安排，这在一定的历史时期是必要的，是有功绩的。但是今天，改革正在不断深入，我们面临着新的形势和任务，文联的领导机构和领导班子如果还像以往那样，仍然只是一种荣誉机构和荣誉职务，恐怕就无法适应时代的要求了。因此，我们应该认真地考虑这个问题，大胆地进行改革，依据党的十三大提出的“使各种群众团体能够按照各自的特点，独立自主地开展工作”的指导思想，以干部“四化”条件为标准，体现文联团体会员制的特点，按老、中、青相结合的原则进行组建，使文联理事会真正成为一个人员精干，有议事能力，能主持实际工作，充满生机和活力的领导机构和领导班子。当然，文联体制的改革不只是这一项，其他方面也应该深入进行，但相比之下，以改革的精神组建新的领导机构和领导班子，是北京市文联的当务之急，是这次代表大会要解决的一个重要课题。

各位代表、各位来宾：当我们满怀信心地跨进一九八九年时，也就迎来了中华人民共和国成立四十周年和北京和平解放四十周年。几十年来，我们的国家走过了曲折的路程，我们北京市的文艺工作者，始终跟随着党和人民一同前进，并在社会主义革命和社会主义建设的各个历史阶段，做出了自己应有的努力。我想，在这个时候，我们一定又都会想起已故的北京市文联第一任主席老舍先生，感谢他为北京市文艺事业所做出的杰出贡献。历史证明，我们北京市文艺队伍，是一支有力量、有作为、值得信赖的好队伍。现在，我们的国家又处在一个严峻的历史关头，我们民族的命运正面临着历史性的选择，新与旧、正与邪、神奇与腐朽在进行着激烈的搏斗。这既为文艺创作提供了最广阔的天地、最丰富的源泉，也是对我们这支队伍的一次严格的检验。我们一定要发扬北京市文艺工作者与人民共患难、同战斗的光荣传统，积极投身于改革开放和现代化建设的伟大洪流，百倍地焕发革命热情，勇敢地担负起时代赋予我们的光荣和崇高的使命，创作出更多的艺术精品，迎接建国四十周年，鼓舞人民奋勇前进，在伟大的历史变革中创建更加辉煌的功勋。我相信，这次大会将使我们更加团结一致，将给我们以巨大的鼓舞，并将激励我们以改革的精神去繁荣北京市的文学艺术，开创北京市文艺事业的新篇章！

预祝大会圆满成功！

祝　辞

由文化部、中国戏剧家协会、中国少数民族戏剧学会联合举办的“第二届全国少数民族题材戏剧剧本评奖”，有5部剧作获金奖，20部剧作获银奖，50部剧作获团结奖，显示了我国少数民族题材的戏剧创作，又取得了蔚为大观的优异成绩！

我国55个少数民族，是中华民族大家庭中亲密的兄弟姐妹；少数民族戏剧，是我国社会主义戏剧的重要组成部分。十一届三中全会以后，少数民族的戏剧事业得到空前的发展。少数民族的戏剧家们在党的民族政策和文艺方针的指引下，和汉族的戏剧家们亲密合作、团结奋进，共同建设着我国社会主义的多民族的精神文明，取得了显著的成就！我谨代表中国戏剧家协会，向各省、市、自治区关心和扶植少数民族题材戏剧创作的领导同志，向本届全体获奖作者，表示真诚的感谢和热烈的祝贺！

希望我国少数民族题材的戏剧，为促进民族团结、实现祖国统

【题注】载《民族艺术》1989年第4期。署“中国戏剧家协会主席 曹禺”。

一、建设精神文明、弘扬民族文化、进一步发展和繁荣我国社会主义的戏剧艺术，创作出更加灿烂辉煌的作品！

孩子要会玩

我刚从西安回来。这次在西安参观了兵马俑、法门寺，感到我们的祖先是很伟大的。我现在常考虑这样一个问题，就是2000年后的我们，如何去努力表现我们伟大民族的精神。

我已是年近八旬的人了。我有一句格言，就是活一天不浪费一天。我总努力写些东西，但我的身体不行，心脏病、高血压。加上各种会议、信访，能安心坐下来写作的时间就很少。

我对中国的青年一代一向是很有信心的。他们年轻有为、风华正茂，是有希望的一代。而教师之所以伟大，就因为他们从事的是造就时代人物的工作。我们现在的教师、父母都很爱孩子，这是很正常的事。但要爱得得当。中学时代正是长知识长身体的时候，要让他们全面发展，要给他们以适当的时间玩耍、娱乐、休息。对他们空前的创造力也要注意。我们的孩子们是有极大的潜在的创造力的。但无论他们今后干什么工作，都要从小打好基础，这包括品德、身体、学习等

【题注】载《语文学习》1989年第9期。文末附注“周忠麟根据谈话整理”。

多方面的基础。学习不能被迫。不要培养他们去追分数。即使每门功课都是100分也不见得以后都有成就。这些都是过去教育中注意不够的。要劝学生好好学习，硬逼是不行的。要培养他们敢于说话，敢于表现自己。现在是大竞争的时代，这一点也要告诉孩子们。不竞争就落后，也丢掉了今后真正为人民服务的机会。我们的年轻一代是中国将来的爱因斯坦，他们的小脑袋是代表中国甚至全世界的力量的。所以老师的责任很重大。我希望各地管财政的同志一定要对老师的工资、房子等多做些努力。这光靠党中央的号召是不够的，还要靠各地有钱的老百姓捐款、集资。学生是中国将来的希望，教师也是中国富强的希望。

学生的学业中，语文学习是很重要的。一个人有思想不会表达，有创造力不能发挥，这是很大的不幸。而要表达发挥则要靠语文，要多读多讲。天下没有太笨的孩子，倒是那些不好的制度和简单粗暴的教育方法窒息了他们、把他们逼成了机器人。必须提醒大家，“421”综合征（指祖辈四人，父辈二人宠着一个独生子女）是会害孩子的，对孩子不能不管，也不能怂恿。孩子要会玩，玩很重要，不要不玩。读死书不行。孩子顽皮是好的，这不是贬义词，顽皮的孩子有创造性。善意的顽皮是好的。要让我们的下一代真有觉悟，不重教育不行。中国可以出有钱的孩子，但不能出贵族的孩子。这就需要教育。日本人之所以成功，就是因为他们在明治维新以后，规定不接受教育就要受惩罚：这一点，大家在电视剧《阿信》中也可以了解一些。中国的将来在孩子们身上，我们要给他们以快乐的天地，又要给他们以教育。要使他们对各种知识都感到兴趣，给他们创造些学文学、音乐、画画的机会。

说到我的作品《雷雨》，有人争论周朴园在与侍萍重逢前，保留了屋内的一些陈设，这种感情是真还是假。其实一个人好也不会好到底，坏也不会坏到底。英雄生下来也不就是英雄。周朴园的头脑让封建思想占了统治地位。对这些，只要让学生明白旧社会非推翻不可，其余的则让他们自己去看、自己去想。我说不必花很多的精力去争论这个问题。

我是潜江人

多少年来，我像是一个没有故乡的人，我走过不少地方，没有一处使我感到这是我的故乡，是我的父母之邦。我像是一只南来北往的飞鸟，山山水水，高山平原，我认识许多人，听过许多熟悉的和不熟悉的声音，但没有一处使我感到如此亲切，如此动心。像“潜江人”这三个字，使我从心里觉得温暖明亮。人问我：“你贵处哪里？”我答“潜江”。我从来没有到过潜江，但是，近八十年了，我认为我是潜江人，这种贴心的情感不知怎样造成的。我爱潜江，这不是模模糊糊的两个字，像是其中有血与肉的联系。大约是从我婴孩时，父母的声音笑貌、我吃的家乡带来的食物，或者家庭中那种潜江空气，使我从小到大感觉自己是个地地道道的潜江人。“月是故乡明”，我真觉得潜江的月亮会比哪个地方的都圆，都亮。这种乡土的情感也许有点偏执，但我认为中国人的爱国思想有一个原因是从乡土来的。一出国门，人

【题注】载1989年11月19日《光明日报》。文末“注：该文是曹禺先生为‘曹禺著作陈列馆’落成典礼所写。”。

家问我，先生从何处来，我便答：我是中国人。

我病了一年多，一天也不能出医院，这次潜江开一个这样隆重的会，我确实不能参加。我只感到，我工作一生，成绩不多，不能令人满意，只有因潜江故乡人的深情才办得这样光彩。老实说，我作为一个文艺工作者不值得我的众多老乡和许多朋友如此看重的。我打心里感谢潜江父老、家乡的领导和各位专家学者。

我是十分感谢的。

一九八九年十一月一日

于北京医院

（《导演艺术民族化求索集》）序

村彬同志是我半个世纪以上的老朋友，他从事话剧事业几十年，无时无刻不在孜孜不倦地写作、导演、教育，领导戏剧团体以及各种进步活动。

他是极有才能的剧作家，他写《清宫外史》三部曲，举世轰动，影响后代，是中国话剧站得住的好剧本。在这以前，他写过许多剧本，以后，也在写。有才华，大有成就的戏剧家在今天确是很多的，但有了相当的功绩，依然勤勤恳恳、朴朴实实地待人接物，自己从不以功业自负，还是很难做到的。

村彬就是这样一位实实在在，从不夸夸其谈的人。在他面前，不由地也变得平易，古话说“春风化雨”，他就是这样给人以阳春之感觉的朋友。

村彬是很有名的导演，他导演的话剧大都充实、饱满、生动。戏

【题注】据杨村彬著《导演艺术民族化求索集》所载排印，中国戏剧出版社1991年第1版。原题《序（一）》。

剧艺术园地他涉猎的也广，京剧、舞剧、昆曲的名家都请他指导过。他总是乐于以他的艺术功夫在戏剧舞台上得以发挥。同时也从中国固有的传统艺术中丰富、提高自己的境界。

现在，村彬的艺术生命在他的书中延续着，这真是使我感到欣慰的事情。

1990年4月20日

不朽的事业　伟大的人生

——贺《金乃千的艺术生活》出版

我住院期间常常在挂念一个人，就是金乃千同志。金乃千是一个非常热情的艺术家。他多才多艺——能写诗，会画画，能朗颂，能写很多好文章，当然，最好的是他的表演。他演的毛主席、屈原我看过，是非常富有创造力的表演，他的造诣很深。

在金乃千参加首次建立中山站南极考察队之前，曾到医院来看我，让我写几个字给他，我就写了几个字。我觉得，这是个非常了不起的事情，为了人类的和平事业，为了祖国的科学事业，他表现了奉献精神，奉献了自己的全身。当时，我想他回来以后我再仔细听他讲讲他们在南极的种种经历和活动。

后来，我不断听到他的消息，他在南极做了许许多多令人敬佩的、勇敢的事情。他不畏艰险，不怕死，不怕累，经常以自己的乐观精神感染大家，使大家更乐观地生活。同时，他也跟南极人，跟那许

【题注】载1990年8月4日《文艺报》。

多了不起的南极同志学习，所以他的艺术家的品质也跟着提高了。一个人活着，尤其是一位艺术家，活着要有干劲，活着要有童心，这是个很可贵的品质。他写了很多很多的诗，我也看了，有些诗写得真好，鼓励人上进、乐观，而且深深地藏着一种爱祖国、爱真理的精神。这也是我们所有的中国的艺术家、戏剧家都应该向他学习的。

原来我想，等他回来可以做报告的，没想到这样一个可爱的人会病倒，不幸去世，为了科学事业献身。我听了之后很难过，我真想不到这么一个可爱的人，一个有更大前途的人会死去。这真是“壮士一去兮，不复还”！这真是一个为科学事业、为艺术事业而献身的壮士啊。可以做楷模来学习的壮士。所以他不只是艺术家，还是一个爱祖国、爱人类和平事业的人。

我记得金乃千死后，他的夫人唐爱梅副教授曾让我写几个字，我想不出来很合适的字，就写了“不朽的事业，伟大的人生！”这十个字，也可以说是金乃千的精神沉浸在这十个字中。金乃千参加了各种艺术活动，又参加了南极考察的伟大实践，是不朽的。一个人可以忘记自己的各种艺术前途，把自己的一生奉献给人类的科学实践，这难道不是不朽吗？不是伟大吗？所以我觉得一个人哪，完全做到了“人”这个字很难。艺术家最主要的是先做个真正的“人”。因为人生很短，你可以活一百岁，糊里糊涂地一百年过去了；也可以只活五十岁、三十岁，却奉献了自己极其伟大的精神，奉献给自己的同胞、自己的祖国，甚至于全世界的人类，这就是“人”。所以我们觉得金乃千的一生是值得我们羡慕的，他值得我们敬重，值得我们学习，而他更主要的一部分是他的艺术生活，因为他的一辈子都过的是艺术家的生活，而且是个很好、很深刻、很热情、很有贡献的艺术家。因此，当这本书——《金乃千的艺术生活》，由他的夫人唐爱梅副教授还有他的学生王鹏搏同志一块儿编辑出版之后，我非常高兴。这本书把金乃千生前的事迹，把他所写的文稿、日记、诗篇集中起来，把他在南极的惊涛骇浪、冰天雪地中写的诗歌，还有雕刻都记录下来，印发出版了给大家看，我非常高兴！唐爱梅和王鹏搏他们一片童心，一片欢乐的气氛，还是一往直前的奋斗精神，我真是太高兴了，高兴的不只是这本书的出版，而是我看到他的爱人、学生都有这样可敬、可爱，这样无私的精神，按照他的脚步贡献出了自己的力量，这一点也是应该学习的。

话是说不完的，因为金乃千给我的印象太深了。我想还是把哀悼他的话说一说：“不朽的人生，伟大的事业！”或者：“伟大的人生，不朽的事业！”

金乃千同志永垂不朽！

我的祝贺

中央戏剧学院建院40周年，这是个十分值得庆贺的日子。

我住医院两年，每次有戏剧学院的同志来医院看望我，我就感到一阵新鲜的青春的气息，离我近了。我仿佛看见一张张年轻的面孔，美丽的面孔，像花儿一样开放着，还有哺育着花朵的园丁，我们学院的老师们……我会想起往日的种种情景。

记得往年，学生开学和毕业时，我都到学校去讲几句话。我会把自己内心的感受、憧憬向同学们说出来，于是我便觉得自己的生命在延续，一切都充满了希望。常常，只要是学院排出的戏，或者是小品，我都非常爱看，因为每一次都能切实地看到艺术之花是怎样地在一个人的心里成熟、完美起来。这真让人从心底里感到欣喜。每次看完演出，我又要讲话，往往因为兴奋而讲得太多太长……所有这些，都是令我怀念的时光。

现在我因为身体有病不能参加学院40周年的院庆。但是我的心、

【题注】载1990年10月23日《人民日报》。

我的情感是到了学院的，到了我们新建的现代化的小剧场，到了四面被楼围着的小操场，到了我40来岁时就建造起来的老灰楼……

我要说，我热爱中央戏剧学院，我为它感到骄傲。在我们祖国的首都——北京，在北京的棉花胡同里的这块地方，曾经和正在升起一颗颗明亮的星，在中国戏剧舞台上闪光。我，我们，戏剧学院的全体教职员工，都因此而被照亮。

我衷心地庆贺中央戏剧学院40周年院庆。

我的希望

——在全国青年业余文艺创作者会议开幕式上的书面发言

党的十一届三中全会以后，在刊物、影视、舞台上以及艺术展览中涌现出了一批青年人的名字。最近一两年来，贯彻中央“一手抓整顿、一手抓繁荣”的方针，为社会主义服务、为人民服务的主旋律更加响亮，在各门类文艺创作中又有一些青年同志崭露头角。看到一些好作品问世，我感到很兴奋。在“八五”计划第一年的春天，在举国上下为实现第二步战略目标而努力奋斗的伟大时刻，在党中央的关怀下，召开这个会议，我认为十分必要。十年树木，百年树人。这次会议实际上也是为来自工农兵各行各业的青年业余文艺创造者举办的一个短训班。你们这一代青年人，将是跨世纪的主人。正因为如此，这次会议便具有了特殊的深远的意义。

你们一直没有离开工作岗位，有的在农村当过农民，在工厂当过工人，在部队当过战士，在机关当过干部或领导。根扎生活沃土，跟

【题注】载1991年3月8日《光明日报》。

人民群众保持密切联系是你们最大的优点。有的在沸腾的生活中遇到矛盾，解决矛盾；有的看到了矛盾产生、发展、解决的全过程，感到或是看见了是与非的冲突，有了一种不可遏止的创作欲望，要为人民说出心里话来，这是十分可贵的。我从来都认为，有了真情实感才能出好的作品。但是要成为一个无愧于时代文艺家则需要不断地学习。大家都爱看三国的戏，诸葛亮有句名言："才须学也，非学无以广才。"说明才干来自学习，不学习就不能增长才干。学习什么呢？首先仍然是向生活学习。我们身边有许多普通人，看起来做着平凡的工作，心里却充满了忘我的精神。他们爱祖国、爱人民、爱社会主义，做了许多有意义的事。他们是让祖国站起来、富起来的基本力量，他们是伟大的。在生活中有多少人就有多少不同的身世、心理，不同的精神面貌。我们要看到各种各样的心灵。要不怕艰难，探索他们的灵魂深处，高贵的以及龌龊的。这样，才能有声有色地写出那些埋头苦干的英雄，才能真实地反映出我们所生活的时代，反映出在和平建设的环境中，人民所进行的艰苦的改革和斗争。

再就是向书本学习。读书破万卷，下笔如有神。无论是小说、戏剧、历史、哲学、政治都有我们非读不可的书。这些书会开阔我们的眼界，使我们分清楚是与非、分清楚高贵与鄙贱。使我们知道人能改造自然，改造环境，改造世界；使我们勇敢起来向前奋斗。学习书本要联系实际、融会贯通，才能卓有成效。

我很高兴有一批从事文艺评论的同志出席这次会议，文艺评论对促进文艺的发展是非常重要的。优秀的评论家，会对一代甚至几代文学艺术的发展都产生影响。因此，更需要下大力气来培养。我认为，评论家需要比作家和艺术家具有更多的学识，更高的马克思主义和毛泽东思想的修养。他要站得更高，看得更远。就像鲁迅先生那样，他对《八月的乡村》《二月》的评论多么了不起！观点鲜明，褒贬得当。几十年过去了，仍然站得住脚。在我开始写作时，巴金同志曾给予我热情的鼓励和帮助。六十年代初，茅盾、叶圣陶同志对我的剧本《胆剑篇》提出过非常坦率而又是很有见地的意见，对于我是永远难忘的。

评论家要充分理解作家的甘苦，以平等的态度，诚恳地称赞作品之所得，批评作品之所失，要有学识有胆识，敢讲真话。记得鲁迅先生曾经说过："要像热烈地主张所是一样，热烈地攻击着所非。"这"热烈"二字实在说得好。当年果戈里因发表《死魂灵》而遭到沙皇御用文人的攻击时，只有别林斯基坚决地站出来，对果戈里的文学现实主义给以最热情的肯定和支持。但是，当果戈里晚年发表《与友人书简选》向沙皇忏悔，公开主张不要废除农奴制时，别林斯基则发表《给果戈里的一封信》，严厉批判了果戈里的反动立场，旗帜非常鲜明。列宁曾指出，别林斯基这封信是"优秀作品，直到今天它仍具有巨大的生活的意义"。别林斯基的这种评论态度是值得我们学习的。无论搞创作还是搞评论都是艰苦的，十年磨一剑，没有什么捷径可走。天才就是勤奋，这是天经地义的真理。这次"青创会"是一次很难得的学习机会，大会安排了不少重要的讲话和报告，还有知名的作家艺术家谈创作体会和经验，希望青年朋友们一定要珍惜这次的学习机会，多多吸取有益的东西。

最近，党中央召开了十三届七中全会，会议充分肯定了党的十一届三中全会以来的路线、方针、政策，充分肯定了十三届四中全会以来各项工作的显著成绩，提出了九十年代的宏伟战略目标。制订了国民经济和社会发展的十年规划和“八五”计划。我们要认真学习七中全会文件，坚决贯彻七中全会精神。要紧密团结，扎实工作，更加贴近群众、贴近生活、贴近实际，大胆探索，勇于创新，向人民群众提供更多健康有益的喜闻乐见的精神产品。要努力塑造社会主义新人和社会主义建设的创造者形象，起到教育人民坚定社会主义信念，团结和鼓舞人民为实现社会主义现代化建设的宏伟目标而奋斗的作用。这个重担的一部分，正放在你们的肩上。我们老一辈人终究是要过去的，我们的希望、人民的希望寄托在你们身上。

青年朋友们，我完全相信，你们一定会创作出无愧于伟大祖国的好作品来。

他是一个真正的戏剧家

我对洪老是很钦佩的，但我始终没有认真地向洪老学习，没有认真地、仔细地看一看洪老是如何为人的，如何走过一个人的人生道路。洪老一生向帝国主义、向封建思想、向封建社会、向那个时候白区的种种恶势力做斗争，向贫困做斗争，从事戏剧电影工作，最后做对外文化交流工作，他处处都是我一个后辈应该学习的。我觉得，他是一个真正的戏剧家，真正的人。

会前，我对彦祥同志说："你是洪老亲手教过的学生，直接受过他的教育；我是他的间接学生，老话叫私淑弟子。"洪老比我大16岁。最使我受教育的是我十几岁时，洪老在上海大光明影院起来抗议帝国主义辱华电影。这是振奋人心的事件。大光明影院位于租界，洪老作为中国一个爱国的戏剧工作者，向好莱坞那庞大的电影业迎头一击，让他们听到了中国人的声音，知道了中国人是怎样的。当时我的第一个感觉是：这是中国的民族英雄。像这样在租界内帝国主义租界势力那

【题注】收录《洪深——回忆洪深专辑》，中国文史出版社1991年第1版。

么雄厚、那么猖狂的情况下取得了胜利，表现了我们中华民族的气节。

此外，他翻译的王尔德的《少奶奶的扇子》，翻译之好，根本不是翻译，是改编了。我读了好几遍，那对话，文字的修辞，实在是好。《少奶奶的扇子》剧本教给我怎样写戏。

在四川江安时，洪老也被请到剧专任教。当时洪老胃病很厉害，痛得要命，但他仍坚持并很认真地上课，讲义写得清清楚楚，一字不苟。尽管那段时间不长，但那时候我亲自受到了洪老的教育。我觉得那是我很幸福的一段时间，因为我们从他那里不只是学习戏剧、学知识，还学习了如何从事戏剧教育。

他的书全部都捐献给了长期任教的复旦大学，自己完全是两袖清风。搞戏剧的人虽然也有这样清贫的，但像他那样一辈子一个钱都没有，完全为了戏剧事业，是我们永远学不完的。

洪老是位学识渊博的人。我有时偶尔向他请教，他不仅什么都教给我，而且一谈就将他所知都要告诉我。从他的剧本中，我学习到不少东西。所以，我觉得在今天这样好的条件下纪念他，首先应该把洪深先生的全集编印出来。现在对洪深先生的学术研究很多，据我所知，外国已经不少，美国、欧洲都有。

我想到昨天会上常青真师母讲的洪深先生在弥留之际所说要再活50年的话。是呀，为什么不能再活50年?！可是疾病把他从我们身边夺去了。但他的热爱共产党、热爱祖国、热爱人民的感情是感人的，也是对我们的教育。

我们能在“十年浩劫”后活下来的人，应该学习洪深先生的为人，学习他如何做人，学习他爱国、爱人民，从事戏剧工作，而且党指向哪就干到哪，毫不吝惜自己的精神，甚至自己的生命都不吝惜，当他已得知自己身患癌症时，还去开会、演戏。

这都是感人的，值得我们学习。

雪　松

天气好极了。

这些日子天上忽风忽雨，继而沉闷阴霾的面孔一直不散，我的周围的人总是不声不响，仿佛要为我办最后的告别。我回忆我这一辈子，都感染这种阴郁的调子。

其实，我这个人是极为欢乐的，我笑起来总是开怀畅笑，有时一连串讲起往事，也是找最愉快的事情讲。因为痛苦煎熬的感觉太重了，扣住全身，像一口巨钟，我吐不出一口气来，我真要纵身举起这口钟，再不能惶惑下去，沉闷下去。

像在梦中，我突然有了挟东山、超北海的力量，一蹬一抬，就把这不能用数量计算的沉重的巨钟抛在大海洋里。比任何霹雳都震耳的一声巨响，激起的浪涛，像千百条鲸鱼喷出的冲天水柱那样光亮、辉煌、灿烂。自从盘古开天地，哪一个能见过如此使人震惧，使人生出无限希望、无限光明的境界啊！一切先知在混沌世界中说出的什么极

【题注】载《收获》1991年第6期。

乐世界不正是如此么？

我惊醒了。睁开眼，窗外满是阳光。仿佛梦里治好我的病，我周身清爽。卧了三年，吃药、打针，一天多少次，有人说这是不能治好的病。然而我却好了。我告诉我的老伴：一定要起来，天气好极了，阳光洒满了世界。

她推我出了楼，我感觉我不是坐在轮椅上，而是轻捷、美妙地步出这个楼。我想笑，甚至想笑出声来。我沐浴在阳光里。

我坐在雪松下一条长长的旧条凳上。雪松铺满了一层层白雪，细细的松针，洒满了雪珠。亮光在松针上颤抖。一阵细细的凉风吹来，落在我颈上是凉凉的雪粒。我多么喜爱这洁净纯朴的白雪。雪化开我的郁热，散发我的沉闷。我忘记了三年来的病痛，我要在雪地上走出我的脚印。我要用我心头的热来偎暖那些已经逝去的朋友们，使我心痛的亲人们。难道白天我也在做梦吗？

静极了，远远有两个孩子跳跃着走出院门，后面跟着一个母亲似的女人。我的老伴默默凝视她们。远处有铁锤砸下木桩的声音，清脆、响亮。

眼前有一朵花，这自然不是老伴，因为她同我一样都上了年纪了。这朵花是美的，真美，一点也不假。它亭亭玉立，细看看，不是孤单单的一个，而是六七朵，每朵五瓣，浓紫色的花心，花瓣渐渐化淡，成为青莲色的了。它微微摇荡，使人心醉。它不香，却很好看，很经看。这花是老伴从泥土地里挖来，放在走廊的花盆里，为了陪伴我，也为了陪伴她。

它深入我的心，以朴实美丽的魂魄，浮动在我眼前。就是它，我知道它的本性，不俟凋落又一朵新花开出来。它花开长达六七个月，几乎经常地这样怒放，不吝惜自己的色彩。它在土地上大片大片地生长着。它有个名儿，叫“玻璃翠”。

我在雪松下面揣摩这个花，希望想出一个更美或有点曲折、有点雅气的名字。想了多时，什么名字都不如它原来的名儿“玻璃翠”好。我才明白，我是多么俗气。这“玻璃翠”是那么潇洒、自得，对任何欺凌，任何风吹雨打都不怕，带着多深沉的土性儿啊！

这平凡而又神仙般的花，却使我想起“爱丽儿”（Ariel），莎士比亚的《暴风雨》中，那个缥缈的精灵，压在松树的裂缝里熬过十二年痛苦的岁月，被老人普罗斯彼罗（Prospero）解脱出来。这个温柔善良的精灵，无所不能，滚火，降水，腾云驾雾，凡是老主人的吩咐她立刻办到。刹那间使暴风雨中的海船猛然烧起弥天大火，船上的人们落在汹涌的波涛里呼号救命。可一眨眼她却把王子、篡位者、水手们吹灰似的全搬到岛上。衣服不沾一滴水，比往日更新更整洁，个个都在柔软的沙滩上香香地睡着了。她来去无影，一呼便至，一动便成，为善良的老主人解决了恩怨，为老主人的小女儿米兰达（Miranda）安排婚姻。

我认为莎士比亚笔下的精灵们，以爱丽儿最可爱，最像人。爱丽儿为主人效忠，施展百般千般的能耐，待功德圆满，她向主人要求，实现以前立下的诺言——恢复她原来的自己。老人怍然应允。爱丽儿重新回到她自己的天地。这与我们的孙悟空大不一样，他保唐三藏西天取经，历经九九八十一难，终于到了西天，后来在一片慈祥、圣洁的氤氲里，他成了正果，被封为“斗战胜佛”，慈眉善目地坐在那里，不再想花果山，不再想原来的猴身。这与爱丽儿的终身的向往，就不同了。

我坐在雪松下长凳上沉思。

雪松，据说是在喜马拉雅山高在三千公尺的云雾中生长，那里是一片白茫茫的森林；移植到这里依然生气旺盛，冬耐寒，夏耐热。在酷暑中，这里的雪松遮挡逼人的火热，铺下一片阴凉。我就在它的树荫下，享受绿色的安宁，思绪静静流动。

在这三年的病痛里，我回忆起平生所遇见的许多人，这些人我与老伴儿谈起来，有时不禁很难过。他们就像眼前的雪松一样，或者说，他们就是雪松。这雪松，劲直高昂，不屈不狂，经得住世情的冷热，平实而奋发，充溢不懈不止的生命。

雪松，是我在梦寐中不能忘记的精诚。

写到这里，我收到巴金的复信，他说：

> ……我只有继续写作，工作使我疲劳，但也使我精神振奋。我一天就靠动脑筋才活下去。我不曾做到完全搁笔，就得讲真话，还要写文章，而且还要得罪人。……
>
> 小林夫妇和他们的女儿这次都见到你，还给我带来你的近照。他们说你身体好多了。我羡慕他们，你和他们谈得多高兴。小林要你为《收获》写篇短文，我看你一定办得到。几百字到两千字，都可以，分几天写，不必放在心上，也不要勉强，更不要紧张。文章能写成，可以加强你的信心。

你说得多实在啊，我的老哥哥！你又在推动我，激励我，又体贴我，我管不住地流下眼泪。

清晨小林从上海打来电话："万叔叔你的稿子写了吗？能不能国庆前发稿？"

我终于写了这篇东西，散文么？随笔么？都不大像。我给老伴看，她高兴得像个孩子似的拍起手来，笑着说："多年不见你拿笔了，居然这么快写出这篇文章来。"她急急忙忙地找出信封、邮票，她是个急性子的人。"就发了吧？"她仿佛觉得这不是文章，是个小小的生命，"哎呀，连个名儿还没给他起呢！"

"就叫他雪松吧。"我说。

1991.9.28　于北京医院

《国立剧专十四年》序

国立戏剧专科学校创建于1935年，是当时的戏剧最高学府。办学十四年，培养千余学生，大多学有所成，不少人取得令人瞩目的成就，蜚声海内外。

1936年我赴剧专任教，1942年离去，前后近六年。我执教次年，抗日战争即爆发，师生在逃亡去长沙、重庆的路上，沿途演出多场抗日战争救亡的活报剧及短剧；每当船靠一地即上岸做街头演出，我敲着大锣在前面开道；一路喝遍了长江、湘江、嘉陵江、金沙江的水……这些往事，恍然如昨，每念及，心潮仍为之澎湃不已。

我怀念抗战的峥嵘岁月，更珍惜在极端恶劣的条件下，仍然坚韧地进行教、学的执著精神。剧专的学风严谨扎实、质朴无华；学生以苦学闻名，求知欲极强，确属难能可贵。

战时的生活极度艰苦，很多同学家在沦陷区，学校伙食“贷金”

【题注】载《戏剧与电影》1992年第3期。该书即《剧专十四年》，中国戏剧出版社1995年出版。

勉强够吃糙米饭，菜就很可怜了，然而箪食瓢饮愈益激发了同学爱国上进的热忱，勤奋学习，以期毕业后为抗战奉献青春。

校长余上沅先生学术思想较开明，延聘了一批进步教师，师资阵容堪称一流，且能各展所长，校长不加干预，使教学质量得以保证，学生从而受益匪浅。

当时我不过二三十岁，精力较好，不仅教书，也当导演、演员；还要写剧本及改编、翻译外国剧本……当时想的只是多为战时教育出力，毫无个人考虑。现在回顾起来，这种广泛的戏剧实践，使我吸收了丰富营养，对创作大有裨益。

后来我虽离开剧专，但与老师、同学间的友谊从未间断，一直延续至今天。在我住院期间，大家不断来看我，在此表示衷心感谢！

近些年，与港台海外的校友陆续有所联系，得悉他们大都仍干本行，并取得可喜成就，深感欣慰。

时代在进步，社会在进步，中国戏剧已开始新的里程。我们不能忘记历史，剧专在戏剧史上应有它的适当地位，本书的出版是有意义的。

关于北京人艺

1951年我正在安徽参加“土改”，突然接到中央戏剧学院的电报[1]叫我赶紧回来。回来后欧阳予倩老院长对我讲，领导上让我办一个专业的话剧院。当时我不大明白这个剧院怎么办。后来领导上决定，把中央戏剧学院话剧团和李伯钊同志领导的老北京人民艺术剧院的话剧团合在一起，成为新的北京人民艺术剧院。当时我知道的比较早，跟北京市委宣传部长廖沫沙畅谈过这个问题。接着就定好了领导人选，有焦菊隐先生、欧阳山尊同志、赵起扬同志。我们四个人有一个特点，就是都干过戏，而且都有自己对剧院的理想。还有个共同点，就

【题注】收录《北京人民艺术剧院大事记》（内部资料）1992年5月9日条下。引前说明：

“上午，电视部到北京医院对曹禺院长进行电视采访，为制作专题片《曹禺与北京人艺》之用。

老院长对这次采访非常重视，作了认真的准备，畅谈了北京人艺的历程和对今后的展望，他谈到：”

1　原书编者以括号形式随文注：那时他任中央戏剧学院副院长。

是对莫斯科艺术剧院有一定的向往[1]。因此，我们4个人就准备畅谈一次讨论一下这个剧院究竟怎么办。那时就在史家胡同56号东边跨院里，我们聚在一起，畅快地发表意见，畅谈怎么办这个剧院。

我们那时候一方面非常兴奋，一方面也感到负担很重。国家刚开国，就把一个专业话剧院交给我们办，说明领导上对我们的信任，我们只有办好，不能办坏。我们长谈了十来天。首先谈莫斯科艺术剧院，谈他们的风格、特点，有一套理论系统和管理方法，等等，我们应该借鉴他们的长处来帮助我们办今天的北京人民艺术剧院，但我们有一个共同的认识，那就是：北京人民艺术剧院是中国自己的剧院，它应有自己的特色。我们可以采取莫斯科艺术剧院的许多长处，但这里是北京，不是莫斯科，我们要办的是中国人民的艺术剧院，这一点非常重要。

那时候，我们剧院的人才很多，有从解放区来的，有从国统区来的，有的是参加过抗日战争、解放战争的。都参加过各种进步运动和革命的话剧运动，经受过战争锻炼。这些同志有一个最大的优点就是各方面的生活非常丰富，演过不少戏，有实践经验。当时这些人有40岁过一点的、30多岁的、20多岁的。这些人干劲很足，但他们的创作方法是不一致的。所以要办好剧院，首先要在创作方法上一致起来，不然的话，这个剧院就容易散了。

怎样叫作创作方法、创作思想一致呢？这就要回顾一下我们的话剧传统。从春柳社、文明戏，到“五四”以来有进步倾向的话剧——

1 “向往”底本作“响往”，当作“向往”。

有上海的戏剧活动，重庆的戏剧活动……东南西北，都有一个共同点，就是我们的话剧是跟中国时代分不开的，有时代气息，有中国民族的气息，与现实生活息息相关。和现实、和人民、和革命斗争血肉相连，这就是中国话剧的优良传统。所以，我们提倡一个创作方法，首先是现实生活很重要。要在创作方法上一致，第一点就是要深入生活。这个深入生活不是一般性的与工农兵相结合，而是根据每个戏的需要去深入生活。比如排老舍先生的《龙须沟》，导演焦菊隐先生要所有的演员都参加龙须沟的生活，与龙须沟的人们共同生活，向他们学习。所以《龙须沟》如此动人。

第二点，创作方法上要一致，就要深入地、全面地学习斯坦尼斯拉夫斯基体系，学他的艺术理论，从实践中体会斯氏体系的精华。

第三点，就是要造成中国的北京人民艺术剧院的特色，要吸收运用中国民族戏曲和各种曲艺的表演方法、表现手段，这是非常必要的。

这三条，使我们的创作方法一致起来，形成大家的共同认识。

再有就是在艺术上把住两个关：一个是剧本关。对剧本必须严格要求。我们认为，最好的剧本是能提高北京人艺艺术水平的剧本。

我们与剧作者的合作是非常融洽的。像郭沫若先生、老舍先生这样的大作家，我们的青年小伙子也敢于当面提出意见。他们二位胸怀非常宽阔，很容易接受我们的好的意见。

以后，中年一代、青年一代的剧作家我们都经常联系着。后来有了我们剧院自己的剧作家。

这些剧作家，给了我们极大的贡献，提高了北京人艺的艺术修养，使我们有了积累保留剧目的可能，现在我们就有了不少的保留剧目。一个剧院没有保留剧目是不行的，一个剧目演完了就散了，这不是办剧院的办法。所以，把住剧目这一关是非常重要的。

再一点，就是要把住演出关。一个戏排出来要由艺委会批准才能上演。艺委会包括有修养的艺术人员组成。同时，我们的导演，像焦菊隐先生，他自己把关把得也很紧很紧，不到他认为比较好的时候他是不会拿出来的。演出要质量第一，质量不行不能拿出来。

我们还采取不同的方法对演员进行个体锻炼，使他们在政治上、业务上都不断提高。

我们还逐步形成了一套规章制度，包括演出、排练、行政各个方面。

培养良好的院风也是重要的。每个导演、演员、业务人员及其他工作人员都要有艺术道德，“艺德”要好。我们在舞台上是一个绝对的合作团体。京剧有一句话叫“一颗菜”，很讲究“一颗菜”。在台上，你该怎样，他该怎样，合在一起才成为一个戏。我们对艺德非常重视。在演出的后台，规矩很严很严。我每次到后台，都有一种到了神圣之地的感觉；大家没有闲话，所有的演员都在那儿沉默，发挥自己的想像力，进入自己的角色。《茶馆》那么多人，都非常严肃、认真。

院风，就是要把剧院造成一个有文化的剧院，一个文化剧院。每个人都应该有比较好的文学修养，要读书、画画、听音乐，有丰富的艺术知识。我们有些老一辈演员，字写的很好，画的画很有点意思，他们肚子里很宽，读了不少的书。所以，谈两句话就能看出他们的味道，甚至走路也能看出来。中国人讲“书香门第”，我们不是说叫人看见像书呆子，而是要让人看到这个人有文化修养，文化素质高。我们认为这很重要。这一点应该向老一辈演员学习。

我们说40年，其实，实际上只有30年。这当中有10年“文化大革命”，一点事都没做，一点东西也没有。在这30年当中，我们比较有一点成就，但大家要防备的是不要把自己比成一个又老又大的剧院，给人家“老大”剧院的感觉，这是最不好的。40年的工夫，拿人来说是四十而不惑，刚刚懂得是和非。还必须保持谦虚谨慎的态度。

尽管我准备了一点，但究竟是40年了，我已经是82岁的人了，讲的东西究竟是有限的，我想将来会有真正研究北京人艺的人把它补充起来，另说，另写。我讲的会有许多不周到的地方，希望剧院的很多老同志、年轻同志都来给我补充。

期望有一个更美好的未来

今天，我的心情格外激动。

这么多国内外的专家学者，冒着盛暑，来北京参加我们剧院的国际研讨会，这是北京人艺建院以来的第一次，在全国也是第一次。这说明国内外的朋友们对我们的支持和爱护，我们非常感谢。

从前我和我的几个朋友，曾经梦想办一座中国式的、有自己风格的剧院，真是朝思暮想呵！只有新中国成立了，我们才实现了这个理想。40年来，风风雨雨，她成长了，壮大了，使我感到振奋的是北京人艺涌现了、造就了一批热爱话剧艺术，献身话剧艺术并且受到观众热爱的艺术家们。我对他们的献身敬业的精神，由衷地崇敬。我永远忘不了他们的劳动和创造。我特别要提到创业者之一，故去的焦菊隐先生，是他和他的同道们为北京人民艺术剧院学派奠定了基础。今天，开这个会也可以告慰焦先生。

北京人艺只有40年的历史，同世界上许多历史悠久的剧院相比

【题注】载1992年7月23日《光明日报》。

较，她很年轻，还要前进，还要发展，还要创新。我们期望她有一个更美好的未来。

我们诚恳地期待着各位专家、学者，各位朋友，多多评论，多多指点，给我们剧院更大的帮助和推动，我重重地拜托了。

我的老师

人民文学出版社邀我为他们即将出版的《世界文学名著文库》写一篇文章，我是力不胜任的。我读书不多，年纪大了，人老了，更感到“文库”中有许多书不曾读过。总仿佛，一生难得享受读书时得到的温暖、静谧和幸福。

原来，知道读书是一件并不容易的事情。

我回忆起小时候在私塾和一群孩子们念书。别的孩子都在读白话文教科书。不知是父亲还是哪位长辈的托付，老师偏挑出一本古文中也难啃的“书经”，要我随他诵读，而且要读得琅琅有声，像和尚念经那样，老师从不开讲，不说明念起来都那么别扭的文章讲的是一些什么。

也许老师自己也不大清楚，难怪我对这部线装书从心里发怵。书上摆着一堆一堆难看而且带着哭相的方块字，我像面对一面倾圮的土墙，发呆，渐渐魂入九霄。真像圣人说的，一心以为蓝蓝的天空飞来

【题注】载1992年11月30日《光明日报》。

大雁，一声声鸣叫，邀我出去玩呢。

老师生气了，举起小板子一般的戒尺，在书桌上猛敲几下。我惊醒过来，才发现我是在书房读书。

然而对着发闷而又引人发困的嗡嗡读书声，我又一次像块木头了，老师又举起戒尺敲书桌，我醒了，索性罢了工，默坐不念。这样，屡教不改，不可救药。

一天，诲人不倦的老师忽然和颜悦色，低声细语对我说："书中自有颜如玉"，我听不懂，他又说："书中自有黄金屋"，我还是不懂。我太小了，才六七岁，哪能懂得书里藏着一个美丽的姑娘，还住在黄金砌成的屋子里呢。

这自然是个笑话，它说明不引人入胜的文章，硬要人读，谁也受不了。

终于，我喜欢读书了，那是由于一些文学作品启发了我读书的兴趣。这些作品使我开始明白，生活下去要知道世界，知道社会，更要知道人。

人是光明的火炬，又是黑暗的深渊；人是多么深奥难解，又是多么鄙陋无知，人是多么复杂啊。

年轻时，我睁着惊奇的眼睛探望这光明与黑暗斗争的世界，我从文艺作品中领会宇宙的奇观——数不清的形形色色的人物。

我开始理解千万种世界深深蕴藏在这文艺的宝库里。

现在有人把这宝库的大门为我们敞开，其中有动人的故事，有色彩瑰丽的风物，确实，如我的私塾先生所说的，真有"美女"和"黄金"。

读者，请尽力争取这块天地中美女的顾盼，双手接受下比黄金还要珍贵的伟大的作品。生命是短促的，为什么不尽情地听取中外古今大师们对生命的歌唱呢！

1992年11月13日

读书，学习，丰富自己

中国戏剧家协会剧本杂志社举办创作函授中心，这是一件对社会有益的事情。汲取任何方面的文化知识，都能够提高人的素质。

我想每一个人心里都会有一种愿望，使自己和自己的生活更加丰富、充实。

从我是个少年的时候，我就非常羡慕那些有学问的人，并且尽自己的努力去学习。现在我是个八十多岁的有病的老人了，但是我仍然羡慕有学问的人。我常常感觉遗憾，遗憾自己学的东西懂的东西太少了。如果我有力气，我还是想读书，学习，丰富自己。

今天的社会给人们提供了各种各样的学习机会，我希望大家珍重自己内心学习的愿望，尽量地实现它，天地会因此变得更加开阔。

曹　禺

1993年3月

【题注】载《剧本》1993年4月号。

翰老寿终人未去，永在征途最高峰

怀着沉痛的心情，我们缅怀敬爱的阳翰笙同志，有许多说不完的话。

不久之前我读翰老的诗稿，有一首写于1985年春节的七绝，题曰《春节家宴》。算来，那年翰老已是八十三岁高龄，但他并不以为老。诗中写道："人生八十岂云老，欲上征途更险峰。"文如其人，诗言其志，这十四个字真是字字千钧，如雷贯耳，不仅是翰老一生人品和心志的写照，也可以使所有的读者，特别是像我这样也进入耄耋之年的老人弃座而起，为之一振！我不禁在心底为翰老喝彩：他是不曾老的，也是不会老的！虽然八年以后的今天他终于不幸病逝，但我们仍然相信，他是不曾老、不会老，也是不会离我们而去的。无论是过去的九十年，还是以后的九十年、九百年，他的形象、

【题注】载1993年7月5日《光明日报》，据以排印。又载《剧本》1993年7月号，题为《翰老寿终人未去，永在征途最高峰——在缅怀阳翰笙同志座谈会上的书面发言》，兹以通校（校注称"剧本本"）。按，本次座谈会于1993年6月23日在北京举行。

他的业绩、他的功德、他的精神都将永远不老，永远健在，永远在我们革命征途的最险峰处，闪烁着他不朽的光辉和价值，给人们以鼓舞和力量。

阳翰笙同志一直是我十分敬重的前辈之一，他不仅以其许多优秀的戏剧、电影、文学作品使我受到教益和影响；也以他毕生投身于中国革命工作的累累政绩使我感佩不已。应该说，翰老不仅是一位杰出的文学家、剧作家，也是一位卓越的政治家、社会活动家，德高望重的马克思主义文艺战士和中国新文艺运动与文艺界的领导人。他把革命工作和文艺创作结合的那么好，那么水乳交融、相得益彰、相辅相成，既是实干家，又是领导者；既是一员干将，又是一位帅才，这是一般人很难做到的，这也正是翰老之所以是翰老之所在。其中有许多值得我们学习、体会、研究、总结的道理与经验。

翰笙同志的为人，也与他的为文、执政一样，朴实无华，真诚执著。他于国于民可谓功德无量，却从不炫耀自己，不显山，不露水，却是水中砥柱，山上青松。我与翰老直接交往并不很多，但每次都给我留下深刻的印象，我从不感到自己面对的是一位领导，而是一个贴心知己的朋友，觉得分外的亲切与自在。正因为如此，翰老就更受到大家的尊重和爱戴，成为我们党联系、团结广大文艺工作者的纽带和桥梁。恰如他的另一首诗里所写："相识满天下，知音世不稀。"他的气度、胸怀乃至言谈举止也都为大家所称道，成为学习效仿的典范。

所以我说，像翰老这样的人，是不会老的，是不会离我们而去的。让我步翰老原诗的韵脚为我的发言命题：翰老寿终人未去，永在征途最高峰。

翰老的英名将永与历史同在。

1993年6月23日[1]

1 剧本本无“1993年6月23日”。

我向读者推荐这本书

——《带血的忠诚·靳树增传》序

“带血的忠诚”，这个名字很好。做任何事情都要有“带血的忠诚”才会成功。

忠诚的背后是个理想问题。裴多菲有一首诗，我们都记得：“生命诚可贵，爱情价更高；若为自由故，二者皆可抛。”显然，他的理想是自由。而我们今天的理想是什么呢？我想，应该是为祖国、为人民、为社会去做一番事业，一番挚诚的事业。

人的理想不是生来就有的。上小学、上中学，受到老师教育、书本教育，也未必能够确立。理想，是在人生的搏斗中得到的精神财富！

这部书中的主人公靳树增的经历证实了这一点。他告诉我们：没有理想，就没有忠诚，更何谈带血的忠诚。

忠诚，还是个人生态度、工作态度问题。认认真真做事，认认真

【题注】据王刚、弓应恬著《带血的忠诚·靳树增传》所载排印，改革出版社1994年第1版。

真做人。而认真的极点就是忠诚，忠诚到生命都可以不顾。

没有带血的忠诚，能做成什么事呢?

为此，我希望广大读者认真读读这本书，喜欢这本书。

一九九三.九

大力繁荣小剧场戏剧

各位朋友、各位代表：

大家好！

首先，我向外国戏剧界的朋友、海外戏剧界的朋友致意，欢迎大家前来参加这个小剧场戏剧的盛大节日。

我要特别向各个参演的剧组的朋友们致意，在话剧这么困难的条件下，大家带来这么多好戏前来展演，这是我格外感到高兴的、鼓舞的。

我也要向主办的单位致意，组织这么一次大规模的戏剧活动，是很辛苦的，是为戏剧界做了一件具有意义的大好事。

我要向赞助这次活动的企业家表示致谢，我希望有更多的有识之士，来支持戏剧的事业。

【题注】收录《曹禺全集》(第5卷)，花山文艺出版社1996年第1版，题下附注："在'93小剧场戏剧演展暨国际研讨会'开幕式上的讲话，标题是编者加的。"另，删节版以《提倡小剧场戏剧》为题载1993年11月30日《人民日报》。

我是很赞成搞小剧场戏剧的，在某种意义上说，我就是从参加小剧场戏剧活动走向戏剧创作的。历来的小剧场戏剧运动，都是生气勃勃的，充满着创造精神。出好戏，出人才，出理论。在当前大剧场戏剧不景气的情况下，把小剧场戏剧发展起来，倡导推动一番，是很及时、很必要的，它是提高发展话剧艺术，培养观众、争取观众的一个好办法。

在中国当前的条件下，搞小剧场戏剧，不要有许多框框，西方的经验可以参照，但更重要的是从中国的实际出发。可以是多种多样的路子，多种多样的办法，多种多样的探索。可以搞专门的艺术实验，也可以尝试搞商业性的演出；可以是专业的，也可以是业余的。恐怕目前更重要的是能够摸索既获得社会效益又得到经济效益的路子。我还是当年那个主张，要让观众心甘情愿地掏钱买票走进剧场来，但是，又必须让观众从中得到启迪，得到艺术享受。因此，我希望小剧场戏剧，一定要坚持高水平的演出，要拿好剧本来，这样才能真正赢得观众。

最后，让我祝愿外国的朋友们、海外的朋友们在北京生活得愉快！祝愿大会获得成功！

谢谢大家。

一九九三年十一月九日

文学语言应该规范化

文学是语言艺术。一部文学作品的语言好不好，对作品艺术性的高低，至关重要。所以我们常说“语言是文学的第一要素”。

一部文学作品，它的读者越多，流传的时间越长，越说明这部作品是成功的、优秀的。古今中外的许多著名文学家，他们的众多作品都是不朽的传世之作。其中重要原因之一，就是这些作品的语言艺术水平是很高的。莎士比亚的戏剧名著，其语言艺术水平可以说是那时英国文学语言艺术的最高峰。我国的著名小说《红楼梦》的文学语言是高度成熟的，称得上是我国古代小说语言艺术的最高成就。

要想使作品读者多，流传的时间长，文学语言就要用全民族都能读懂的普通话来写作，就应该使文学语言符合规范化的要求。鲁迅、郭沫若、茅盾、巴金、赵树理等被人们称为语言艺术大师。他们的语言虽然各有自己的独特风格，但有一个共同的特点：十分注重文学语言规范化，都称得上是现代文学语言规范化的楷模。他们的作品，也

【题注】载《语文建设》1993年第11期。署“曹禺杂谈，李润新整理”。

都是值得我们永远珍惜的文学语言宝库。

我觉得，文学语言，应当百花齐放，每个人应当有自己的独特风格。同时，每个作家又应努力成为祖国语言规范化的模范，用自己的作品，促进祖国语言纯洁、健康地向前发展。

文学语言不规范化，就跟一个国家没有“法治”一样，势必造成语言上的混乱。试想，我们中国许多方言区的作家，如果都用方言区的土话来写作，就会产生语言隔阂，彼此读不懂，作品也就不能在全国广大读者中流传开来。记得老舍先生曾说过，语言的规范化、语言的统一，是一项政治任务，要想使我们祖国的语言更加精纯、更加统一，要想使文学语言为全国各地的人民服务，要想通过语言促进我们国家各地人民的团结，作家必须做文学语言规范化的促进派。我很赞同老舍先生的意见。

文学语言要规范化，还要民族化，这两者是统一的，我们要深刻了解汉语的特点，在写作时努力表现出中国作风和中国气派，让中国老百姓喜闻乐见，学习外国语言的长处，是为了使我们祖国的语言更完美。要把外国好的东西借鉴过来，“化”成我们自己的，不能死学外国，搞“欧化”那一套，不能开放到连自己都没了。老舍先生到过英国、美国等国家，他学习了许多外国文学的长处，但是，他却从没有搞过什么“欧化”，始终执著于文学语言的民族化。他的文学语言，最具有民族特色。我们应该向老舍先生学习，像他那样为祖国文学语言的规范化和民族化而不懈努力。

窗口里的风景

我是《收获》的读者。我从这个窗口看中国文学的风景，我看见的风景很美丽。

曾经我当过《收获》的编委。那时候是我的老朋友靳以当主编，后来是巴金，一直到现在。我爱我的这两位朋友，我们在年轻时一起度过了许多美好的时光。今年我已经过了八十四岁生日，进入八十五岁。多少年来我总是收到一个大大的牛皮纸信封，打开来就看见了《收获》。《收获》对我来说确是个宝贵的窗口，我把头探进去，呼吸新鲜的空气。我感受到一股高雅之风，这样的风永远清新，使人为之精神一振。

《收获》的小林约我写过文章，我的文章也许算不上高雅，然而我是认真的，认认真真地想，体会，然后说出自己想说的话。由此我体会到高雅来自于才能，也来自于认真的态度。我的女儿万方也在《收获》上发表她的小说，她的感受和我很相近，她说《收获》是

【题注】载1994年10月31日《新民晚报》。

一个激励人认真写作的刊物，是一股力量。我理解她的意思。我不由想起我年轻的时候，我写的话剧《雷雨》在《文学季刊》上发表。《文学季刊》成了我最知心的朋友。《收获》当然是众多作家的好朋友。这位朋友她理解你，能渗透你的思想，而且全心地帮助你，使你更好更准确地表达。我佩服这位朋友，我感激她。

多少年来，《收获》一直坚持自己的风格，走自己的路，不受困扰，战胜困扰，这是一种骨头一种精神，也是中国文坛的幸事。我这样说没有一点夸张。有时候，当我读到一篇好散文、好小说，我从内心感觉喜悦，甚至可以说是感觉庆幸。因为我觉得真正的好东西还是不多。如果没有《收获》这样的园地，那么优秀的充满生命力的种子在哪里生长呢？这确是我怀有的忧虑。

读者期望读到真正的有分量的好作品，他们的权利不应该被剥夺。我相信《收获》的努力是有目共睹的，是可贵的，在今天尤其可贵。《收获》收获了一批又一批的作家，收获了一批又一批的读者，也许读者又变成了作家，我要说《收获》大有收获。

美丽的种子

我不知该如何形容我的老伴玉茹。假若我再年轻些，又不生病，我想我是能够把她写出来的。

她很不精明，不擅周旋，很愣，也很呆气。尽管她已这把年纪，为人处事仍有时像个孩子那么天真。也许正由于我俩都有些呆气，才能这样相处亲密无间吧。

有一阵子，她偷偷摸摸离开我身边，把自己关在屋子里，我问她在做什么，她总是笑而不答。

过了些时候，她举着一沓子稿纸送到我面前说："你看看吧，我写的小说。"我惊讶地望着一叠稿子，不料她还有这样的勇气。心想，她能写写也好，可以减少些她内心的孤寂。我知道，写作在她来说是多么困难啊！但我总是给她鼓劲说："写吧，写得不错，继续写吧。"

我生病住在医院里，玉茹因工作回上海去了，她来信告诉我，她的小说有希望在《新民晚报》上发表了。我既为她高兴，又觉得不大

【题注】载《大舞台》1996年第6期。

可能。可不久，真的在《新民晚报》上连载了。

这些连载初次映在我眼前，我正躺在病床上。我十分兴奋，忘了自己患病的苦恼，每天盼望着早点拿到《新民晚报》。

这样，一天天地读下去，兴趣益发浓了，其中人物故事很吸引我。到了书中关节处，我猜想下面该有什么转折，总该奇峰突起了吧？不料作者写得平易亲切、不动声色，然而真实动人，人物的音容笑貌，如在眼前。这才是玉茹的文章，诚恳真实，像她的为人。

玉茹告诉我，上海人认为不是唱京戏的李玉茹写的，而是一个同名者。

我担心，夫妻关系密切，免不了偏爱、主观。我问过她的朋友和看过的人，他们都说确实不错，很感动人。我恨不得再多问一些人，肯定一下。

我早就希望这小说能出单行本，但因种种缘由，未成事实，耽搁了许多年。现在有机会出版了，我是喜出望外的。

这是玉茹写的第一本书，然而她已有些年纪了。

《小女人》原名《品子》，它不是迟开的花朵。这粒美丽的种子，种在肥沃的土地里，日后还要生长出更鲜美的花。

我祝贺玉茹，更感谢那些用尽精力和智慧的朋友们，如王志远诸位，使《小女人》得以和读者见面。

一部可读的传记佳作

很早就听说有人在写《孙越崎传》，我一直盼着。上了岁数，许多书想看而看不了，但孙越老的书，我却非读不可，即使看不仔细，也要了解个大概。现在,《孙越崎传》由孙越崎科技教育基金管理委员会组织人把它写出来，交石油工业出版社出版，这个愿望终于实现了。

我和孙越老相识于半个多世纪之前，那时正是抗日烽火最烈之时。我是一个30多岁的文化人，孙越老则是肩挑重庆四个煤矿（天府、威远、嘉阳、石雁）与开发玉门油矿（甘肃油矿局）的两个总经理。由于贡献卓越，被人称为“煤、油大王”。我住在重庆，曾经跨过2500公里去遥远的玉门油矿采访过。

那时，孙越老带着一批为发展我国石油工业而献身的人，在“春风不度”之地，在物质奇缺吃穿都不能解决的情况下，迎难而上，顽强拼搏，硬是在荒漠里打出了石油，开发了我国第一个现代化油田，

【题注】载1995年3月2日《人民日报》。

成为国人瞩目的“不夜城”。

抗战胜利以后，孙越老担任河北平津敌伪产业处理局局长，以后又升任资源委员会副委员长、委员长、经济部长等要职，统管国内的工矿业，为抗战胜利后的工业恢复与建设，尤其是东北地区的工业建设，殚精竭虑、八方奔走。以后识大局、明去就、辨是非，毅然率领资源委员会六七十万人护厂护矿，迎接解放，演出了一场丰富多采的“活剧”。

解放后他先是在中财委干了一段时间，以后去了开滦，再以后受到不公正对待，慢慢无闻了。“文化大革命”后，孙越老重回北京，我们住地不远，就又有了来往。

对孙越老，我始终怀有一种崇敬之情。这不仅因为他解放前兴办实业的贡献，更主要是在逆境中顽强不屈的恋业、爱国精神。这种跨世纪的情结，正是我们今天需要大加提倡的。现在《孙越崎传》把这些都写了出来，而且还有我不熟悉的少年、青年时代的情况，我认为这是很有意义的。对于宣传孙越老、宣传其他同志，提倡爱国主义，加快“四化”建设，都是有益处的。

《孙越崎传》的内容固然值得读，写作也是比较好的。简要说来有这么几点：①人物性格化。古代的一些传记之所以能被后人称道，原因之一在于有人物：喜怒哀乐俱来眼底，声容笑貌皆上心头。我们看一些卓越的史书，如《史记》《汉书》，无不如此。《孙越崎传》把孙越老的一个多世纪的经历，尤其是前半生办矿，有声有色地记录了下来，写出了他怎样从一个山村少年，成长为一个著名实业家的历程，其中有欢乐，有忧愁，有敢于决断，也有善于应变，如果没有多年的研究和对人物的熟悉，是很难做到的。②写故事。现在的一些传记之所以缺乏感染力，在于其中一些只是干巴巴的叙述。《孙越崎传》不是这样，它主要通过故事，把孙越老的一生贯穿起来，类似小说，读来毫不费力，兴味盎然。这大抵也是从古人传记中汲取了营养。③语言简练。《孙越崎传》是建立在顺畅基础上的简练，尽可能删去可有可无的字、句、段，使之突出中心，围绕主题。

此外《孙越崎传》在结构等方面亦有特点，这留待读者自己去体味、思考了。

总之，我认为《孙越崎传》是一部可读的传记佳作。

在全国文联工作座谈会上的讲话

（1995年3月21日）

值此全国文联工作座谈会召开之际，谨向出席会议的同行们、朋友们致以诚挚的问候！并借此机会向为繁荣社会主义文学艺术而辛勤劳作的作家、艺术家和广大文艺工作者表示深深的敬意，向关心、支持文联工作、文艺工作的各界朋友致以衷心的谢意！

与共和国同龄的中国文联以及各地文联，几十年来形成了一个很好的传统，就是为党的路线和中心工作服务，为广大文艺工作者服务，在发展和繁荣文艺事业中做出了自己的贡献。老一辈的文联领导同志和新一代的文联工作者，艰苦奋斗、默默奉献，甘做社会主义文艺事业的后勤，这可以算作是文艺史册之外的光辉篇章，也是值得称颂的。我们应当把这个好传统发扬下去，在改革开放和现代化建设的新阶段，为实践党中央向我们提出的号召，创作出与我们这个伟大时代相称的优秀作品，为出现像鲁迅、郭沫若、茅盾等为人敬仰的新一

【题注】载1995年3月25日《文艺报》。

代跨世纪的杰出作家、艺术家，做好再做好我们的文联工作，我们应当树立起这个宏伟的工作目标。现在占祥同志接任中国文联党组书记职务，我很高兴。占祥同志年富力强，又有长期做文化艺术工作的经验。在他到任不久的时间内，带领文联党组制订出一个很有分量的工作规划，强化文联服务机制，提倡求实作风，使中国文联的工作出现新的活力，在此谨表达我对占祥同志和党组的谢意，表达我对积极参与文联领导工作的各位副主席的谢意。

多年以来，我身在病榻，但是我的心一直向着我热爱的、已艰难奋斗了半个多世纪的文艺事业。“一向年光有限身”，人生虽有限，但是我们为之奋斗的崇高事业会永远与日月一样运行。在这里，我特别寄语中青年文艺同行们，希望他们以只争朝夕的精神投身到伟大的时代洪流中去，铸造无愧于21世纪的辉煌！

祝愿我们的文联工作、文艺工作繁荣发展！

（《话剧在北方奠基人之一——张彭春》）序

《话剧在北方奠基人之一——张彭春》一书，是我国第一次编印的关于张彭春先生的文集。它记录了张彭春教授这位早年献身新剧的先行者的事迹与他的精神。

这本书使我回忆起青少年时期。我参加了南开新剧团，一直到一九三〇年，我离开南开大学，始终是新剧团的一个积极分子。在这短短的、对我又似很长很长的六年里，新剧团扩大了我的眼界，我决定一生从事话剧。我一生永不忘记排戏时的热烈、认真、亲切的气氛。我的青少年时代可以说是在这个极可爱的团体里度过的。在有学识、有才能的导演和第一任团长张彭春老师十分严格的指导教育下，我跟同学们和比我大一二十岁的老师们，编演了《新村正》《争强》《国民公敌》《傀儡之家》《财狂》等相当多的话剧。在老师的引导下，我扮演过娜拉和《争强》的董事长、裴特拉一些形象，以及后来饰演

【题注】据黄殿祺编《话剧在北方奠基人之一——张彭春》所载排印，中国戏剧出版社1995年第1版，原题《序（一）》。

的韩伯康（《阿巴公》），观众都给予了很大的热情。从此我开始明白为什么演戏，怎样演戏，甚至于如何写剧本的种种学问。这一点一滴的艺术知识是经过老师带领我年复一年的舞台实践理解的。

彭春老师通过导演、演出、不断地指导，教给我认识国内外许多戏剧大师。我时常怀念他在南开中学礼堂后台和校长会议室排戏的情景。在那几间宽大、亮堂的房间里，为我们专心排练，那样认真，甚至有一种严肃的战斗气息。我将永远不能忘记张彭春先生的恩情。

记得一九八八年彭春老师的女儿张新月博士想为她父亲出一本纪念文集找到我。当时因身体不好，我便将天津戏剧博物馆的黄殿祺馆长介绍给她。我知道他在筹建天津戏剧博物馆时早有研究张彭春先生话剧的情况，而且已在戏剧博物馆陈列展出了老师的戏剧活动，就请他做这件事情吧。殿祺同志非常热情，欣然应允，此后又在他原有材料的基础上，搜集翔实的资料，很快地编集成书。

《话剧在北方奠基人之一——张彭春》已摆在大家面前，它为我国话剧史增添了一页；同时，也完成了周恩来总理生前提及的“写中国话剧史，不能忘记北方话剧发展的历史”问题的一则很好的具有学术研究价值的答卷。

（《论北京人艺演剧学派》）序

由是之请了许多专家朋友，研究多日，写出的《论北京人艺演剧学派》即将付梓，约我为之写序，这是我喜欢的事。但我年迈多病，又不允许我把这部著作通读一遍，因此，我只能谈点感想。

40多年前，当我和起扬、菊隐、山尊一起讨论创办北京人艺的方针、目标时，就希望把她办成一个像莫斯科艺术剧院那样高水平的剧院，也希望通过演出我们自己的剧目，逐步形成剧院自己的风格，也可以说要形成具有中国作风、中国气派的演剧学派吧！

40多年过去了，风风雨雨，道路坎坷，但在党的正确领导下，在全体艺术家的奋斗中，不但演出了一批经得起历史考验的剧目，磨砺出北京人艺的演剧风格，造就了一批杰出的表演艺术家，而且形成了北京人艺宝贵的艺术传统，也可以说自成一家、自成一派了。对北京人艺演剧学派的创立，焦菊隐总导演是做出了卓越的贡献的。

【题注】据于是之主编《论北京人艺演剧学派》所载排印，北京出版社1995年第1版，原题《序》。

每个剧院都有自己的艺术实践历史，也都有历史的经验教训。这个历史并非是过眼烟云，它昭示着现在和未来，我们既不能躺在历史上，但也不可能割断历史而求发展。北京人艺的老一辈艺术家都逐渐告别了舞台，大批的新鲜血液补充进来，要保持北京人艺已经达到的艺术水准，并向新的境界攀登，一方面要提倡老艺术家把自己经验传留下来，另一方面也更需要年轻的艺术家继承和发展北京人艺的优良的艺术传统。北京人艺有很多经验，但在我看来，最重要的是艺术家们对戏剧艺术的痴迷热爱，对戏剧艺术锲而不舍，精益求精的艺术精神。不论是怎样的社会条件，要办出高水平的剧院，就要有高尚的艺术精神。

一个剧院，要重视剧目建设、人才建设，但也要重视理论建设。焦菊隐是很重视理论建设的。他不但是一位博学多识的导演，而且是一位学者。正确的理论，可以使我们头脑清醒，把定方向，少走弯路，更可以使我们于浮躁多变的时潮中具有艺术卓识。

这本书，从不同角度、不同侧面来探讨北京人艺演剧学派的成因、经验和成就，并努力上升为理论，是很有意义的。我希望这本书不是一个结束，而是一个开始，无论北京人艺还是北京人艺的朋友，大家一起来总结北京人艺的经验教训，这不仅对北京人艺有益，我想对其他剧院也有参考价值。

(《向“表现美学”拓宽的表演艺术》)序

晓钟在中央戏剧学院和老师们在一起艰苦奋斗，在继承学院办学传统的基础上，使学院在教学和科研方面取得了新的成就，为国家培养了许多优秀的话剧、电影、电视人才。他常跟我谈学院的事，高兴的事、烦心的事都谈。我对他说，学院取得这么大的成绩，举世瞩目，真不容易！可能你们没有把每一个困难都告诉我，但是我看到你们的头发却越来越白了！晓钟在繁重的学院教学和行政领导工作的同时，导演了一些好戏，我很喜欢。记得1988年《戏剧评论》编辑部举办“徐晓钟导演艺术研讨会”，我和玉茹一起去了，他看到我去参加他的作品研讨会很是不安，对我说“咱们今天只谈导演艺术，不要谈我”！这句话确实是他说的话，像他这个人，同时也像他的导演艺术——在他的导演艺术中看不见徐晓钟，但看见其完美的艺术。

《培尔·金特》有其深刻的哲学意义。最初我在大学读书时读过

【题注】据徐晓钟著《向“表现美学”拓宽的表演艺术》所载排印，中国戏剧出版社1996年第1版，原题《序》。

它，实在是很难懂。但在晓钟的解释和流畅的导演艺术处理下，戏充满了曲折浪漫的哲学意味。晓钟将原著中最精彩的部分提炼出来，在短短的两个半小时内演完，而且保留了易卜生《培尔·金特》原著的精神，使中国观众能够看懂、能够接受易卜生的这部名著。在戏中，晓钟通过他的导演艺术准确地、真实地解释了作品，使易卜生重现在舞台上；而且戏很有吸引力，很有诗情，很有生活的底蕴。值得说的是，晓钟通过他自己的导演实践和教学实践诱导并培养了一批有独立见解的导演专业的学生。

《桑树坪纪事》是依据小说改编的。剧本很干净，分为三章，采取散文结构，看来似乎有些散，一块一块的，但通过导演艺术的再创造，浑然一体，戏导得很成功。把一个悲惨的故事处理得滑稽可笑。倘若是平铺直叙、毫不夸张地来表现情节，那么戏肯定不会有吸引力；而现在的戏处理得很精彩很有趣味，一点不死板。李金斗估产、麦客上场、“换亲”等，抓住了观众。舞台的使用很漂亮；“剥衣”一场的处理似乎是神来之笔，很有深意，很高妙。

看了他的戏我有几点感想：海是装不满的，人的路是走不尽的，花是不谢的，感情的长河是流不完的，对于徐晓钟的导演艺术我有这么一种感觉。

我很高兴看到他的论文集出版。

1995年12月7日

京剧如何走向青年

一股扑面而来的暖风，骤然吹进了京都舞台。上海京剧院《京剧走向青年》巡回展演，在首都海淀大学区掀起了阵阵热浪。青年学生被民族艺术瑰宝的魅力打动了，征服了。舆论界、文艺界、理论界、教育界，亦以极大的热情关注着这一不同寻常的京剧演出活动。由这次活动所激起的强烈社会反响告诉我们：以京剧为代表的民族艺术，能够获得青年一代的理解和喜爱，她依然拥有继续发展和再造辉煌的生命活力。

每年每度，在京演出的戏曲团体可谓多矣。为什么首都年轻学生“情有独钟”，对以前几乎从未谋面的上海京剧，表现出特别的偏爱？我们可以从剧院回收的青年学生观众调查问卷中找到答案：高质量、高品位的优秀剧目，使青年学生受到一次高效率的京剧启蒙教育，切身感受到国粹的魅力。

上海京剧院进京展演的四台剧目，是上海京剧艺术工作者们多年

【题注】载1995年12月15日《人民日报》。

来辛勤劳动的成果和心血的结晶。从内涵深邃、意韵无穷的新编历史剧《曹操与杨修》，到技艺高超、情趣盎然的新编神话剧《盘丝洞》；从气势磅礴、贴近生活的现代戏《智取威虎山》，到根据莎翁名著《李尔王》改编的《歧王梦》，尽管风格迥异，成熟度不同，都体现出艺术家们严肃认真、一丝不苟、锲而不舍、刻意追求的创作态度与敬业精神。

京剧艺术博大精深，难度很高。只有高水准的京剧演出，才能焕发光彩，充分展现京剧艺术特有的魅力，从而满足老观众，吸引新观众。上海京剧院的这次展演之所以获得众多青年学生的赞赏，其剧目乃至舞台演出整体的高品位、高质量，是至关重要的因素。他们用精湛的艺术，使青年学生信服：京剧真是了不起，值得为之倾倒，为之痴迷。

一个时代有一个时代的观众，一个时代有一个时代的戏。艺术只有跟上时代前进的步伐，才会充满生机，才有光明的前途。上海京剧院选用新创排的剧目来为大中学生演出，正是他们高明和聪明的地方。这些新的剧目，使青年学生实实在在地感受到：如今的京剧，在思想情感上，与当代青年人有着许多相通之处；她的艺术语言也是不难理解的，并不存在不可逾越的审美障碍。青年学生在心理上对京剧的认同，将为京剧艺术的发展撑起一方明朗的天空。

事在人为，上海京剧院的这番事业，是由一批富有奉献精神和远见卓识的京剧工作者，怀着极大的热情，同心同德、脚踏实地来完成的。他们严谨细致的工作作风，不仅贯串于整个创作、演出过程，也体现在这次巡回展演活动的组织、宣传工作中。这种可贵的“人和”，是上海京剧院屡获成功的基石。抓“精”，标“新”，靠“人和”，上海京剧院给我们带来的何止是几台戏呀！

讲求艺德，加强修养

作为文艺界的一个老兵，我听到一些有关文艺界个别同志不讲艺德的反映和报道，心里很不是滋味。

文艺家是“人类灵魂的工程师”，自己都不讲艺德，怎能去升华别人的灵魂，影响他人的心灵？

讲艺德，是文艺家的基本修养，是反映一个人文明程度的标志。道德观念的增强，是人类文明进步的结果。一个文明的社会，除了政治、法治之外，一个重要的方面，就是道德建设。而且，道德修养是更内在的方面，它能提高个人的素养，并进而促进人与人关系的和谐，维系社会的稳定。现在，我国在大力推进法制建设的同时，也注

【题注】载1996年4月5日《人民日报》，总题《正风呼新曲　艺德浴芳馨——部分知名艺术家谈艺德》。文前“编者按：道德，从某种意义讲是一个社会的文明水准。讲求道德，不仅仅是完善个人修养问题，也是提高整个社会的文明程度问题。艺德问题，即文艺界的职业道德问题，在建立社会主义市场经济体制的过程中的今天，显得尤为重要。在日前召开的全国文联工作会议期间，本报约请文艺界部分知名人士对这一问题进行了探讨。他们的发言，有批评，有呼吁，有劝诫，还有建议，值得一读”。曹禺发言排首位。按，全国文联工作会议从1996年3月15日到18日举行。

意到了道德建设的重要性。中共中央还决定，十四届六中全会专门讨论精神文明建设特别是思想道德文化建设。我们文艺家在这方面，应当起到表率作用。

讲艺德，也是文艺家的共同追求。古往今来，有许多文艺家不仅艺术精湛，而且德高望重。屈原、司马迁、阮籍、嵇康、李白、杜甫、韩愈、苏轼、关汉卿、曹雪芹，直至鲁迅、郭沫若、茅盾，都是德高艺精、德艺双馨的大师。他们在人品和文品两方面都为我们树立了典范。今天的文艺家应向这些前辈大师学习，为我国的道德建设树立新的风范。

讲艺德，还是文艺家的重要责任。因为文艺家是影响人、教育人的，教育者首先自己要受教育，才能以远大的理想、坚定的信念、高尚的情操、博大的胸怀去感染人，影响人，在培养社会主义新人方面做出自己应有的贡献。

在这个世纪之交，倡导讲求艺德，加强修养，还有着特殊的意义。这实际上是一个文艺家以怎样的精神风貌走向新世纪的问题，是一个用怎样的道德风范将人们带入新世纪的问题。这样看来，我们文艺家真是任重道远，愿大家不懈努力。

为中国田汉基金会成立贺词

今天是中国田汉基金会成立大会。

在新华社召开成立大会，格外显示了田汉基金会成立的隆重，也是对田汉先生的缅怀与崇敬。

田汉基金会终于成立了，我在病中虽不能参加这个成立盛会，我是由衷地庆贺，尤其感谢为田汉基金会奔走呼吁的朋友们，你们辛苦了！

田汉先生是革命家、戏剧家、戏剧教育家和诗人。他的豪放、热情、任侠、仗义，具备了诗人的品德。

田汉先生是中国话剧的开拓者，是前驱，是我的前辈。在二十年代他就创作了话剧《南归》《湖上的悲剧》《名优之死》等著作。五十年代的《关汉卿》，以及京剧《白蛇传》《谢瑶环》等剧，至今仍受到观众的喜爱。

田汉先生在文艺界的朋友最多，也是最关心文艺界的知心人。

【题注】载《中国戏剧》1996年第4期。

田汉先生写作写得多，写得快，充满激情，充满了爱，充满了革命浪漫主义。为文艺界留下了丰富的遗产。

田汉先生国歌的歌词，有强烈的战斗力，震撼着中国人民和世界爱好和平人民的心，是他不朽的作品。

田汉基金会成立了，我们应为田汉先生树碑立传，提倡他爱人民、爱祖国、平易近人、爱憎分明、敢说、敢做、敢为革命贡献一切的崇高精神。

《雷雨》在这里诞生

在我的创作生涯中，许多作品都直接或间接地受益于图书馆。其中，我的处女作《雷雨》就是在清华大学图书馆写就的。

我是清华大学1933级西洋文学系的毕业生。三十年代的清华是一所综合性的大学，当时人称清华有三宝：图书馆、体育馆、大礼堂，指的是母校当时物质方面的条件，在清华念书期间，我自然是图书馆的常客。我从小就喜欢文学，尤其是爱好戏剧。从中学时代起就开始剧本习作，上大学时曾多次参加南开、清华两校的话剧演出实践，平时比较注意观察和积累生活中的素材，为嗣后的创作储备了丰富的题材和资料,《雷雨》中周朴园的原型就是我童年时家中的一位来客。这位客人是一位自诩身上沾有“日耳曼民族优越感”、自命不凡的老留德学生出身的大企业家。大学期间，我利用图书馆丰富的藏书，苦心钻研西洋戏剧理论与西方名家的代表作品，远溯古希腊悲剧与十六世纪英国戏剧大师莎翁的名著，直迄近代挪威易卜生的作品以

【题注】载1996年8月26日《光明日报》。文末附注“唐绍明、金鑫整理”。

及美国现代剧作家尤金·奥尼尔的代表作，都一一进行了精读，并加以细细揣摩与领会，从中汲取营养。

二十世纪初，话剧刚刚从西方传入我国，老一代话剧作家如欧阳予倩、田汉、熊佛西等前辈，他们都按西方话剧形式撰写和翻译剧本。由田汉先生在上海创建的“南国社”和由南开大学张彭春先生创建的“南开剧团”，在上海、北平等城市演出，促进了新兴话剧运动的迅速发展，对唤起我国人民，尤其是青年人的觉醒和促进东西方文化交流起了很大作用。然而，话剧的洋为中用还没有真正开始，地道的中国话剧尚未诞生。我当时虽然仅仅是一个青年学生，但却很想写出一部地道的中国话剧来。《雷雨》的创作计划早在大学期间就在我心中酝酿成熟了。

1933年初夏，当时时局十分混乱，北平岌岌可危，学校当局决定提前放暑假，我暑假便不打算回天津老家，决定留校着手写剧本。

6月初，暑假开始了，图书馆的期刊阅览室便成了我的创作室。因是暑假，来馆阅读的同学并不多，阅览室内非常寂静，很适合创作。我每天去图书馆，从不缺席，除了白天在阅览室写作外，有时还整夜修改叙文和对话。关键的对话，我就对着一面挂镜，模拟剧中人不同的口吻和腔调，一遍遍的练习，不满意处就一改再改。就这样，我写了又改，改了又写，7月底，我整理并撰写出了《雷雨》的草稿。我想通过此剧，揭露旧社会的黑暗和因旧礼教及封建邪恶势力所造成的许多人间悲剧！ 8月底完成了初稿。

1934年，经挚友靳以介绍，我结识刚从法国归来的巴金先生。巴金先生避开国民党反动文艺政策的重重封锁，于这一年的春季，在他们创办的《文学季刊》第二期上陆续刊登《雷雨》四幕剧本、序言和尾声。同年年底，由我国留日学生在东京公演该剧，受到日本文艺界的好评，并承日本文坛名宿秋田雨雀先生著文高度评价。1935年初由唐槐秋先生组成中国旅行剧团，在天津日租界首次演出。其后，该团先后在全国各大城市上演百余场，颇受欢迎。《雷雨》的成功使我倍受鼓舞，从此，我的创作便一发不可收拾，相继写出了《日出》《原野》《蜕变》《北京人》等剧。

由于《雷雨》的关系，我对图书馆自然情有独钟。在清华期间，当时的图书馆对我十分优待，允许我直接进书库查书，可以省却查目录卡片的麻烦。北京图书馆我年轻时也经常去看书，我唯一的手稿就捐给了北图。发展图书馆事业，是必不可少的智力投资，是造福人民、造福后代的事业。中国图书馆事业不是很发达，我们经常利用图书馆的人固然知道它的重要性，但一般人未必关心图书馆。听说现在有些年轻人不像我们那个时候喜欢读书，这可是个根本问题。今年国际图联大会首次在北京开，但愿能通过这次大会来吸引更多的人关心图书馆、走进图书馆，在社会上真正营造起一种浓郁的读书和文化氛围。

促进中华戏剧的繁荣（代序）

各位朋友、各位女士、各位同志：

十分抱歉，我不能出席这样一个隆重的开幕式。我住进北京医院有八个年头了，病魔纠缠着我。但我不愿向病魔低头，我的心是同戏剧连在一起的，是同大家连结在一起的。因此，我请我的夫人李玉茹代我宣读我的祝词。

今天，是中国戏剧界一个值得纪念的日子。来自台湾、香港、澳门以及世界各地的华文戏剧家，同我们相聚在北京。这是我曾梦寐渴望的，这一天终于盼到了。首先让我向来自远方的台湾、香港、澳门和世界各地的戏剧界朋友们问候，也向参加这次会议的外国来宾致意。

我听说有来自台、港、澳以及各地的十三台戏参加交流，有一百

【题注】据田本相主编《华文戏荟》所载排印，中国戏剧出版社1998年第1版，署“中国文联主席 曹禺”。另，删节版以《加强中华剧人的团结》为题载1996年8月31日《人民日报》。

余位学者与会，这确是一次具有历史意义的盛会。我要感谢这些与会的剧团、演职员，感谢与会的学者，感谢这次会议的组织者和会务人员，感谢有识见的企业家对会议提供的赞助。让我向你们致以敬意！

我很赞成大会提出的宗旨：加强中华剧人的团结，促进中华戏剧的繁荣。我们都是炎黄子孙，我们又都是戏剧工作者，我们是一家人嘛！我们应当团结起来，为繁荣和发展中华戏剧做出我们的贡献。

我们中华民族是一个古老的拥有数百种戏曲的品种、具有深厚而独特的戏剧传统的伟大民族。西方的话剧传入中国，之所以能够扎下根来，成为遍布全国的大剧种，在很大程度上，是由于我们以我们深厚的戏剧传统溶化了它。以我个人，或者以田汉、夏衍、洪深、欧阳予倩，还有吴祖光这些人来看，如果不是我们自身具有较深的中国文学的和戏剧的传统，我们也是啃不动话剧这个“洋骨头”的。我不相信话剧是“夕阳艺术”的说法，但中国话剧的生命力，不在于盲目地跟着西方的各种主义跑，而在于把脚跟坚实地站在中华民族的大地上，写出为中国老百姓所欢迎的戏来。我赞成话剧要向西方借鉴，借鉴不是照抄。有人说我的戏都是“抄”外国人的，如果我都是“抄”人家的，别说现在，当年就不会演我的戏，外国人的戏那么多，何必演“二道贩子”的东西。我说这些话，不是别的意思，是希望创造出中国的话剧精品，创造出具有民族独创的话剧艺术。

我听说台湾、香港和澳门的戏剧，都很活跃，值得我们认真研究学习。这些年，内地的话剧虽然不大景气，但戏剧界有着一大批人，不怕穷，不怕电视挤，表现出相当顽强的毅力。今年首都舞台就很有生气，戏一台接一台地冒来，听说都很叫座。今天，大家能够相聚一起，交换经验，切磋技艺，我想，这是相互学习、相互借鉴的难得的机会。所谓“寸有所长，尺有所短”，只要是诚恳地进行探讨，一定会使大家满载而归。

我预祝大会开得顺利、成功！我希望大家在北京过得愉快，身体健康！

谢谢大家！

锤炼梅花品格　发扬梅花精神

各位同行，各位朋友，各位同志：

今天第十三届中国戏剧梅花奖颁奖大会在这里——河北省省会石家庄举行。

石家庄是我很向往的一座城市。我因病不能来参加这次大会，请我的夫人李玉茹代表我向河北省政府，向石家庄人民致意问候。石家庄是一座有着革命传统的城市，尤其今年河北省遭受五十年罕见的水灾，洪水泛滥，黄壁村水库等地方水情异常严重。军民不怕牺牲，英勇抗洪，甚至准备牺牲石家庄保住津、京。真是英雄的河北省军民，英雄的石家庄人民！我向你们致以崇高的致意、深切的慰问！

今天在这里颁发十三届梅花奖，意义更加深远。我热烈地向获得梅花奖的艺术家们衷心祝贺。

梅花奖已评了十三届了。评出了二百多位梅花奖获得者的艺术家们。在祖国大地，四面八方，梅花盛开，装点着生机勃勃的祖国大

【题注】载《中国戏剧》1996年第10期。

地。我想到你们，我心中充满了灿烂的阳光和对未来的无限憧憬。

我由衷地赞美你们，深深地感谢你们。是你们为了弘扬祖国艺术，做出了巨大贡献。在整个舞台剧不大景气的时候，你们不畏艰难，不怕清贫，不畏寒暑，顽强拼搏，锲而不舍，一步一步地攀登着艺术高峰。这正是梅花的品格和梅花的精神。我相信，你们会继续锤炼这种品格和梅花坚韧的精神，向着艺术高峰不断攀登，使自己成为深受广大人民群众喜爱的跨世纪的艺术家。

让我再一次感谢河北省石家庄市给予这次大会各方面的支持。

再一次向我们获得梅花奖的艺术家们热烈祝贺。

曹禺为第六次文代会开幕所写的致辞

举世瞩目的中国文学艺术界联合会第六次全国代表大会即将召开。我的心同全体代表一样异常激动。我经常回想起毛主席、朱总司令、周恩来总理走进第一次文代会会场时的情景。从那时起，新中国社会主义文艺迈开了昂扬的步伐；邓小平同志走进第四次文代会会场，他铿锵有力的祝辞，鼓荡起新时期社会主义文艺的风帆。我知道，江泽民总书记将出席我们的文代会，将做重要讲话。党的三代领导集体，对广大文艺工作者给予了无微不至的关怀，寄予了殷殷重托。

党的十四届六中全会对社会主义精神文明建设做出了重大战略部署，为社会主义精神文明建设和文艺事业的发展照亮了霞光满天的前程。

【题注】载中国文艺网，2007年9月5日。文末附注："此文为中国文联第五届执行主席曹禺为中国文联第六次全国代表大会、中国作协第五次全国代表大会开幕式撰写的贺词。在文代会即将开幕之际，曹禺主席于1996年12月13日不幸逝世。"按，本次大会于1996年12月16日至20日在北京召开。

中华民族正处在全面振兴的伟大时期，我们正在向2010年远景目标迈进。这个时代是产生巨人和史诗的时代，是创造文艺辉煌的时代。变革和发展的时代孕生伟大不朽的作品，博大精深的作品推动时代的变革与发展，时代之光与文艺之光交相辉映，必将闪烁出文艺发展史上新的七彩光环。

面对党和人民的期待，面对时代和历史的重托，我们文艺工作者怎样才能肩负起新的使命？怎样才能承担起“人类灵魂工程师”的责任？我们要用赤诚的心、真挚的情、多彩的笔，向党做出回答，向人民做出回答，向时代做出回答，向世界做出回答。

我相信，我们的全体代表一定能在党的十四届六中全会精神指引下，按照党中央提出的“民主、团结、鼓劲、繁荣”的要求，开好文代会，绘蓝图、商大计、谋良策，在爱国主义和社会主义的旗帜下，团结和动员起浩浩荡荡的文艺大军，向着新的世纪，向着新的繁荣，向着新的高峰进发！

《和天使一起飞翔》序

万方是我的女儿，她写东西，成了作家，这件事完全是在我不知不觉之中。

她小的时候我非常希望她将来能当一名科学家，或者是医生，但都落空了。现在我已经八十多岁了，我感到她当作家是一件好事，因为这是她自己喜欢做的。我记得我们父女二人曾在西湖边上钓过鱼，四岁的女儿讲了一个鱼的一家的故事，后来她的妈妈弄了一个小本子，专门用来把女儿编的诗句抄写在上面。上小学的时候万方怕数学，但她的作文不止一次被老师在全班读过。回想起来，这就是说，人在生下来的时候可能就有一些事物是他所亲近喜爱的，如果后来她做了别的，那总有一种遗憾，而万方应该说是幸运的，她终于做了符

【题注】载1996年12月24日《文汇报》。文前编者说明："中国新文化运动的开拓者之一，著名戏剧大师曹禺不幸逝世，《笔会》同人深感痛惜。曹禺先生生前一直关心、支持《笔会》。谨发表曹禺先生的绝笔之作和他女儿万方的悼念文章，以寄托我们的哀思。"另，《和天使一起飞翔》系曹禺女儿万方的小说集，作家出版社1997年出版。

合她的天性的事。

我说不出我是如何教育孩子的，我知道我从未有意识地影响她们喜爱文学，但是我必须承认潜移默化的道理，这个道理却很难说清楚，我家里比起其他家庭确实有不少书籍。可是万方并没有读过几本家里的书，等她长到会看书的年龄她就到农村去了，当然她读了那本生活的大书，到今天还在读。平日我们父女也常交谈，现在我想不起具体都谈些什么，不外乎是对某一篇文章、一出戏、一些事物的看法，在我没有得病住院之前，万方那时已经算成熟了，那一段日子里她很能理解我的性情。

在我的女儿里，万方是比较像我的一个，所以她成了写东西的人，她写的东西我看过，小说《杀人》《和天使一起飞翔》我觉得有力量，给人思索。我曾经担心她会是一个比较专注自己内心的作者，现在我不担这个心了，她能够写完全不是她的东西，极不相同的人和生活，而且是那么回事儿，可以说她具有创作的悟性和本领，我说万方像我还有一点，我写剧本是为在舞台上给观众看的，她写小说好像也是给读者看的，读起来不费力，有引人入胜的感觉，这一点我感到满意。

我希望读者能被她的小说吸引，能有所感，我想这会是女儿万方最快慰的事情。

已经忘却的日子

天一亮，隔壁人民大学的高音喇叭便叫嚣起来。起先我以为是批斗人，后来才渐渐听出是两派在互相斥骂，一阵阵刺耳激昂的辩论，一阵阵叫骂，连绵不绝。从清晨吵到傍黑。我烦恼，又说不出的惧怕，我是反动学术权威，这一切都像是针对我来的。尤其一位女高音，又念又喊，声调亢奋且单调，刺人耳鼓。酷热的夏天，本来在我的小屋里就很憋闷，现在更加不能忍耐。但是一定要忍耐。我犯了罪，我说不清是什么罪，我却诚心诚意服了罪。这种混沌的感觉像一口无底的陷阱。

半夜醒来，不知从什么地方传来一阵阵粗野的声音，那鬼哭狼嚎使我的胸口隐隐作痛。我心惊胆战。我觉得不久这群发疯的黑狼将会包围我，抓着我，用黑爪子抓伤我的脸、我的背，我感觉自己已缩成

【题注】载《收获》1997年第3期。题名由巴金题写。文后刊万方《灵魂的石头》，其中提到："我发现了一个本子，封皮上是我爸爸的笔迹，写着：十年浩劫回忆录。"即此文。按，从文章内容看，或系文革后不几年所作，只是开了头，写到文革伊始时的情况。

一团。我不愿叫醒睡着的方瑞和小欢子，她们沉沉地睡在另一间小屋里。白发的岳母瘫在木板床上，一夜一夜地咳嗽。四面是乌黑的海，黑浪滚荡着，时而漂浮起几个没有眼睛、没有面目的人头，发出声声惨叫……这大约是梦，我惊醒了。

我勉强安慰自己，用一颗安眠药只睡了两三小时。

白天走在街上，总能看到一群群被押着、被捆绑的人。那些人的脸上涂了一块块的墨迹，有的戴着尖塔一样的帽子，穿着被撕破的衣服，露出血淋淋的伤痕。造反派的小伙子们把他们的头一个个揪起来，要这些“十恶不赦的老狗”当街示众。

街道两旁站着看热闹的人，但是他们也都沉着脸，默不作声，甚至是肃穆。那些大喊口号的造反派是激愤的，也有些得意洋洋。老子把世界都征服了，你们早晚也有被收拾的一天。

街上的人越沉静，口号喊得越响亮。“打倒走资本主义道路的当权派！”“打倒反动学术权威！”“横扫一切牛鬼蛇神！”

队伍后面有时还跟着一队人，有高个儿有矮子，有胖有瘦，是革命群众。大家穿着一样的灰黄色的衣服，谁穿得越旧越破谁就更革命。只有他们胳膊上戴着的红袖标使他们显出一种耀武扬威的意思。碰到这样的情形我尽可能躲开，我有罪，这是我时刻不能忘的。

我羡慕街道上随意走路的人，一字不识的人，没有一点文化的人，他们真幸福，他们仍然能过着人的生活，没有被辱骂，被抄家，被夺去一切做人应有的自由和权利。我眼前又驶过一辆卡车，街上的人或扭头，或踮起脚看。那位白发的老人不就是大伙儿熟悉而且被敬仰的将军么？他的头发几乎都掉光了，被两个莽撞的大汉倒拧着胳膊，四周挤满了气势汹汹的红卫兵，可他的目光我看到了，还是带着打不倒的威严。

连他都成了反革命，成了被扫荡消灭的对象，夫何可言！这样的革命，这些革命小将，他们把我心中所信仰的那一点点道理全扫光了。我垂下头，折回家去。

内心多么沮丧啊，又压抑又气愤，但是更多的是恍恍惚惚。世界完全翻倒了，我不想再看到这个世界，那满墙的大字报，那些横行霸道的红卫兵。我住的院子有许多邻居，我走进院里，平时与我点头问好的老太太们、叫我"曹爷爷"的孩子们都不理我，因为我是染了麻风病的。最初的打击与悲伤似乎已被木然所替代，可在我心深处我永远不能不痛心。

回到家里，方瑞正抱着我们的女儿小方子说话。小方子是初中一年级的学生，十三岁的孩子，她见到我喊了一声：爸爸……喊过就转身走开，坐到里屋的床边去了。我看见她流下眼泪。她觉出我在望她，就用袖子擦去泪痕，低下头玩手里的猴皮筋，一拉一松，一拉一松，一会儿就把猴皮筋扔到地上。

我们家门前有一棵海棠树，春天海棠开花的时候，小方子和她同班的女孩子们边唱边玩跳皮筋，"一二一，一二一，一二三四五六七，马莲开花二十一……"如今再没有同学，也没有玩耍。晚间方瑞低声告诉我，学校的红卫兵命令小方子每天一早去学校报到，报到之后就在教室外面坐着，不允许走进教室。这是对黑五类采取的办法。红五类还在教室的地上画一个圈，让这些黑五类的孩子一个个走进来，站到圈里。这是红五类们发明的一种游戏，她们玩得很开心。学校早已不上课了。

我和小方子说，能不能不去。

孩子说不行。她望了望我，转过身走出屋子。

我心痛极了。我有罪，把我抓去斗，狠狠斗死了，就算了；十来岁的孩子有什么错，为什么还要连累我的孩子们！真想紧紧抱着小方子痛哭，但是孩子不干，她没有心情受任何人的爱抚，连爸爸也不能勉强她。但我知道她是爱爸爸的，她湿润的眼睛对我闪出怜悯的光。她知道我在受罪，只是现在还没有被抓进去。

只有小欢子好些。她晚出生几年，还在上小学，因此比她的姐姐幸运。还有同学来找她，另外，两三个幼儿园时的小朋友也来家里和她玩。几个小姑娘凑在一起，不知道她们有什么可玩的。

小欢子不觉得世上的风暴，还是那样傻乎乎的，红润的小脸常常都在笑。时而还大声地唱革命歌曲。

“我是牛鬼蛇神，我是牛鬼蛇神……”这个歌她觉得很有趣，孩子们都觉得很有趣，“我有罪，我该死，我该死，我有罪……”小欢子高兴地反复唱。

姐姐冲到她面前：唱什么，讨厌！

妈妈说，随她唱吧，她不懂。

后来我被关进牛棚，难友们也都要唱这首歌。我之所以会唱，还是受小欢子唱的时候熏陶的结果。此乃后话了。

当时，我整天担心随时被抓去……

索引

人名

A

B

C

D

E

F

G

H

I

J

K

L

M

N

O

P

Q

R

S

T

V

W

X

Y

Z

作品、报刊名

A

B

C

D

E

F

G

H

I

J

K

L

M

N

O

P

Q

R

S

T

U

W

X

Y

Z

机构、团体名

A

B

C

D

F

G

H

I

J

K

L

M

N

O

P

Q

R

S

T

V

W

X

图书在版编目（CIP）数据

曹禺全集. 第十卷 / 曹禺著. — 北京 : 北京十月文艺出版社，2023.6

ISBN 978-7-5302-2259-1

Ⅰ. ①曹… Ⅱ. ①曹… Ⅲ. ①曹禺（1910-1996）—全集 Ⅳ. ①I216.2

中国版本图书馆CIP数据核字（2022）第155336号

曹禺全集 10

CAOYÜ QUANJI 10

曹禺 著

出　　版　北 京 出 版 集 团
　　　　　北京十月文艺出版社
地　　址　北京北三环中路 6 号
邮　　编　100120
网　　址　www.bph.com.cn
发　　行　新经典发行有限公司
　　　　　电话 010-68423599
经　　销　新华书店
印　　刷　北京盛通印刷股份有限公司
版　　次　2023 年 6 月第 1 版
印　　次　2023 年 6 月第 1 次印刷
开　　本　700 毫米 ×980 毫米 1/16
印　　张　37.75
字　　数　417 千字
书　　号　ISBN 978-7-5302-2259-1
定　　价　116.00 元
如有印装质量问题，由本社负责调换
质量监督电话　010-58572393